『十四五』时期国家重点图书出版版专项规划

中国考古发掘报告提要

夏商西周卷（下册）

刘庆柱◎总主编

丁晓山◎主编

中国文史出版社

湖南省

长沙市

846.湖南宁乡黄材发现商代铜器和遗址

作　者：高至喜

出　处：《考古》1963 年第 12 期

1963 年 6 ～ 7 月间，湖南省博物馆收集到在宁乡黄材附近的炭河里和张家坳上出土的两件商代铜器，并在炭河里调查发现有 1 处商周时代的遗址。简报配以拓片予以介绍。

据介绍，出土铜器为铜卣和铜鼎，均有铭文，简报据以推断为商代遗存。宁乡一带屡有精美商代铜器出土，说明这里很可能是一处政治、经济、文化中心。

847.湖南北部发现的商代铜器

作　者：不详

出　处：《文物》1972 年第 1 期

湖南北部沿洞庭湖一带，不断发现中原风格的商代晚期铜器。1949 年前桃源曾出土商代方彝，1949 年后石门也曾连续发现商代铜卣、铜簋，但出土最多的地点是宁乡黄材公社。据不完全统计，这里前后出土的大型铜器有 10 余件，大部分制作精细，有的铜容器中还贮有数以百计的小型铜兵器和玉器。1963 年，这里还发现了商周之际的遗址。1970 年宁乡黄材公社又发现 1 件精美的对凤纹提梁卣。长沙、华容等地也收集到商代铜器。

简报指出，这些发现说明最迟到商代末期，湖南北部已与中原地区有了较密切联系。

848.湖南宁乡新发现一批商周青铜器

作　者：熊传新
出　处：《文物》1983 年第 10 期

宁乡县位于湖南省中部，是目前我国长江以南发现商周青铜器最多的一个地区。近年来，在农田水利基本建设和修筑公路中又新出土了一批青铜器。简报配以照片予以介绍。

兽面纹大铜铙。1977 年底，在老粮仓毫明大队的北峰滩山腰，农民修筑公路时发现，系窖藏。

兽面夔龙纹提梁卣。1978 年 1 月，农民在宁乡的回龙铺洋泉河边取土时发现。据调查，卣出土时距地表深约 1 米，在其出土地点，未发现其他遗物，显然也属于窖藏。

兽面纹铜瓿。1976 年 1 月，农民在黄材公社葛藤大队的木梆子山挖土时发现，与瓿同时出土的还有青铜矛、青铜戈和铜箭镞，均埋藏在 1 个不规则的坑内，当为窖藏。戈、矛和箭镞均已散失。

铜戈。1975 年秋在黄材公社栗山大队宋家冲石崙收集，出土情况不明。

简报推断这批青铜器时代在商代前期和晚期。

这次介绍的几件青铜器的出土地点，回龙铺、五里堆是新发现青铜器的地点，从而为研究湖南青铜器的有关问题提供了新的材料。

849.宁乡月山铺发现商代大铜铙

作　者：益阳地区博物馆、宁乡县文物管理所　盛定国、王自明
出　处：《文物》1986 年第 2 期

1983 年 6 月下旬，湖南宁乡县月山铺公社龙泉大队茶园生产队百姓在挖地时发现了 1 件大型铜铙。简报配以照片、拓片预以说明。

据介绍，铙通体灰褐，微泛深绿色，无光泽。从铙口破损处可知质地为紫铜。通高 103.5 厘米，柄长 36.3 厘米，锐口长 69.5 厘米，宽 48 厘米，壁厚 2.9 厘米。甬呈圆筒管状，与钲腔相通，甬直径 14.6 厘米，壁厚 2 厘米。铙重 221.5 公斤，是我国目前为止发现的最大的铜铙。

据调查，铜铙出土在月山铺公社茶园生产队 1 个高约 100 米的山岗上，地势较为平坦，东距宁乡县城 60 公里，当地称为"转耳崙"。铜铙出土地点西约 250 米，就是现藏中国历史博物馆的著名青铜四羊尊（1938 年出土）的出土地点。据当事者介绍，铜铙出土时距地表深约 30 厘米，甬端朝西卧放在坑中，坑内没有见到其他器物。简报推断该大铜铙的年代为商代晚期。

850.湖南宁乡老粮仓出土商代铜编铙

作　者：长沙市博物馆、宁乡县文物管理所　黄纲正、王自明等
出　处：《文物》1997年第12期

1993年6月7日，宁乡县老粮仓乡农民在该乡师古寨山发现一批商代铜铙。当时铜铙被在场的村民取走，经宣传动员，村民交出了全部文物。简报分为：一、出土地点及出土情况，二、器物形制，三、器物的年代，四、几点认识，共四个部分。有照片、拓片。

师古寨山位于宁乡县城西南约50公里的老粮仓乡与枫木桥乡交界处，山的西北面为老粮仓，距老粮仓乡政府驻地约3公里。发源于湘乡、涟源的流沙河（楚江），经乡政府西侧往西北方向汇入宁乡县境内的主要河流沩水。山东南面为枫木桥乡。铜铙出土于师古寨山面向老粮仓、流沙河的西北坡，距山脊约5米。出土铜铙共10件，置于一椭圆形土坑中，坑口长约1米，深约1.5米。10件铙分4层平置，下面3层每层3件，最上层1件，距地表约0.5米。器物放置无明显规律，坑内填土为本山的砂石、黄土，没发现带其他文化遗物的文化层或灰土层，从遗迹现象看可确定为1处窖藏。出土的铜铙均保存完整，个别甬口部稍有残缺。简报推测其时代最早到殷墟三期，最晚可到商周之际。

简报指出，商代铜铙，特别是个体较大的商代大铜铙，基本出土于长江流域以南地区，但其主要的出土地点是湖南长沙的宁乡。据各方面报道的资料统计，到目前为止全国共出土大铜铙40多件，其中宁乡占20多件，多是单件出土。本次不但同时出土10件，且其中的9件形制相同，大小有序，特别是对它们进行测音后，发现敲击每件的正鼓和侧鼓都能发出两个不同的乐音，且C、D、E、F、G这5种调的音都有，能组合奏出多种不同的调式。因此，这9件铙件应为一组编铙。大铙上多铸象、虎、兽面纹等，是带有威慑力量的一种象征。因此，其用于军旅既能振奋军心，又能起到威慑敌人的作用。另外，由于铙是以口上置敲击，可能是希望铜铙巨大的声响能通过大口上达天空，成为祭礼之器。又根据商代的考古发现以及有关文献，可以认为当时已有较为发达的音乐。这组编铙，其用途应为军旅、祭祀或宴享。

简报认为，宁乡出土的商周青铜器很有特色，出土总数达300余件，其中重器40余件，都是代表商代青铜文化高度发展水平的器物。特别是大量出土的大铜铙，堪称我国音乐文物的代表。1982年出土的重约221.5公斤的"铜铙之王"以及本次出土的铜编铙等，为我国古代音乐研究提供了宝贵资料。但为何如此多青铜重器出土于远离商中央统治区域的宁乡，一直是一个谜。

851.湖南宁乡出土商代大铜铙

作　者：宁乡县文物管理所　李乔生

出　处：《文物》1997年第12期

1993年8月，湖南省宁乡县枫木桥乡船山村村民在师古寨顶挖出2件铜铙。其中1件由宁乡县文管所缴获，另1件被贩运到深圳，于1995年5月被追回。简报配以彩照予以介绍。

据介绍，上缴的1件钲部饰高浮雕兽面纹，线条粗矿，双眼鼓突，眼上并饰有卷云纹，于部、甬部、舞部均饰阴线云雷纹，旋上有圆饼形饰4个，重102公斤。追回的1件呈灰褐色，钲部亦饰高浮雕兽面纹，线条比上缴的1件略细，甬部柄上饰8组回形纹，每组3个，旋上饰8组相对的"C"形纹，舞与钲部有一破损小孔，镜处饰回形纹，钲下近底端饰变体回形纹。

852.湖南宁乡县横市镇出土一件商代提梁卣

作　者：宁乡县文物管理所　李乔生

出　处：《考古》1999年第11期

1996年7月11日，湖南省宁乡县横市镇滩山村金塘组两农民在该组红砖厂挖掘出1件商代兽面纹提梁卣。县文物管理所闻讯后，立即会同县公安部门连夜赶赴现场，将此文物征集入藏，并于次日进行了实地调查。简报配以照片予以介绍。

据介绍，横市镇位于宁乡县城西南80公里处，宁涟公路横穿该镇。该提梁卣为青铜质，表层氧化，呈碧绿色。器内无铭文。口短径11.9厘米、长径14.6厘米、圈足径12.8厘米、高32厘米，重5.6公斤。另外，当地村民在该地周围取土时，曾挖掘出铜戈、斧等的残片。根据器物造型、纹饰等特点，该卣的年代简报推断为商代晚期。

简报称，宁乡商代青铜器的大量出土，特别是这次提梁卣在横市镇的又一次发现，为研究宁乡地区商代的政治、经济、文化等又提供了一份有价值的实物资料。

853.湖南望城县高砂脊商周遗址的发掘

作　者：湖南省文物考古研究所、长沙市博物馆、长沙市考古研究所、望城县文物管理所　向桃初

出　处：《考古》2001年第4期

高砂脊又名"高家溪"，位于望城县高塘岭镇，南距望城县城4公里，为湘江

下游西岸、沩水入湘江河口处的一长条形沙洲，总面积约 18 万平方米。20 世纪 70 年代，当地村民在烧砖取土时曾发现商周时期青铜甗 1 件，现藏于湖南省博物馆。1996 年 11 月，考古人员进行湘江流域商周青铜器专题调查时，在高砂脊防洪大堤维修取土区发现商周时期的古文化堆积和出土青铜器的墓葬，随即进行了抢救性发掘。1999 年，又对高砂脊遗址进行了第 2 次发掘。这两次发掘揭露面积约 350 平方米，另在大堤施工取土的区域内清理了一些单个的墓葬、灰坑和窑址等，取得了一批非常重要的考古资料。简报分为：一、遗址保存情况及地层堆积，二、出土遗迹，三、出土遗物，四、年代及文化属性，五、结语，共五个部分。有手绘图、拓片。

据介绍，M1 中的出土遗物主要为铜器，其中年代特征比较明确的是鼎和尊。简报推断此墓的年代为西周早期后段至西周中期前段。M5 的年代简报暂定为西周中期前段。另高砂脊遗址的陶器墓和其他遗迹的年代大体可以分为两期。第一期的年代主要为西周早期，且有可能早到商末周初。第二期的年代应相当于西周中期。高砂脊遗址的文化是一种以外来因素为主体的融合性文化。

简报称，高砂脊遗址是目前湖南发现的唯一 1 处商周青铜器与陶器文化堆积有直接层位关系的遗址，很可能成为解开湖南商周青铜器之谜的突破口，今后还需开展长期的工作。

854.湖南宁乡炭河里西周城址与墓葬发掘简报

作　　者：湖南省文物考古研究所、长沙市考古研究所、宁乡县文物管理所　向桃初、高成林等

出　　处：《文物》2006 年第 6 期

2001～2005 年湖南宁乡炭河里遗址经第 3 次发掘，取得了丰硕成果，其中西周时期城址的发现尤为重要，受到学术界的广泛关注。简报分为：一、遗址概况，二、城址的发现与发掘，三、城外墓葬的勘探与清理，四、结语，共四个部分。配以彩照、手绘图，介绍了三次发掘的主要收获。

据介绍，炭河里遗址位于湖南省宁乡县黄材镇寨子村，地处湘江支流沩水上游黄材盆地的西部。炭河里城址是目前我国南方地区西周时期城址的首次发现，该城址始建年代不早于商末周初，使用年代主要为西周早中期，废弃年代可能为西周晚期。炭河里城址的规模较大，内外都有壕沟；城内几个时期的大型宫殿建筑基址的规格较高，做工讲究，推测应有铸铜作坊；城外墓葬虽然形制较小，但均随葬铜器和玉器，墓主人应属西周时期中下层贵族。另外，以往在城址周围甚至城内出土的大量精美铜器应该与城址密切相关。这些均表明炭河里城址应该是一个区域青铜文化的中心

聚落或都邑所在地。遗址的发掘为南方地区早期国家文明和城的发展史的研究提供了不可多得的资料。

株洲市

855.湖南醴陵发现商代铜象尊

作　者：湖南省博物馆　熊传新
出　处：《文物》1976 年第 7 期

1975 年 2 月，醴陵县仙霞公社狮形山大队在狮形山的山坡上挖土植树时，发现 1 件铜器。考古人员前往鉴定，认为该器是商代晚期的铜象尊。简报配以拓片予以介绍。

据介绍，这件铜象尊重 2.775 公斤，通高 22.8 厘米，宽 14.4 厘米，长 26.5 厘米，呈碧绿色，出土时失盖，右耳亦残缺。简报认为是商人祭祀名山湖泊河川时埋下的。

856.湖南株洲发现二件商周青铜器

作　者：饶泽民
出　处：《考古》1993 年第 10 期

1984 年 4 月，株洲县文物干部在废旧金属仓库发现铜簋 1 件，保存完好，色泽翠绿。器腹与方座饰饕餮纹，口沿下及圈足饰夔龙纹。器内底有铭文“作宝尊彝”四字。时代属西周初期。

1988 年 4 月，株洲淦田镇上港新村村民易术泉在自家屋后挖出铜鼎 1 件，其时代属商末周初。

857.湖南株洲县商周遗址调查报告

作　者：株洲市文物管理处、株洲县文物管理所
出　处：《江汉考古》1996 年第 1 期

株洲县位于湖南省中部偏东，临近湘江，自古为交通要道。1985 ～ 1988 年，考古人员对株洲地区进行文物普查，在株洲县境内发现商周遗址 19 处，采集了一批陶器和石器标本。时代上起商代，下迄战国。这批遗址多分布在湘江及其支流两岸低矮的台地及平缓的山坡上，少数位于河流两岸的冲积平原上。简报配以手绘图予以介绍。

简报重点介绍了石珠坪、村湾岭、羊角山、东金岭、寺冲山、黄土岭、朱家屋场、

谭家山等遗址。未及介绍的遗址资料用表格方式表示。这些遗址的时代主要为商周时代，晚的可至汉代。整个商周时期，这里的土著文化应为古越族文化系统，较早时期受中原文化影响较大，东周以后则受楚文化影响较大，直到最后楚文化成为本地文化的主体。

湘潭市

衡阳市

858.湖南衡阳市郊发现青铜牺尊

作　　者：衡阳市博物馆　冯玉辉
出　　处：《文物》1978 年第 7 期

1977 年 11 月，在衡阳市郊东方红鱼场进步大队第三生产队出土了 1 件青铜牺尊。简报配以照片予以介绍。

据介绍，牺尊重 776 克，通高 74 厘米，宽 8 厘米，长 19 厘米，壁厚 2 厘米。呈碧绿色。由盖和器身两部分组成，形似水牛。盖构成牛头和牛的背部，上有扁平的弯角和凸起的双眼，角下有双耳，背部正中有一立虎捉子，后部有棱突起，尾下垂，四粗壮蹄足。盖及器身都以云雷纹为地，颈下两边有菱纹和饕餮纹，腹部有龙纹，尾部有羊头纹。形态生动，花纹繁缛，是青铜器中的瑰宝。时代应为商代晚期。

简报称，牺尊出土于距市区约 3 公里的包家台子，台子东西长约 200 米，南北宽约 100 米，地势较周围高起约 1.5 米。牺尊埋在地下约 1 米深的黑褐色土中，周围未发现古墓葬痕迹，也无其他文化遗物。牺尊头部朝东，距蒸水河的辖神渡口约 100 米，很可能是商代奴隶主贵族祭祀山川时有意掩埋的。

859.湖南耒阳县出土西周甬钟

作　　者：耒阳县文化局　蔡德初
出　　处：《文物》1984 年第 7 期

1980 年 4 月，湖南省耒阳县东湖公社夏家山发现 1 口铜甬钟。夏家山距离耒阳县城 35 公里，山为南北走向，相对高度约 40 米。甬钟出土于山西北坡距地表 20 厘米深处，附近没有发现其他遗物、遗址。简报配以照片予以介绍。

简报介绍，铜甬钟重5公斤，钟体两面各有圆锥形枚6组，共36枚。这1甬钟从形制与纹饰看，应属西周早期文物。湘南地区出土西周甬钟尚属少见。

860.湖南衡阳出土两件西周甬钟

作　者：衡阳县文化局　周新民
出　处：《文物》1985年第6期

衡阳县文化馆藏2件西周甬钟，分别在衡阳县长安乡和栏垅乡出土。简报配以拓片予以介绍。

简报介绍，第1件于1977年5月，长安乡农民挖塘泥时，发现西周云纹铜甬钟1件，未见其他器物伴出。第2件于1979年4月，栏垅乡泉口村农民平整菜地时，发现西周夔纹甬钟1件，亦未见伴出器物。

简报称，从形制和纹饰特征看，简报推断长安乡甬钟年代约在西周早中期之际，泉口村甬钟年代约在西周早期，应是当时湖南土著民族制造的。

861.湖南衡阳发现商代铜卣

作　者：衡阳市博物馆、衡阳市文物管理处　郑均生、唐先华
出　处：《文物》2000年第10期

1985年11月，湖南祁东县建工队在衡阳市郊杏花村建房施工中，挖出了1件铜卣及170件玉器。衡阳市博物馆闻讯后派员赶到现场勘查，并收藏了这批出土器物。简报配以手绘图予以介绍。

据介绍，杏花村位于衡阳市蒸湘南路西侧。铜卣埋藏地点在杏花村后山腰的黄黏土中，土坑距地表深1.8米，直径约0.5米，坑内土略呈浅灰色。铜卣出土时内装10件玉器。玉器有管、玦、环、佩、鱼、簪、柄形器及足形器等。土坑周围没有发现其他文化遗迹、遗物。

铜卣有铭文"戈作宝彝"，简报认为"戈"为族徽。此铜卣可能是戈族人迁徙江南时所带，或是与古越族通商交易所得。

邵阳市

岳阳市

862.湖南岳阳费家河商代遗址和窑址的探掘

作　者： 湖南省博物馆、岳阳地区文物工作队、岳阳市文管所　何介钧、张中一、
　　　　　符　钱、吴　宏
出　处：《考古》1985 年第 1 期

费家河是一条由东向西注入洞庭湖的河流，河口在岳阳市南 40 公里。1972 年，黄秀桥公社曾名大队在距河口 10 多公里的费家河北岸兴修鱼池，掘出 1 件商代铜铙。考古人员在其附近进行调查，清理了其中的 1 个红烧土坑，确认为陶窑，编号为 Y1。在 Y1 中出土了 1 件完整的夹砂红陶大口缸。1981 年 12 月，在水庙咀清理了陶窑 10 座，编号为 Y2 ~ Y11。1982 年 5 月，在费家河的支流青龙河口东西两岸又发现了多处陶窑，计：水庙咀（包括原已发掘的）17 座，双燕咀 6 座，扑拜咀 4 座，杉刺园 3 座，窑田子 4 座，王神庙 29 座，总计 63 座。先后共清理了其中的 32 座，计：水庙咀 17 座，双燕咀 6 座，扑拜咀 3 座，王神庙 6 座。

据介绍，已发掘的 32 座窑，有 2 种形式：1 种为圆形竖穴窑，28 座。另 1 种为"8"字形窑，4 座。费家河的窑址和遗址中都大量出土夹砂红陶大口缸。此式缸，很近似于郑州人民公园和殷墟所出的"将军盔"。与黄陂盘龙城、石门皂市、郑州二里岗所出相比，其时代显然要晚。但据目前所见材料，这种缸到西周即已消失。因此，简报推断费家河遗址和窑址，时代大概相当于中原商代晚期。

863.湖南岳阳温家山商时期坑状遗迹发掘简报

作　者： 湖南省岳阳市文物管理处　张迎冰
出　处：《江汉考古》2005 年第 1 期

温家山坑状遗迹群是湘江下游新墙河流域乃至湖南地区迄今为止考古发现的 1 处重要的商时期坑状遗迹，时代从殷墟一期延续到商代后期晚段。发掘地点位于湖南省岳阳县城西约 2 公里的孙坞村。遗址于 1994 年 11 月配合工程建设进行勘探时发现并进行了抢救性发掘，共发掘坑状遗迹 31 座。简报分为：一、坑状遗迹形制及坑内堆积，二、遗物，三、结语，共三个部分。有手绘图。

据介绍，坑状遗迹的平面形制主要为圆角长方形、圆形、椭圆形、半圆形等形

态。内有不同组合的陶器，未见葬具、人骨，因而这批坑不可能是墓葬，而极有可能是与某种宗教活动有关的祭祀坑。根据已整理的部分坑状遗迹的器物组合、形态、文化因素等方面分析，其中占主导地位的以鬲、簋、大口尊、瓮、盆、豆等为代表的文化因素，具有明显的商文化盘龙城类型的特征，是该类遗存的主体特征，同时这批坑可能与某种宗教祭祀有关。

时代为殷墟一期到商代后期晚段。

864.湖南岳阳市铜鼓山遗址出土商代青铜器

作　者：岳阳市云溪区文物管理所　胥卫华等
出　处：《考古》2006年第7期

铜鼓山遗址位于岳阳市云溪区陆城镇新设村塘湾组，地处长江东南临岸丘陵地带的一个小山头上，东距陆城镇1.5公里，西南距岳阳市区约30公里。1987年底，考古人员曾对遗址区内的商代遗存和东周墓群进行了正式发掘。所获资料表明铜鼓山遗址的商代遗存属于商文化盘龙城类型，年代相当于中原商文化二里岗时期。1997年10月，当地农民在铜鼓山遗址区内建房时发现了青铜器。考古人员赴现场进行调查并收回了出土文物。铜器共有2件，1件为鼎，另1件为觚。现场调查后发现，这两件铜器出土于距地表深20厘米处，周围地层中还发现石锛、刀，以及鼎、折肩罐、鬲、大口缸、釜、杯、硬陶瓶、器盖等陶器残片。因建房时将地层破坏太甚，已无法确定铜器与采集的石器、陶片之间的关系。

简报分为：一、出土器物，二、结语，共两个部分。有照片、手绘图。

出土的两件青铜器，简报推断其时代为商代后期前段。铜鼓山濒临长江南岸，向南5公里即是洞庭湖与长江的交汇处，这里是江南地区已发掘的极少几处存在商文化前期遗存的遗址之一。铜鼓山的地理位置极为优越，商人最初南下并在长江以南建立自己的势力范围时，极有可能以它作为重要的军事据点。

简报称，此次在铜鼓山遗址出土的青铜器，对于研究商文化南下的发展趋势及其与当地土著文化的关系具有很重要的意义。

常德市

865.湖南石门县皂市发现商殷遗址

作　者：周世荣

出　处：《考古》1962 年第 3 期

皂市距石门县城 19 公里，遗址位于皂市镇东北方，中间隔一溇水，遗址即在对岸第一台地上。遗址中心已被新修的水沟截为两半。1960 年上半年文化普查时发现了该遗址，同年 11 月 16 ～ 19 日，对其进行了试掘。这次试掘在水沟崩塌处陶片较多的地方开了 1 个正南北向的探沟。简报分为：一、地层，二、遗物，三、小结，共三个部分。有照片、手绘图。

据介绍，该遗址以夹砂粗红陶、泥质灰陶和亮黑衣细泥红陶为主。夹砂陶各层都有出土，但主要集中在二至四层。器形多折唇炊器与杯形器等；泥质陶多在一二层，器形多属钵形器、豆形器与平底器等；亮黑衣细泥红陶（或亮黑衣灰黄色胎）多在第五层，器形以折唇雷纹簋与圈足雷纹陶壶为主，夹心陶与泥质灰陶系大致相同；米色胎质的陶片多在第三层，器形有圈足器；黑陶出自第五层，有圈足器及折唇夹砂器口。炊器以手制为主，容器以轮制为主。纹饰以绳纹、雷纹或变形雷纹为主，方格纹、同心圆纹、划纹、篮纹和目字形印纹不多。

根据出土陶器的形制、纹饰以及尖状红铜块的发现，简报推断该遗址的时代应属殷代，其年代上限可至商，下限可至西周。

据《考古学报》1992 年第 2 期报道，1977 年 ～ 1978 年，考古人员在皂市又进行了考古发掘，发现 32 处灰坑，出土有石器、陶器、铜器等。

考古人员认为，皂市发现的商代遗存，应属于受商文化强烈影响的本地青铜文化。对于研究商代湘北、洞庭湖地区文化面貌、商与当地土著关系等，均很有价值。

866.湖南涔澹农场发现商代铜器墓

作　者：谭远辉

出　处：《华夏考古》1993 年第 2 期

1990 年 9 月 28 日，位于湖南津市北部的涔澹农场在施工中发现了 2 件青铜器。考古人员前往调查。通过对现场认真的分析，认为铜器出自 1 座墓葬中（90 津涔 M1），并立即对该墓进行了清理。简报配以手绘图予以介绍。

据介绍，M1 位于津市北部、澧水支流涔水与澹水的交汇地带，东距涔水 1.6 公里。M1 形制较为特殊，为带墓道的双室土坑竖穴墓，由墓道、前室、后室三部分组成。M1 所出铜爵、铜觚的绝对年代简报推断约当武丁前后。

简报称，M1 的发现对于研究商代政治、经济、文化等对江南的影响以及湘北地区在商代所处地理位置的重要性都有着重要意义。

张家界市

867.湖南桑植县朱家台商代遗址的调查与发掘

作　者：湖南省文物考古研究所、桑植县文物管理所　师悦菊、周扬声
出　处：《江汉考古》1989 年第 2 期

桑植县位于湖南省西北边陲。1987 年文物普查中在这里发现古遗址 140 多处，而商代遗址就有 40 处，其中朱家台有 2 处（庙湾遗址、吴家塝遗址）。同年 6 月，考古人员配合工程建设发掘了吴家塝遗址。简报分为三个部分，配以手绘图予以介绍。

据介绍，这处商遗址尽管发掘面积不大，出土器物残破，完整器少，但具有鲜明的地方特色。它器物造型简单，纹饰单调。过去，我们认为，某一河流如澧水流域商时期的古代文化面貌基本一致，习惯以河流水系来划分文化类型。这次发掘则发现理水流域的商文化，上游下游、山区平原有很大区别。湘西地区重岗复岭，从事生产的自然条件比平原差得多，受外界影响少，文化的发展保留了很多的自身特点。朱家台商代遗址无疑代表着当地土著民族一种新的文化类型。

益阳市

868.湖南桃江县出土四马方座铜簋

作　者：陈国安
出　处：《考古》1983 年第 9 期

1982 年春，桃江县连河冲公社金泉大队农民在建房挖地基时，从距地表约 30 厘米处获得一铜盖形器，因被锄破，故被视为废物而与泥土一同倾入河中。后继续深

挖又得铜残片数块，经清理出土四马方座铜簋1件。简报配以照片、拓片予以介绍。

据介绍，此器重5.8公斤，高约30厘米，微残，无铭文。此器造型奇特，出土地点离屡出青铜重器的宁乡县很近，约10公里。其时代，简报推断为西周后期。

郴州市

869.湖南安仁县豪山发现西周铜铙

作　者：陈国安、傅聚良

出　处：《考古》1995年第5期

1991年4月6日，安仁县豪山乡湘湾村村民张友军在武山上采蕨菜时发现了1件西周时期的铜铙。简报配以照片、拓片予以介绍。

据介绍，铜铙出土于武山半山腰突出的山脊旁。据发现者介绍，铜铙平放在地里，甬向山脚，有立鸟的一面放在上面。因雨水冲刷，水土流失，铙的甬部已突出地表，其他部位也仅距地表约2～10厘米。铙下及两侧垫有一层2～5厘米厚的木炭。此铙发现以后，当地农民又将出土地点周围都挖动扰乱了，所以出土情况不明。简报估计此为一窖藏，时代推断为西周中晚期。

简报称，湖南地区出土的铙上多有动物装饰，如虎、象、龙等，但鸟还是首次发现，是族徽还是别的标志，尚待研究。

永州市

870.湖南零陵菱角塘古遗址调查与清理

作　者：湖南省博物馆　周世荣

出　处：《考古》1965年第9期

1964年12月间，考古人员在零陵县菱角塘调查了古代遗址。遗址被破坏甚剧，当时仅采集了一些陶片。1965年1月，考古人员又前往复查，发现有很明显的文化层，当即进行清理。这次清理中，除出土较多的陶片外，还发现了铜器和石器。简报配以照片和手绘图予以介绍。

据介绍，菱角塘西距零陵县城约12.5公里，遗址在菱角塘东侧的三叉岭的山沟里，依山沟的自然形态分布,断续长达300米。文化层现存厚度仅0.8米,可分为上下两层,上层为灰色碎石堆积层。此层陶片最多,并出土铜器1件。下层呈灰黄色,仍是碎石堆积,陶片较稀少。此层出土了石器,但陶片的胎质及类别与上层无异,说明上下层都是同时代的文化堆积。遗物有石器、陶器和铜器。

简报推断,该遗址年代为商代,下限则可以晚至西周。

怀化市

娄底市

871.涟源市出土一件商代铜卣

作　者：戴小波

出　处：《文物》1996年第4期

1995年8月,湖南省涟源市桥头河镇水洞村农民在该村石山上平整土地时,于一土坑中发现1件铜卣。涟源市文化局、文物管理所闻讯后迅速赶往现场,使这件青铜器得到很好的保护。简报配以彩照予以介绍。

据介绍,卣为扁圆体,直口,斜肩,宽垂腹,纵向提梁,平底,圈足。盖与身锈死,通体蓝锈,略有浅绿。器盖由两个兽面组成,纹饰直通盖口,上有四道扉棱,纽顶作六瓣形,每瓣有蝉纹图案,两耳呈纽形,上翘。提梁作绳索状,两端为兽首。腹部有四道扉棱,颈部饰四夔龙及两兽面,组成纹饰带一周。腹部饕餮纹为对称的2个大兽面和2个小兽面。圈足部饰八夔龙,两两相对,也有四道扉棱。整件器物均以云雷纹衬底。

根据铜卣的形制与纹饰,简报推断其为商代晚期遗物,在涟源地区属首次发现。

湘西州

广东省

广州市

深圳市

872.深圳市南山向南村遗址的发掘

作　者：深圳市文管会办公室、深圳市博物馆、南山区文管会办公室　叶　杨、
　　　　史红卫、刘均雄、黄小宏、高爱萍

出　处：《考古》1997年第6期

向南村遗址地处深圳市西部蛇口半岛的连岛沙堤上，东距深圳湾1000米，西离南头湾1600米，遗址面积约10000平方米。近年由于当地农民多次建房修路，挖石灰坑和堆填淤泥、垃圾等，遗址遭到严重破坏。现遗址南部是新建的楼房和混凝土道路，已无法发掘。1995年底，向南村委在遗址北部建村委综合大楼时，又将遗址中部破坏掉，现仅存面积1000多平方米，而且原文化堆积上部已被扰乱。

1996年3月13日至5月2日，考古人员对该遗址进行了试掘，在遗址范围内及周围实际发掘面积90平方米。探明情况后，于5月7日至7月6日对该遗址进行正式发掘，共布12个探方，发掘面积共1030平方米。简报分为：一、地层堆积与遗迹，二，遗物，三，结语，共三个部分。有手绘图、拓片。

据介绍，遗址中出土大量陶片，文化层中出土4万多片，扰乱层中与文化层同时期的陶片估计也有1万多片。大量陶片的发现，说明该聚落规模颇大，聚居人口众多，沿用时间亦较长。作为主要生产工具的石器以中小型锛为主，缺乏斧、铲等大型农耕用具，可见当时的锄耕农业极不发达，该遗址中占主导地位的应是渔业。

通过与遗址出土物的综合比较，简报推断向南村遗址年代属于商时期。

873.广东深圳市盐田区黄竹园遗址发掘简报

作　　者：深圳市博物馆、深圳市文管办、深圳市盐田区文管办、深圳市文物考
　　　　　古鉴定所　陈逢新、刘均雄、李海荣等

出　　处：《考古》2008 年第 10 期

黄竹园遗址是 1 处坐落于海湾二三级沙堤上的沙丘遗址，位于深圳市盐田区梅沙街道办事处大梅沙村的北部，东南距大鹏湾海岸约 500 米，北边紧邻古潟湖。遗址三面环山，一面临海，地理环境十分优越，非常适合人类的生存。该遗址于 2000 年深圳市第二次文物普查时发现，面积接近 2 万平方米。2001 年因在古潟湖一带修建人工湖——愿望湖，遗址面临破坏，考古人员进行了抢救性发掘。发掘于 2001 年 3 月 24 日开始，5 月 30 日结束。简报分为：一、发掘概况与地层堆积，二、商时期遗存，三、春秋时期遗存，四、结语，共四个部分。有手绘图等。

据介绍，遗址发现的遗迹有商时期灰坑 1 座、墓葬 11 座，春秋时期的墓葬 5 座，出土较多陶器、玉石器和少量青铜器等遗物。其中商时期遗存可分为二组：第一组的年代约在早商的偏早阶段或早商时期，第二组的年代约在早晚商之际。

珠海市

874.广东珠海市淇澳岛东澳湾遗址发掘简报

作　　者：广东省博物馆、珠海市博物馆　李　岩、李子文

出　　处：《考古》1990 年第 9 期

1985 年 12 月，考古人员对东澳湾遗址进行了发掘，旨在探索珠江三角洲地区远古文化的面貌。简报分为：一、地理环境和文化层堆积，二、遗迹，三、遗物，四、结语，共四个部分。有手绘图。

据介绍，淇澳岛位于珠海市东北约 10 公里，全岛面积 17 平方公里。遗址主要分布于东澳湾的东南部，总面积近 1 万平方米。发掘共发现和清理了烧土及石块组成的遗迹三处。简报推测，东澳湾遗址的年代应当晚于珠江三角洲目前定为新石器时代晚期的河岩、灶岗等遗址，而与茅岗遗址的年代大致相当或略晚。其绝对年代约相当于中原地区的夏商之际。

简报认为，此遗址应当是一处以渔猎、采集经济为主的季节性活动居址。

汕头市

875.广东潮阳市先秦遗存的调查

作　者：中山大学榕江流域史前期人类学考察课题组、潮阳市博物馆　邱立诚、
　　　　曾　骐

出　处：《考古》1998 年第 6 期

潮阳市位于广东省东南沿海，境内地势自西北向东南倾斜，南有大南山，北有小北山，中部练江自西向东横贯入海，北部榕江自西北向东南流经汕头港入海。

20 世纪 50 年代至 60 年代初，考古工作者在大南山北部的金溪河流域（今金溪水库）曾发现葫芦山、走水岭、番箕坑、九斗尾山、左宣恭山、赤牛山、象山等遗址。80 年代文物普查以来，考古人员又发现了一批先秦时期的文化遗址，并采集到比较丰富的遗物。这些遗存分布于大南山北麓的仙城、两英及小北山南麓练江流域的贵屿、铜盂、和平、金浦等地。简报分为：一、遗址概况及采集遗物，二、性质及年代，共两个部分。有手绘图。

据介绍，仙城、金浦、铜盂、贵屿等各处遗存均属浮滨文化。浮滨文化是分布于粤东、闽南的早期青铜文化，时代相当于商周时期。简报称，潮阳地区这类遗存的发现，增加了这类文化的实物资料，为探讨这一区域与周邻地区的文化关系提供了更多的依据。

韶关市

876.广东翁源县青塘圩新石器时代遗址

作　者：广东省搏物馆　彭如策

出　处：《考古》1961 年第 11 期

青塘圩遗址于 1959 年 11 月发现，是属于新石器时代早期的遗存。1961 年 4 月考古人员进行了调查，继续在仙佛岩、狮头岩等地发现 5 处类似的遗存，并发现石器和陶片。简报分为：一、地理位置及其他，二、文化遗址，三、遗物，四、结语，共四个部分。有手绘图、照片。

青塘圩位于翁源县西南44公里，朱屋岩、仙佛岩、吊珠岩、狮头岩、黄岩门共4处遗址；出土遗物有人骨、石器、陶片、动物骨骼。

简报称，青塘圩这一类型的新石器文化遗址在广东省还是第1次发现。从广东发现的新石器时代的材料来看，这个遗址在时间上应该较早。至于仙佛岩的1件磨制石锛和陶片，因采自地表，石器制作技术和陶片纹饰质地都与地层中所出的有别，故在时间上应较晚些。

877.广东曲江鲶鱼转、马蹄坪和韶关走马冈遗址

作　者：广东省文物管理委员会、华南师范学院历史系　莫　稚、李始文、
　　　　　黄宝权

出　处：《考古》1964年第7期

1959年5月，考古人员在韶关市西北走马冈发现了1处遗址。1960年7月，在曲江鲶鱼转、马蹄坪和韶关走马冈三处遗址进行了重点发掘，发现了丰富的石器、陶片和建筑遗存。简报分为：一、鲶鱼转遗址，二、马蹄坪遗址，三、走马冈遗址，四、结束语，共四个部分。有拓片、手绘图。

据介绍，鲶鱼转遗址在曲江县西北30公里周田圩西南面的鲶鱼转山上，东北与浈江相接。马蹄坪遗址在曲江县西北36公里新庄圩西面约2公里，西距鲶鱼转遗址10公里，南与浈江相接。走马冈遗址在韶关市北2公里，有不少遗物暴露在地面上。

简报认为，3处遗址属一个文化系统，但鲶鱼转和马蹄坪为时稍早，它们为广东新石器时代晚期的两个不同发展阶段的文化，年代大体相当于中原地区的殷商时期或略早。

878.广东仁化覆船岭遗址发掘

作　者：广东省文物考古研究所　李子文等

出　处：《文物》1998年第7期

覆船岭遗址位于仁化县东北长江镇以南1公里处，距县城约50公里，为一高出周边约60米的山冈，形似1只倒扣过来的船，故名覆船岭。现地面已辟为柑桔园。1986年冬，当地村民在地面捡到石镞、陶片等。考古人员确认此地为一新石器晚期遗址，1995年正式发掘。

据介绍，此次发掘，证实当地有两种文化遗存，早期文化应属新石器时代晚期，有墓葬9座。晚期文化应属夏商时期。有灰坑15个。

佛山市

江门市

湛江市

879.广东廉江县出土新石器和青铜器

作　　者：湛江地区博物馆　阮应祺
出　　处：《文物》1984 年第 6 期

1982 年 3 月，廉江县新华公社为建砖厂，在新华圩南靠近海边的大环岭取土时，挖出青铜铲 1、青铜剑 1、石锛 1、砺石 1，无墓葬痕迹，应是同一时间埋藏的。时代简报推断为商周时期。

茂名市

880.广东南路地区原始文化遗址

作　　者：广东省文物管理委员会　莫　稚
出　　处：《考古》1961 年第 11 期

1959 年 5 月，广东省考古人员在高州县内发现了遗址 9 处，7～8 月间，发现了遗址 88 处。简报分为：一、地理形势和遗址状况，二、文化遗物，三、结语，共三个部分，介绍除了东兴县的 3 处贝丘遗址外的全部遗址，有手绘图、拓片、照片。

据介绍，广东南路地区包括两阳、电白、高州、茂名、化州、雷州、徐闻、湛江、合浦、北海、灵山、钦县、东兴 13 个县市。其地势东部和中部为一台状的丘陵地带，西部为中等山地的平行岭谷区，东面有谟阳江、鉴江，西面有九洲江、南流江和钦江，河流两岸则多平坦的谷地。遗址大多分布于河流两岸及东、西部的海岸边，雷州半岛因缺少水源则少有发现。按地形特点，山冈遗址共发现 80 处，沙丘遗址共 14 处，发现遗物有石器、陶器、青铜片。这些遗址除了属于新石器时代较早期的东兴贝丘遗址外，其余 94 处遗址年代可能稍晚。钦县红泥岭、上洋角、东兴旧营盘、两阳刘三沙岗等 22 处遗址，石器中有打制和磨制的，陶器仅有夹砂粗陶，特点与东兴县贝丘遗址所出者颇接近。但这里的打制石器已较少，磨制石器的使用比较广泛，夹砂粗陶器比较进步，但比新石器时代晚期以几何印纹陶为特征的文化遗存又为原始，所以其年代应介乎两者之间。至于已见几何印纹硬陶的其他遗址，其年代当会较晚，是属于新石器时代晚期的，大体相当于中原殷周时期或者更晚一些。

简报附有"广东南路地区原始文化遗址登记表"。

肇庆市

881.广东高要县茅岗水上木构建筑遗址

作　者：广东省博物馆　杨　豪、杨耀林
出　处：《文物》1983 年第 12 期

1978 年 10 月，考古人员在东距广州市 62 公里的高要县茅岗，发现 1 处水上木构建筑遗址。简报分为"地层堆积""木构建筑遗址""结语"共三个部分。

据介绍，因遗址在今鱼塘内，当地农民在排干塘水挖取塘泥时，曾把遗址中部分木柱挖出，前后多达 1000 件，从而使遗址受到破坏。发掘共得木柱 22 根（不计填土时的发现），木桩 36 根，圆形木条 31 根，铺垫用树皮板 4 块及小型木桩、木炭和其他附件等。遗址的时代，简报认为应相当于中原地区的商代。据茅岗遗址内涵分析，当年的居民，大体都是现称"疍家"、古称"蜑"民族的先民。他们是俚、僚族的远祖，以结栅棚聚居在水上，从事渔猎繁衍生息。

又，据《考古》1983 年第 9 期，考古人员在广东西部封开、德庆等县曾发现了一些大石铲，

据介绍，封开县 6 件，为罗董公社扶圹大队小学背后山中 1 件、罗董公社大垌大队 1 件、封川公社鲤鱼山 1 件、金庄公社崩圹冲 1 件、洇涝公社罗源大队边山岗 1 件、杏花公社新和大队奇龙山 1 件。德庆县 1 件，出于播植公社前案大队双掘山。石斧未见使用痕迹，发现地点也不宜居住，估计为礼器，时代下限有可能晚至商周时期。

惠州市

梅州市

882.广东平远县西周陶窑清理简报

作　者：广东省博物馆　彭如策
出　处：《考古》1983 年第 7 期

1974 年 5 月，考古人员在平远县石正圩西北 2 公里的水口山南端，清理了 4 座古代窑址。此窑是 1974 年初调查发现的。简报配以手绘图予以介绍。

据介绍，窑址分布在水口山西南山嘴，环绕山嘴 35 米地段，排列着 5 座陶窑：东南 3 座，编号 1、2、5 号；西南 2 座，编号 3、4 号。清理前火膛与窑床已暴露在地面。经清理，4 座窑（5 号窑未清理）的结构基本一致，均呈袋形竖穴状，上大下小，分窑床、窑箅、火膛三部分。火门已破坏。窑箅位于亚腰地方。陶器以硬陶为主，器形以罐类居多。年代简报推断为西周时期。

883.广东大埔县古墓葬清理简报

作　者：广东省博物馆、大埔县博物馆　邱立诚等
出　处：《文物》1991 年第 11 期

1982 年，大埔县博物馆进行文物普查，先后在枫朗镇王兰金星面山、保安背头岭、墟镇街背山、湖寮镇莒村下北山、结高岭 5 处地点发现一批陶、石器。考古人员到现场勘察，确认属于古墓葬遗物。同年 12 月，梅县地区文化处会同大埔县博物馆对金星面山进行复查，清理了器物已暴露的古墓葬 1 座（编号 M1）。1986 年对枫朗镇金星面山、屋背岭、斜背岭 3 处古墓葬进行发掘，清理古墓 21 座（编号 M2 ~ M22）。简报分为：一、墓葬分布及形制，二、出土遗物，三、结语，共三个部分。配有拓片和照片。

据介绍，金星面山、屋背岭、斜背岭是 3 座相邻的山岗，高约 30 ~ 50 米，南边有王兰河流过。古墓葬分布在山岗顶部和东南坡。保安背头岭高约 60 米，采集遗物分布在山顶平台及东南坡，西边有保安河。湖寮镇莒村下北山高约 100 米，采集遗物分布在山顶及西南坡。结高岭高约 80 米，采集遗物分布在西南坡。两处山岗的南边有莒村河。已清理的古墓葬均为长方形竖穴土坑墓，顺山势挖坑，方向不一，分布凌乱，主要位于山腰至山顶，墓坑一般都不大。随葬品较少，摆放位置主要有三种：一是在

墓坑的一端；二是在墓坑的一侧；三是在墓坑中间尸骨上部呈一字形排列。尸骨和葬具均腐朽无存。22 座古墓葬出土物共 141 件，其中陶器 93 件，占 65%。

简报称，大埔墓葬的年代应相当于商代，其中第二期较之第一期要略晚一些，两者之间有着直接的继承关系。大埔墓葬也存在一些地方特点，如墓葬形制不见二层台墓穴，随葬品放置在墓坑的一侧，A、B 型陶深腹豆均有出土，陶器上刻有两个相同的符号等。

简报说，这些大同中的小异是否反映年代早晚的演变，有待于进一步探讨。

884.广东平远县寨顶上山遗址调查

作　者：广东省博物馆、平远县博物馆　邱立诚
出　处：《考古》1991 年第 2 期

1986 年冬，考古人员根据当地农民提供的线索，在长田乡龙颈村寨顶上山发现了石器、陶片等遗物。寨顶上山位于平远县城东南 12 公里处，是 1 座高约 50 米的山岗，山的西面有长安河自北向南流经。遗物主要分布在山顶平台及南面山坡，发现的遗物有较多的陶片和少量的石器以及大量经打制的石器半成品。与遗物共存的还有大量的石片，这些石片都是打制石器过程中产生的。简报配以手绘图等予以介绍。

据介绍，收集的遗物有石耜、石戈、石锛、砺石，打制成胚形的石锛、石凿和各式陶器口沿、各种花纹陶片、夹砂陶支座等。寨顶上山遗址的时代也当属青铜时代，大致相当于西周时期。

885.广东丰顺县先秦遗存调查

作　者：邱立诚、曾　骐、文衍源
出　处：《考古与文物》1998 年第 3 期

丰顺位于广东东部，丰顺境内的先秦时期文化遗存发现不多，20 世纪 50 ～ 60 年代有少量发现，80 年代文物普查中又发现了一些。这些遗存主要在韩、榕两江流域地区，包括汤坑、汤西、丰良、潘田等地。简报分为：一、各遗存地点与遗物，二、各地点遗物的特征及其年代，三、结语，共三个部分。有照片、手绘图。

据调查，丰顺境内的先秦遗物，虽然迄今发现尚不很丰富，从已发现的材料看，细小石器遗存的年代可早至新石器时代早期，新石器时代中期的遗物尚阙如。田头遗存中的三足器，年代约在新石器时代晚期，是粤北地区石峡文化因素在榕江流域地区的反映。

汕尾市

河源市

886.广东连平县黄潭寺遗址发掘简报

作　者：广东省博物馆、连平县博物馆　李子文、何　斌、龙家有
出　处：《考古》1992 年第 2 期

黄潭寺遗址位于连平县城东北约 1.5 公里、谢屋村北约 10 米处的山前坡地上。其北依排岭山，西、南两面分别为坡地和河谷平原，连平河自北向南流经遗址的东侧，县城至上坪乡的公路由南向北穿过遗址的东部。由于修建公路，遗址受到部分破坏，现存面积 12000 平方米左右。1983 年 8 月，县文物普查发现该遗址，并采集到陶器、石器等遗物。1987 年夏季，为配合国道 105 公路建设，考古人员对该遗址施工地段进行了抢救性发掘，发掘面积为 850 平方米。清理了一批不同时期的灰坑、灰沟、柱洞等遗迹，获得了一批新石器时代晚期的文化遗物。简报分为：一、地层堆积，二、早期文化遗存，三、晚期文化遗存，四、结语，共四个方面。有手绘图、拓片。

据介绍，本次发掘初步弄清了黄潭寺遗址的地层堆积及其文化内涵。遗址的早期遗存具有新石器时代晚期的特征，同曲江石峡遗址下文化层相比，两者不仅在地域上相邻，而且在许多文化因素上也基本相同或相似。就现有资料而言，黄潭寺早期遗存的陶器形制虽然在某些灰坑之间（如 H4 与 H8）存在一定的差异，但阶段性的变化尚不明显，其总体风格与石峡遗址三期墓相似。简报推断年代也应大致相当，即在青铜时代早期，大致相当于中原地区西周之前。

黄潭寺晚期遗存的陶器，其主要特征是几何形印纹陶发达，流行圈足器和凹底器，基本不见三足器和平底器，器形以罐最多，还有釜、豆和器座。根据器物形制的变化，并参照 II 区的地层叠压关系，拟将其划分为前后两段。石峡遗址中文化层和黄潭寺晚期遗存之间，年代距离不会太远，后者可能要略晚于前者。

黄潭寺早、晚两期遗存差异颇大，在文化发展关系上难于直接衔接起来。而从早期遗存已出现少量几何形印纹陶这一特征看，两者在文化传统上是相通的，但在年代上存在着较长的一段时间。

阳江市

清远市

887.广东清远发现周代青铜器

作　者：广东省文物管理委员会　莫　稚

出　处：《考古》1963年第2期

1962年2、3月间，清远县三坑公社飞水大队由于取土修筑堤坝，发现了一批青铜器、石器和陶器。同年6月，考古人员前往出土地点进行了两次调查探掘，同时进行了出土器物的收集工作。

简报分为：一、地理环境及出土情况，二、出土遗物，三、小结，共三个部分。有手绘图、拓片。

据介绍，出土地点位于清远县三坑圩马头岗村东面的马头岗上。出土有青铜器、石器、陶器。简报推断其年代最晚不会晚于战国，最早不会越过西周，大致应属西周末至春秋时期的遗物。

东莞市

中山市

潮州市

揭阳市

888.广东揭阳云路出土一批石器、陶器

作　者：吴　诚
出　处：《考古》1985 年第 8 期

1983 年初，揭阳县博物馆在云路公社赵厝埔梅林坑山发现了一批石器、陶器。简报配以手绘图予以介绍。

据介绍，梅林坑山是一座高约 50 米的小山岗，东南距云路圩约 6 公里。出土遗物计有石器 6 件、陶器 10 余件。揭阳云路出土的这些石器、陶器，与饶平浮滨、普宁梅塘两地发现的墓葬中的遗物相比较，器物造型、花纹、釉色及器物组合形式都大致相同，刻划符号都见于器物之上。因此，简报推断它们的年代当亦相同，即同属商代。

简报称，云路发现的这批遗物，为研究这类文化遗存的分布提供了新的实物资料。

889.广东揭阳华美沙丘遗址调查

作　者：邱立诚、吴道跃
出　处：《考古》1985 年第 8 期

1983 年 5 月，揭阳县博物馆在地都公社华美大队关爷坑进行文物普查时，发现了 1 处沙丘遗址，采集到一批遗物。简报配以手绘图予以介绍。

据介绍，关爷坑遗址位于桑浦山脉东侧的 1 块宽 2.5 公里的凹拗平川之中的沙丘上。沙丘高出附近地面约 3 ~ 8 米，地层堆积为黄褐色沙土。出土遗物有铜器和陶器（片）。其中夹砂陶豆、器座过去曾见于粤东的惠阳、海丰等地。陶器器形多见折肩、圆凹底，花纹种类不多。方格纹硬陶罐的形制、纹饰与平远西周陶窑的同类器中更为接近。铜斧（钺）的形制与揭阳新西河发现的相同，新西河还共存有磨光石锛、石斧、石戈及云雷纹；夔纹等印纹硬陶多见于商至西周、春秋时期。华美这件铜斧（锛）与春秋战国时期常见的斧相比较，身要短，刃则要宽；与这一时期的锛相比较，则刃面要窄。它似乎是属于斧钺还不宜区别的阶段。据此，这批遗物的年代，简报推断可能早于春秋，大致相当于西周时期，其准确年代还有待发掘更多材料时来确定。

890.广东普宁市牛伯公山遗址的发掘

作　者：广东省文物考古研究所、普宁市博物馆　邱立诚
出　处：《考古》1998 年第 7 期

普宁市博物馆于 20 世纪 80 年代在文物普查时发现了牛伯公山遗址。1995 年 9～10 月，对该遗址进行了第 1 次发掘。

牛伯公山位于普宁市城区东南 12 公里处下架山镇的汤坑村汤坑水库东侧，遗址堆积分布在山岗的西、南坡。山的西面有汤坑河自南向北流过，20 世纪 50 年代经截流修建成水库，遗址高出河流水面 30～40 米。简报分为：一、地层堆积，二、遗迹，三、遗物，四、结语，共四个部分。有手绘图、拓片。

据介绍，遗址内各文化层出土遗物的文化内涵相近，同属于一种考古学文化。根据地层关系，结合遗物的型式演变，遗址分成两期。对地层中获取的一批碳标本进行碳十四年代测定，据结果推断牛伯公山遗址的年代范围大致在公元前 1500 年～前 900 年。

简报称，牛伯公山遗址的发掘，对探讨粤东地区新石器时代文化向青铜文化发展、演变的进程有一定意义。

891.广东普宁市池尾后山遗址发掘简报

作　者：广东省文物考古研究所、普宁市博物馆　吴雪彬、朱非素、陈瑞和、李浪林
出　处：《考古》1998 年第 7 期

后山遗址位于普宁中部丘陵和练江中游冲积平原的交界处，地处广州—汕头公路池尾段的西侧，东距流沙镇 6 公里，南距后山村 0.5 公里。该遗址是普宁市文物普查队于 1983 年 10 月发现的，范围达 10000 余平方米。山坡断崖上数处暴露完整陶器。同年 11 月，考古人员再次对后山遗址进行调查，采集到部分村民取土时挖出的陶罐、壶、豆、杯，石锛、镞、锉磨器、砺石以及大量印纹陶片、素面夹砂陶片等，并清理了 4 座残存土坑墓，编号为 M1、M2、M3、M10。12 月中旬至年底，对遗址进行了抢救性发掘，发现并清理墓葬 6 座，编号 M4～M9。连同 11 月清理的 4 座墓葬，共发掘 10 座。简报分为：一、地层堆积与遗迹，二、出土遗物，三、结语，共三部分。有手绘图、拓片。

简报称，据初步研究，后山遗址的年代相当于夏商之际或商代早期，距今约 3500～3000 年。它应比本地区浮滨文化遗存早，而晚于普宁虎头埔新石器时代晚期

窖址。后山遗址与虎头埔窖址之间有较大的文化缺环，对其文化内涵有必要进一步深入研究。

892.广东榕江中下游地区商周时期遗存调查

作　者：广东省文物考古研究所、揭阳市博物馆　魏　俊、张秀怀
出　处：《四川文物》2005 年第 2 期

2003 年，考古人员对榕江中下游地区商周时期遗存进行了调查。简报分为：一、典型遗址及其出土遗物，二、年代及文化性质分析，共两部分。有手绘图。

据调查，这一地区遗址或墓地大体可以分为 2 组：1 组包括大盘岭 M2、南塘山、平岭、狮尾山、中夏村、内金山、浮丘山等；2 组包括大盘岭 M1、梅林山、精神病院后山、新岭矿场、面前山、戏院东、坡林、寨山、剑尾场、伯爷坑山、落水金狮、狗肚等。

简报推断，第 2 组遗存的时代为商代晚期，下限或已进入西周早期。第 1 组遗存的时代应略早于第一组。

云浮市

广西壮族自治区

南宁市

893.广西武鸣马头元龙坡墓葬发掘简报

作　者：广西壮族自治区文物工作队、南宁市文物管理委员会、武鸣县文物管
理所　韦仁义、郑超雄、周继勇等

出　处：《文物》1988 年第 12 期

1985 年 3 月，百姓在南宁市武鸣县马头乡元龙坡顶部发现铜盘 1 件，于 10 月初送交南宁市文物管理委员会。10 月 12 日，考古人员对铜盘出土地点进行实地调查，确认铜盘是墓葬所出，并查明元龙坡是 1 处规模较大的墓群。在调查期间，又有人报告说，在元龙坡南面约 1 公里远的安等秧岭坡上挖树根时曾捡获铜剑。经调查，安等秧也是 1 处先秦时期墓葬群。考古人员于 10 月 15 日对元龙坡、安等秧两处先秦墓葬进行发掘。简报分为：一、地理位置及墓葬分析，二、墓葬形制，三、随葬器物，四、结语，共四个部分。配以照片、拓片、手绘图，先行介绍了元龙坡墓葬的发掘情况。元龙坡墓群位南宁市东北约 70 余公里，武鸣县马头乡马头圩东北约 0.5 公里的元龙坡丘陵地带。

据介绍，元龙坡共发掘清理了 350 座墓葬，均为竖穴土坑墓。其特点是墓室狭长，长宽比约在 4：1。出土遗物 1000 多件，有陶器、铜器、玉器、石器等。依用途分，有生产用具、生活用具、兵器、佩饰等。另外，还有河卵石、小石子等。小石子经过加工，或与原始宗教有关。元龙坡墓葬的年代，上限为西周，下限在春秋时期。

894.广西南宁邕江发现青铜兵器

作　者：广西壮族自治区博物馆　陈小波等

出　处：《考古》2006 年第 1 期

1992 年，南宁市砂石二公司在南宁市邕江河段的白鹤州、黑石角、良庆等处捞

砂时，发现4件青铜兵器，并交广西壮族自治区博物馆。简报介绍了这4件青铜兵器，有照片。计戈1件、矛1件、钺1件、匕首1件。

简报指出，这批兵器虽然浸泡河中，但大部分无锈蚀，器表光洁，纹饰也较清晰，保存较完好。其年代大致在西周至春秋战国时期。这些青铜器的发现对研究岭南地区的古代史、战争史以及青铜冶铸技术等都具有重要意义。

柳州市

桂林市

梧州市

北海市

崇左市

来宾市

贺州市

895.广西贺县发现青铜镈钟

作　者：贺县文管所　覃光荣
出　处：《考古与文物》1982年第4期

1979年冬，广西贺县桂岭公社英民大队的黎修水挖地时，在距地表约0.4米处发现青铜镈1件。

据介绍，镈通高38.5厘米，顶宽12厘米，底宽18.5厘米。根据纹饰和器形推断，此镈可能为西周晚期或春秋时期遗物。简报称，这些铜钟、镈的发现，为研究周代我国南方文化与中原文化的关系提供了有价值的资料。

玉林市

百色市

河池市

钦州市

防城港市

贵港市

海南省

海口市

三亚市

三沙市

重庆市

896.四川忠县㽏井沟遗址的试掘

作　者： 四川省长江流域文物保护委员会文物考古队　袁明森、邓伯清

出　处：《考古》1962 年第 8 期

1959 年 7～8 月，考古人员在忠县㽏井沟遗址进行试掘。试掘工作历时 40 天，挖掘面积达 192 平方米。忠县位于长江上游的北岸，㽏井沟在县城东约 3 公里处。遗址就分布在㽏井沟东、西两岸的台地上。遗址东西长约 1 公里，南北宽约 200 米，为一依山临水的斜长地带。试掘的地点选择了何家院子、汪家院子、吴家院子 3 个地点进行。简报配以照片、手绘图予以介绍。

据介绍，出土的遗物中，以陶片占绝大多数，其次是石器、鱼骨、残骨器和很少的卜骨、铜器等。陶片以夹砂灰陶最多，夹砂红陶次之。在汪家院子还发现了 1 个陶窑。石器有磨制和打制的，共 30 余件。石料多为取于江边的卵石。石质有燧石、粉砂岩、细砂岩、角页岩等。

简报推断该遗址的年代下限，应已进入青铜时代。

897.四川忠县涂井乡永兴、李园两处古遗址调查简报

作　者： 四川省文物研究所三星堆遗址工作站、忠县文管所　陈德安、曾先龙、李红娟

出　处：《四川文物》1995 年第 3 期

1993 年 10 月，考古人员为配合三峡工程，在忠县开展考古调查。简报分为：一、永兴遗址，二、李园遗址，三、结语，共三个部分。有手绘图、照片。

据介绍，永兴遗址位于涂井乡永兴村八社。西南距忠县忠州镇约 33 公里，东北距忠县石宝寨约 10 公里。遗址北背马高山，南临长江。李园遗址位于忠县涂井乡红池村名叫"李园"的 1 个山坡上。出土有陶器、石器等。时代简报暂且推断为商末至西周早、中期。

898.重庆市万州区塘房坪遗址 1998 年发掘简报

作　者：重庆市文化局、陕西省考古研究所　张天恩、刘呆运
出　处：《考古与文物》2003 年第 1 期

塘房坪遗址位于重庆万县市（现为万州区）东约 30 公里处的小周镇安全村二组的塘房坪，属长江北岸的狭长一级阶地，地表西北高、东南低，呈缓坡状，偏东的边沿部分坡度较陡。遗址分布在民居以东的缓坡及陡坡上，面积约 3000 多平方米。1998 年春，发现了该遗址，经初步观察，认为其内涵丰富，面貌有一定的特殊性，发掘工作从 3 月 8 日开始，至 5 月 15 日暂停，历时 2 个多月，实际揭露遗址 400 平方米，发现汉代墓葬两座，夏商时期及汉代、宋代遗存等。出土了铜器、陶器、石器等一批重要文物。简报分为：一、文化层堆积，二、遗迹，三、小结，共三个部分。对夏商时期的文化遗存作了简单报道，有手绘图、照片。

简报称，现有塘坊坪的发掘表明这里是 1 处较单纯的带有当地特色的遗址，出土遗物较丰富，文化面貌反映较全面，有一定的代表性，可命名为"塘坊坪文化"。塘坊坪遗址 H1、H8、H5 等单位分别出土了铜镞，表明这类文化已进入青铜时代。简报推断该遗址时代属夏商时期。在这么早的遗址中发现铜器，为长江中上游地区所罕见，对研究长江流域青铜文化，以及认识我国早期铜器分布情况，均是极为珍贵的资料。

899.重庆云阳县明月坝遗址商周遗存发掘简报

作　者：四川大学历史文化学院考古学系　于孟洲、李映福、姚　军
出　处：《四川文物》2009 年第 2 期

明月坝遗址位于长江北侧支流澎溪河南岸的明月坝台地上。经 2000 年发掘所获商周时期遗存分析，其上限为商代末期，下限为春秋战国时期或者更晚。简报分为：一、遗迹及出土遗物，二、晚期单位出土商周时期遗物，三、结语，共三个部分。有手绘图。

据介绍，该遗址于 1992 年文物普查时发现，大规模抢救性发掘始于 2000 年秋，历时 2001、2002 和 2003 年度，发掘面积 27000 平方米。历年来，在明月坝遗址揭露出唐宋、明清时期的寺庙、衙署、民居、道路、墓地等遗迹，并出土大量陶、瓷器，建筑材料，钱币，石刻造像等遗物。另外，明月坝遗址也出有早期遗存，简报主要介绍该遗址 2000 年以后所获商周时期遗存。

简报称，明月坝遗址出土的早期遗存较少且多较零碎，故对其年代的判断猜测成分较多。这反映出明月坝台地的周代遗存曾受到后期的严重破坏。不过，周代遗存的发现仍具有重要意义。

四川省

900.渠江流域古遗址调查简报

作　者：四川省文物考古研究院　张肖马、陈卫东
出　处：《四川文物》2005 年第 6 期

2002 年，考古人员对渠江流域支流通江流域发现先秦时期遗址 6 处，在洲河流域发现先秦时期遗址和石器采集点 12 处，在渠县境内发现先秦时期遗址 3 处。这些遗址与通江、重庆、峡江等地已发现的古遗址似有一定联系，反映出远古时期人们就有一定的流动性。

萧易先生《寻蜀记——从考古看四川》（广西师范大学出版社 2021 年版）一书，主要利用考古材料写成，可参阅。

成都市

901.成都羊子山土台遗址清理报告

作　者：四川省文物管理委员会　杨有润等
出　处：《考古学报》1957 年第 4 期

羊子山位于成都北门外驷马桥北 1 公里处、川陕公路西侧，原为 1 座高 10 米的土丘。1952 年、1953 年，考古人员曾前往调查。1956 年进行了发掘。

简报分为：一、地形环境及发现过程，二、台址的建筑方法及形制，三、遗物的出土层位及研究，四、出土遗物的研究，五、推论，共五个部分。有照片。

据介绍，遗址发现有石器、陶器、玉器等遗物，年代上限为西周晚期，下限为春秋前期。此遗址为一人工土台，或为文献中所记蜀王杜宇使用过。

902.四川新凡县水观音遗址试掘简报

作　者：四川省博物馆　邓伯清
出　处：《考古》1959 年第 8 期

新凡县在成都的西北 25 公里，距县城西南 500 米许有小庙 1 座，名"水观音"，附近地方因以得名。遗址所在地区较周围略高，水观音小庙即建筑在遗址西南的边缘上。遗址的东面 160 米有成彭公路通过，西南有锦水河故道。遗址的范围初步估计南北约 300 米，东西约 100 米。黄家院子即压在遗址的上面。简报分为：一、地理环境，二、发掘经过，三、遗址，四、墓葬，五、结语，共五个部分。有照片、手绘图。

据介绍，该遗址是在 1956 年文物普查时发现的，1957、1958 年进行过两次试掘。两次共发掘古墓 8 座，出土有陶器、铜器、石器等。简报推测早期墓可能到殷商时期，晚期墓可能到春秋或西周。遗址的时代可能上至殷末周初。

903.记四川彭县竹瓦街出土的铜器

作　者：王家祐
出　处：《文物》1961 年第 11 期

1959 年冬季，在兴建成汶铁路的工程中，新繁县民工大队在彭县东约 20 公里的竹瓦街（场名）发现了 1 个大陶缸，里面盛放 21 件铜器，包括 8 件容器和 13 件兵器。简报配以照片、手绘图予以介绍。

据介绍，5 件罍及 1 件尊呈灰绿色，从铜器铸合痕迹看出，罍用 4 个外模，尊用 2 个外模。2 件觯的铜质呈墨绿色，器光亮，铭文仅三四个字，显系殷人作风。铜兵器中，8 件戈呈灰绿色而表面光滑，与四川出土战国早期的短胡戈显然不同。戈呈墨色光亮，铸制精美，长喙怪鸟，尤为特别。矛特大，绝不同于四川常见的尖叶形铜矛，呈灰绿色而光亮。骹饰一半立体壁虎。锛式特别，呈灰绿色，与矛、戟、钺皆为初见器形。这些兵器可能皆由外传入。钺形特异而体大，呈灰色，可能是本地铸造。

简报认为，这批铜器的制作时代，估计可能在殷末周初，但其下埋时间或要更晚些。

904.记成都交通巷出土的一件"蚕纹"铜戈

作　者：成都市文物管理处　石　湍
出　处：《考古与文物》1980 年第 2 期

1976 年初，成都印刷二厂在交通巷修建宿舍楼时，出土了一批青铜器，主要有铜戈 4、铜矛 1、铜斧 1、铜刀 1、铜勺 1。其中以 4 件铜戈最为重要，简报配以拓片予以介绍。

根据古文献记载，一般都认为蜀人崇拜蚕，以蚕（蜀）作为图腾的标志。因此，蚕又是代表蜀人的族徽，并以蜀为其国名。这样，蜀又有蚕国之称。此次出土铜戈中有 1 件铜戈上饰有"蚕纹"的事实，说明了蜀名称的由来与养蚕有关系，也说明了蜀国早在传说的蚕丛氏或蜀山氏时代就有种桑养蚕、从事纺织的记载，绝不是无稽之谈。这件饰有"蚕纹"的铜戈，器质厚重，呈碧绿色，铸制精美，纹饰富丽，线条流畅，是一件完美的艺术精品。它虽然埋在地下已有 3000 多年的历史了，但至今还闪烁着青铜文化的灿烂光彩。

905.四川彭县西周窖藏铜器

作　者：四川省博物馆、彭县文化馆　范桂杰、胡昌钰
出　处：《考古》1981 年第 6 期

1980 年 2 月 14 日彭县竹瓦公社七大队四队农民在取砖瓦土时发现了一批青铜器。考古人员进行了调查，并征集一批文物。竹瓦公社位于青白江与蒙阳河之间的冲积平原上，南距青白江约 2 公里，北距蒙阳河约 4 公里。因长年流水变迁，该地区有高低不平的小土包。这批铜器出土于竹瓦街北约 1 公里成灌铁路北侧约 11.5 米的地方，东南距 1959 年发现的西周青铜器窖藏地点约 25 米。简报配以照片、手绘图予以介绍。

据介绍，铜器盛在 1 个大陶缸内，埋于 1 条 3 ～ 4 米宽的灰色土沟中。陶缸底部距现存地表约 2.5 米，陶缸上面的填土中杂有细卵石。陶缸取土时已被挖成碎片，中有 4 件铜罍和兵器。简报推断为西周时遗物。

906.成都十二桥商代建筑遗址第一期发掘简报

作　者：四川省文物管理委员会、四川省文物考古研究所、成都市博物馆
　　　　李昭和、翁善良、张肖马、江章华、刘　钊、周科华等
出　处：《文物》1987 年第 12 期

1985 年 12 月，成都市干道指挥部在修建综合楼地下室时，发现 1 处商代木结构建筑遗址。此遗址位于成都市西郊，北及中医学院，南邻文化公园，西倚省干休所，东靠十二桥。其范围东西长约 142 米，南北宽约 133 米，总面积达 15000 平方米以上。

十二桥遗址第一期的发掘，进行了两次，揭露面积 1800 平方米。第一次在 1985 年 12 月至 1986 年 7 月。简报分为：一、文化堆积，二、木结构建筑遗址，三、文化遗物，四、文化分期，五、结语，共五个部分。有照片、手绘图。

据介绍，遗址中主体部分应为宫殿类建筑的基础，具体说可能是宫殿中庑殿部分的基础。发掘显示先民因地制宜，就地取材，采用打桩法、竹篾绑扎法、榫卯联结法修建建筑。十二桥商代木结构建筑遗址，对研究中国建筑史有重要意义。遗址内小型房屋遗迹，应属大型宫殿的配套建筑。另外，出土陶纺轮上的文字，应属中原甲骨文系统，表明当地至迟在商周时期，与中原已有广泛交往。

907.汶川发现西周时期蜀文化青铜罍

作　　者：阿坝州文管所　徐学书、孔　敏、范永刚
出　　处：《四川文物》1989 年第 4 期

1987 年 12 月 24 日，汶川县龙溪乡阿尔村两名小学生在村北 150 米处耕地中玩耍时，偶然发现埋藏在地下的 1 件夔龙纹青铜罍。罍中盛 1 件螺旋纹柄山字格青铜剑。考古人员前往现场进行了调查。简报配以照片、手绘图予以介绍。

据介绍，青铜罍通高 46 厘米，重 19 公斤，山字格剑残长 29.5 厘米。青铜罍的风格与商代时三星堆文化遗存一致，剑的风格与战国末西汉初遗存一致，尤具蜀文化特征。

908.四川新都县桂林乡商代遗址发掘简报

作　　者：成都市文物考古工作队、新都县文物管理所　颜劲松、陈云洪等
出　　处：《文物》1997 年第 3 期

1992 年 7 月，为配合新都电缆厂扩建工程进行文物勘探，发现一处商代遗址。此遗址地处新都县城南桂林乡五四村四组，北及新太公路，南依锦水河支流饮马河，西靠成德大件路，东邻成都锦江油嘴油泵厂。其范围约东西长 300 米，南北宽 250 米，总面积达 75000 平方米以上。新都桂林乡商代遗址的发掘共进行两次，第一次在 1992 年 7 ~ 8 月，第二次在 1993 年 4 ~ 5 月。简报分为：一、文化堆积，二、文化遗迹，三、遗物，四、结语，共四个部分。配以照片、拓片、手绘图，介绍了这两次发掘的主要收获。

据介绍，遗存主要为灰坑 27 个，出土有陶器等遗物，与广汉三星堆有很多相似之处。年代简报推断为商代中期。

909.四川省温江县鱼凫村遗址调查与试掘

作　　者：成都市文物考古工作队、四川联合大学历史系考古教研室、温江县文
　　　　　管所　蒋　成、李明斌、黄　伟等

出　　处：《文物》1998 年第 12 期

　　鱼凫村遗址位于四川省成都市温江县城关北约 5.5 公里处，东南距成都市区 20 公里，西南距江安河约 2 公里，离岷江 7 公里。温郫公路东北向西南贯穿遗址北部和西部。1964 年考古人员就进行过调查。1996 年秋，又进行了 1 次调查和试掘。

　　简报分为：一、地层堆积，二、遗址，三、遗物，四、结语，共四个部分。介绍了 1996 年的调查与试掘，有照片、拓片、手绘图。

　　据介绍，遗址发现有灰坑 65 个，出土有陶器、石器等。简报将鱼凫村遗存分为三期：第一、二期大约不晚于距今 4000 年；第三期介于三星堆一、二期之间，大约相当于商代中期。

910.四川省郫县古城遗址 1997 年发掘简报

作　　者：成都市文物考古研究所、郫县博物馆　颜劲松、江章华、张　擎、
　　　　　陈云洪等

出　　处：《文物》2001 年第 3 期

　　1997 年 10 月 29 日至 1998 年 1 月 16 日，考古人员在 1996 年调查、试掘的基础之上，对郫县古城遗址进行了较大规模的勘探发掘。

　　简报分为：一、地层堆积，二、遗迹，三、出土遗物，四、结语，共四个部分。有照片、手绘图。

　　据介绍，1997 年的发掘的主要收获是发现宝墩文化时期的灰坑 10 个、墓葬 1 座、房址 4 座。房址中 F5 为大型房屋建筑基址，面积约 550 平方米，位于遗址中部，像这样大型的单位建筑在国内同期遗址中是比较少见的。根据房屋及室内发现的台基等情况，初步推测属于大型礼仪性建筑。此次还发掘了部分城墙，简报推断城墙的第一次建筑年代是在遗址的早期，增筑年代为遗址晚期。

　　至于遗址的年代，简报推断可能为距今约 4000 年或距今约 3800 年。

911.成都金沙遗址的发现与发掘

作　者：成都市文物考古研究所　张　擎、周志清、朱章义
出　处：《考古》2002 年第 7 期

金沙遗址位于成都市西郊。自 2001 年初发现以来，经过大规模的考古发掘，出土了大量金器、铜器、玉器、石器及象牙等珍贵文物，同时还发现许多极为特殊的遗迹现象，引起了学术界的广泛关注。遗址位置在成都市区西部的二环路与三环路之间，东距市中心 5 公里，地处青羊区苏坡乡金沙村和金牛区黄忠村，分布范围约有 3 平方公里。摸底河由西向东横穿遗址中部，河北为黄忠村，南为金沙村。遗址东南面是十二桥商周遗址群，整个范围绵延达 10 余公里。其东北相去约 8 公里处是羊子山土台遗址；往北约 38 公里即是广汉三星堆遗址。简报分为：一、发现与发掘经过，二、发现的重要遗存，三、时代及文化性质，共三个部分。有照片。

据介绍，2001 年 2 月 8 日，青羊区金沙村修建"蜀风花园城"大街下水沟时，在施工区内发现了大量玉石器、铜器和象牙。考古人员赶赴现场调查，并于次日开展考古发掘，发掘总面积共计约 17000 万平方米。根据目前的资料，简报推断金沙遗址的年代上限约在商代晚期，下限可至春秋，其主体文化遗存的时代当在商代晚期至西周早期，属十二桥文化阶段。

简报称，金沙遗址出土的大量玉器为研究古代玉器的制作工艺、流程，探讨商周时期的玉器文化提供了一批珍贵的实物资料。

912.四川郫县清江村遗址发掘简报

作　者：成都市文物考古研究所、郫县博物馆　江章华、颜劲松等
出　处：《文物》2003 年第 1 期

郫县距成都市区西北约 22 公里，位于成都平原的中心，清江村遗址就位于郫县西南约 3 公里的德源镇清江村，其南距清水河约 200 米。1999 年 12 月 9 日至 2000 年 1 月 11 日，考古人员对清江村遗址进行了调查和发掘工作。经钻探了解，该遗址范围南北长约 200 米，东西宽约 150 米，面积约 30000 平方米。简报分为：一、地层堆积，二、遗迹，三、遗物，四、结语，共四个部分。有手绘图。

据介绍，发现灰坑 6 个、墓葬 1 座，出土遗物以陶器为主。简报称，韩县清江村遗址的年代跨度较长，包含宝墩文化、三星堆文化、十二桥文化三种不同时期的考古学文化遗存，从而证实了成都平原先秦时期宝墩文化—三星堆文化—十二桥文

化的发展演进序列，其大致相当于中原地区的商代早、中期—商代晚期—西周时期，下限可到春秋时期。

913.成都市核桃村商代遗址发掘简报

作　者：成都市文物考古工作队　李明斌等
出　处：《文物》2003 年第 4 期

核桃村遗址位于成都市西南郊的核桃村一组，西距川藏公路 500 米，遗址面积约 560 平方米。1999 年 3 ~ 4 月，考古人员对该遗址进行了勘探与发掘。简报分为：一、地层堆积，二、遗物，三、结语，共三个部分。配以照片，先行介绍有关商代的遗存。

据介绍，遗址出土有陶器及陶片 3604 件。年代简报推断为商代中期偏晚至商代晚期早段。文化面貌属三星堆文化。

914.成都金沙遗址 I 区"梅苑"地点发掘一期简报

作　者：成都市文物考古研究所　朱章义、王　方、张　擎等
出　处：《文物》2004 年第 4 期

2001 年 2 月，中房集团成都房地产开发总公司在成都市西郊的青羊区金沙村一组修建蜀风花园大街，在开挖下水沟时发现了大量的玉石器、铜器和象牙等器物。考古人员进行了抢救性清理及追缴工作。

简报分为：一、金沙遗址的位置及发掘概况，二、出土器物，三、结语，共三个部分。有彩照、手绘图。

据介绍，金沙遗址发现于 1995 年底。2001 年之前，曾对黄忠村三和花园等 3 个地点进行勘探和发掘。2001 年以后，对遗址区域内数十地点进行了大规模的勘探，基本探明了金沙遗址的范围、面积及大致的功能分区。此次发现大量古代器物的地点位于遗址东南部的"梅苑"东北部，共清理出金器、铜器、玉石器、象牙等器物 1400 余件。其中许多器物与三星堆遗址一、二号器物坑出土的同类器物相似。因此，推测金沙遗址可能是 1 处十二桥文化时期的中心聚落，年代约相当于商代晚期至春秋。以商代晚期至西周的遗存最为丰厚。

简报认为，这是三星堆文明衰落之后，在成都平原上崛起的古蜀国的又一个政治、经济、文化中心，为古蜀王国的都邑所在地。

915.四川彭州市青龙村遗址发掘简报

作　者：中国社会科学院考古研究所四川工作队、成都文物考古研究所、彭州市文化局、彭州市博物馆　蒋　成、张　擎、丁武明、叶茂林等

出　处：《考古》2007 年第 8 期

彭州市位于四川省成都市西北郊，青龙村在彭州城以东的濛阳镇附近，属于竹瓦乡。此地在 1959 年和 1980 年曾经两次出土窖藏铜器，引起学术界的高度重视。1986 年，在考察铜器窖藏地点时，发现了青龙村遗址。1987 年，试掘了青龙村遗址，1988 年春季进行发掘。两次发掘出土了数量较多的红烧土堆积、陶片，但没有发掘到建筑遗存。1989 年夏季，又对遗址进行了局部钻探和调查。简报分为：一、地层堆积，二、遗迹，三、出土遗物，四、结语，共四个部分。有拓片、手绘图。

简报推测青龙村遗址的年代为西周早期，与 20 世纪 50 年代、80 年代出土铜器窖藏为一个年代，地点也相去不远。出土的相当数量的红烧土堆积质量上乘，似与窖藏铜器有一定关系。

916.成都市新都区商周遗址发掘简报

作　者：成都文物考古研究所、新都区文物管理所　陈云洪、刘雨茂等

出　处：《文物》2008 年第 5 期

2001 年 10 月 19 日至 11 月 30 日，考古人员在成都市新都区正因村进行了考古发掘，发掘分为 4 个区，总面积近 1000 平方米。简报分为：一、地层堆积，二、遗迹，三、出土器物，四、结语，共四个部分。有手绘图等。

此次发掘共发现灰坑 74 个、灰沟 2 条，出土遗物以陶器为主。简报认为，新都正因村遗址是 1 处从三星堆文化向十二桥文化过渡的文化遗存，年代大约相当于中原地区的商代晚期到西周早期。

917.成都市新都区褚家村遗址发掘简报

作　者：成都文物考古研究所、新都区文物管理所　王　波、陈云洪

2008 年 2 月，考古人员对褚家村遗址进行了考古勘探，面积近 6000 平方米，出土有陶器、石器，遗迹有灰坑、房址和零星墓葬。陶器均为生活用器，石器多为小型磨制生产工具。简报认为这里包含了宝墩文化三期晚段、十二桥文化早期的文化因素，对成都平原的考古文化序列，提供了不可多得的实物资料。

918.成都市郫县波罗村遗址Ⅱ区发掘简报

作　　者：成都文物考古研究所、四川大学历史文化学院　李映福、王　蔚、余小洪、何元洪、刘雨茂
出　　处：《江汉考古》2014 年第 3 期

波罗村遗址位于成都市郫县郫筒镇波罗村 2 组，总面积约 30 万平方米，文化层密集分布区域位于遗址北部，面积约 30000 平方米。2010 年 8 月到 2011 年 1 月，考古人员对波罗村遗址Ⅱ区进行发掘，实际发掘面积 1975 平方米。波罗村遗址Ⅱ区包括商、周、汉、唐、宋时期的遗存，以商周时期的文化遗存为主。收获简报分为：一、地层堆积，二、遗迹，三、遗物，四、结语，共四个部分。有彩照、拓片、手绘图。

据介绍，商周时期遗迹有墓葬、灰坑、房址、灰沟等，出土遗物有陶、石、青铜等类，其中陶器有小平底罐、敛口罐、侈口罐、高领罐、矮领罐、敛口圆肩罐、瓮形器、盆、尖底杯、尖底盏、高柄豆等。简报推断，波罗村遗址Ⅱ区三组器物分属十二桥文化一期早段、一期晚段和二期，年代约当商末周初。波罗村遗址的发掘为成都平原十二桥文化的深入研究提供了丰富的材料。

919.成都市温江区柳岸村遗址商周时期遗存试掘简报

作　　者：山东大学宗教科学与社会问题研究所、成都文物考古研究所　刘雨茂、杨占风
出　　处：《考古》2012 年第 4 期

柳岸村遗址位于成都市温江区和盛镇柳岸村（现为柳岸社区）四组及万春镇金星村五、六组之间，总面积约 50000 平方公里。该遗址是 2009 年 5 月发现的，同年 5～6 月，进行了发掘。

简报分为：一、地层堆积，二、商周时期遗迹，三、商周时期遗物，四、结语，共四个部分。有拓片、手绘图。

据介绍，柳岸村遗址商周时期遗存发掘了 4 个灰坑，出土了大量陶器。这些陶器特征明显，且大多出自同 1 个灰坑，共存关系明确。这为研究十二桥文化、三星堆文化及两者关系问题提供了重要材料，也为成都平原商周时期陶器器形的整体辨识提供了参考。

自贡市

攀枝花市

泸州市

920.叙永出土古代铜鼎

作　者：叙永县委宣传部　周世华
出　处：《四川文物》1992年第3期

叙永县文物部门新近收藏了1件完整的出土珍贵文物——古代青铜鼎，它对深入研究古代川南少数民族与汉族之间在政治、经济、文化方面的关系，具有重要的价值。简报配以照片予以介绍。

据介绍，这只鼎是叙永县定水中学（原定水寺）修建花台时出土的。鼎由青铜铸造，呈长方槽形，长18厘米，宽14厘米，高21厘米，长直立耳，高圆柱空心足，重1.5公斤；鼎身四面各边饰凤鸟纹、连珠纹，正中饰斜纹；鼎身与圆足连接处饰浮雕兽面图案等；整个鼎表面因氧化布满孔雀绿铜锈。简报认为这可能是商代晚期青铜器。

德阳市

921.广汉中兴公社古遗址调查简报

作　者：四川大学历史系考古学教研组
出　处：《文物》1961年第11期

广汉中兴公社古遗址是1个内容丰富的遗址，自1931年发现以后，1932年前华西大学博物馆曾作过试掘，1956年四川省文管会又对这一遗址进行了调查。1961年6月初，又对这一遗址作了再度调查，获得了不少新的认识。简报分为"遗址地理环境及地层情况""文化遗物""初步推断"三个部分，介绍了1961年的调查情况，有照片、手绘图。

据介绍，广汉城西约10公里的中兴公社真武宫一带，原有马牧河、鸭子河。马牧河已完全干涸。遗址即处于二河之间的台地上。简报推断此遗址年代上限可至西周初，下限可至西周末，最晚也不当晚于春秋。

922.记广汉出土的玉石器

作　者：冯汉骥、童恩正

出　处：《文物》1979 年第 2 期

1929 年，四川广汉县中兴乡（现名中兴公社）的农民燕某曾在宅旁沟渠底部发现玉石器 1 坑，当即引起了人们的注意。据说燕家将出土地点掩埋，晚上偷偷搬运回家，各种玉器不下三四百件，1933 年冬，前华西大学博物馆葛维汉等人曾在此进行发掘。1949 年以后，四川的各考古机构亦先后在其地作过数次调查，证明这里是一范围很广的古代遗址。1963 年秋，考古人员再次在此作过试掘。1964 年春，中兴公社农民在距原发现玉石器的地点约五六十米处掘坑积肥时，又发现玉石器 1 坑，其中有成品、半成品和石坯。1929 年广汉玉石器出土以后，即多遭散失。有的被古董商人转卖，有的被地主官僚霸占，有的被外国人收购。现在一部分藏于四川省博物馆，一部分藏于四川大学历史系博物馆。简报所讨论的，主要就是这一部分资料，有照片。

简报介绍了玉斧 3 件及玉璋、玉琮、石壁等玉石器，认为很可能此处原来是古代蜀国一个重要的政治经济中心，而发现玉器的地点，即为其手工业作坊所在地。历年来出土的玉石成品、半成品和石坯，应该就是这个作坊的产物。但不知由于什么原因，这个作坊突然废弃，人们只能仓促将所有的产品埋藏起来，以后也就没有机会再来挖掘，所以保存至今。简报指出，秦灭巴蜀以前，四川地区是被称为夷狄之国的，而广汉玉石器的出土，说明古蜀国的统治者早在西周时代即已经有了与中原相似的礼器、衡量制度和装饰品。

923.四川广汉出土商代玉器

作　者：敖天照、王有鹏

出　处：《文物》1980 年第 9 期

1976 年 9 月，广汉县高耕公社机制砖瓦厂挖排水沟，在距地表 75 厘米深处发现古代玉器 3 件。简报配以手绘图、照片予以介绍。

简报介绍，3 件玉器中，其 1 形如石斧，其 2 形如玉刀，其 3 为一玉矛。玉器下约 30 厘米深处又发现一铜嵌饰，已残破，似为半片。简报推断这些玉器为商代仿青铜兵器制作的礼仪用兵器。

924.阆中县出土虎纹铜钺

作　者：张启明

出　处：《四川文物》1984 年第 3 期

阆中县彭城公社一大队，地处嘉陵江边的一级台地彭城坝上。1981 年 7 月嘉陵江特大洪水，将该坝冲刷切割，造成部分垮落。洪水后复修耕地时，在这里发现 1 柄虎纹铜钺，送交县文化馆收藏。简报配以照片予以介绍。

据介绍，钺的刃部成弧形，中部有一凸起的单线圆圈，圈内有一透雕的虎纹。这柄虎纹铜钺不似当地出品，反倒近似陕西省城固县五郎庙遗址出土的虎纹铜钺，这为研究阆中古文化提供了新资料。

925.广汉三星堆遗址一号祭祀坑发掘简报

作　者：四川省文物管理委员会、四川省文物考古研究所、四川省广汉县文化局
　　　　陈德安、陈显丹等

出　处：《文物》1987 年第 10 期

广汉县地处川西平原北部，南距成都 40 公里。三星堆遗址位于广汉县城西约 8 公里的南兴镇三星村。三星堆，是 3 个各长数十米至百米，宽 20 ～ 30 米，高约 5 ～ 8 米，连成一线的土堆。遗址主要分布在三星堆的东、南、西三面的马牧河西岸台地上。1980 年以来，考古人员多次在这里进行考古试掘、发掘，不断取得重要收获。1982 ～ 1984 年，在三星堆遗址第一发掘区、第三发掘区进行了抢救性发掘，结合 1980 年的发掘材料，初步将三星堆堆遗址的文化堆积分为四大期。第一期的年代在新石器时代晚期的年代范围内；第二期的年代大致在夏至商代早期；第三期的年代相当于商代中期或略晚；第四期的年代约在商代晚期至西周早期。1986 年 7 月 18 日，砖厂在第二发掘区取土时，挖出玉石器，考古人员立即进行抢救性发掘清理。结果表明，出土玉石器处是一祭祀坑的一角（编为一号祭祀坑）。简报分为：一、发掘概况，二、出土遗物，三、结语，共三个部分。有彩照、拓片、手绘图。

简报指出，广汉三星堆一号祭祀坑，是巴蜀文化中首次发现的祭祀坑。坑内出土的金杖、金面罩、青铜人头像、青铜容器、青铜兵器、玉石礼器以及十余根象牙和 3 立方米左右的烧骨碎渣，对于了解相当于商代时期的蜀族祭祀礼仪、宗教意识等，提供了极有价值的材料。其中的金杖、金面罩、青铜人头像等文物，在我国冶金史和雕塑史上尤其有特殊的意义。铜人头像，似是"人祭"的代用品。大量遗物都有火烧过的痕迹，简报认为是"燎祭"的结果。此次发掘还表明，至迟在二里头文化

时期，蜀人已与中原有文化交往，商、周时交往更为密切。甲骨卜辞中的"至蜀""征蜀""伐蜀"的"蜀"，应指川西平原。

926.广汉三星堆遗址二号祭祀坑发掘简报

作　者：四川省文物管理委员会、四川省文物考古研究所、广汉市文化局、文管所

出　处：《文物》1989 年第 5 期

1986 年 7～8 月发掘了四川广汉三星堆遗址一号祭祀坑，出土了一批珍贵遗物。8 月 16 日下午，砖厂工人在距一号坑东南约 30 米处取土时又发现了二号坑。从 8 月 20 日开始，考古人员进行了抢救性发掘清理，9 月 17 日结束田野工作，出土珍贵文物 600 余件（包括象牙在内）。简报分为：一、地层堆积，二、二号坑的形制，三、坑内遗物出土概况，四、出土遗物选介，五、结语，共五个部分。有彩照、拓片、手绘图。

据介绍，坑内出土遗物有金器、铜器、玉石器、象牙、骨等。二号坑的出土遗物不论是种类、数量，都要比一号坑强得多。简报认为二号坑应是 1 次重大综合祭祀活动后的填埋坑，而不是陪葬坑，年代应为商代晚期。

简报称，在二号坑出土的遗物中，青铜大型立人像、人头像、面具、神树等，具有鲜明的地方特色，在殷人统治区及其他地区都未曾发现，应是蜀地的产品。玉戈、玉瑗等玉石器也应产自本地。两祭祀坑出土的罍、尊等礼器，器形虽与中原殷文化地区所出接近，说明当时蜀和中原有一定的经济、文化交往，但也存在一定的差异，而更接近陕南汉中城固、川东巫山、湖南岳阳以及湖北枣阳、沙市等地出土的同类器，表明这些地区商代晚期文化的共性。

927.什邡船棺葬出土一枚"十方雄王"印章

作　者：四川什邡县文管所　郑绪滔

出　处：《四川文物》1994 年第 5 期

1992 年元月，在什邡县丝绸厂工地上发掘 21 号船棺葬时，除发掘出一批珍贵文物，特别令人惊异的是发掘出 1 枚"十方雄王"铜质方形印章。简报配以拓片予以介绍。

据介绍，这枚印章长宽为 3.5 厘米，厚度为 0.2 厘米，呈方形，背有小园穿孔鼻纽，正面有印文，背面有印铭。从纽孔和印铭文字判断，这枚印章不是常人所佩的普通

印章,应为古"十方国"众雄长之王长期佩戴在身边的一枚王印,是权力信物。"雄王",乃偏处一隅、雄霸区域、王者自称之尊号,含割据自治、偏隅独立之意。从而证明,这是古代的一个族团小方国。这个小方国虽存在于西周时代,但不在西周王朝管辖下的统治区域内,而是属于西南诸夷中的一个戎狄方国。"十方雄王"印出土之前,1986 年 4 月,什邡县城新建中心大街在街西段"雍中"工地上早已发现一方秦代地名砖,砖上有秦代古文字,"十方"之名已出现。今天这枚铜质印章的发现,就更进一步证明今日之"什邡县",就是古代之"十方国"无疑了。

928.广汉三星堆遗址环境考古调查

作　者:四川省文物考古研究所　贺晓东

出　处:《四川文物》1997 年第 4 期

1996 年 9 ~ 11 月,中日两国考古人员在广汉三星堆遗址进行了环境考古调查。简报分为:一、前言,二、环境考古调查工作,三、结束语,共三个部分。

据介绍,此次调查的一大特点是大量运用了最新的科技手段。例如考古学中最重要、最基本的一个环节是判断遗址和遗址的年代。过去考古学中常用的是地层学和类型学等相对年代断代方法。现在运用加速器质谱碳十四计数法进行年代测定。它具有以下优点:一是样品需要量少;二是精度高,正负误差不超过 18 年;三是测定年限长,可达 10 万年;四是测量时间短。无疑,碳十四年代测定在考古工作中的运用,是考古学上的一次重大革新。

929.2004 年广汉烟堆子遗址商周时期遗迹发掘简报

作　者:四川省文物考古研究院、德阳市文物考古研究所、广汉市文物管理所
　　　于　春、金国林

出　处:《四川文物》2005 年第 2 期

广汉烟堆子位于四川省广汉市兴隆镇西林村与竹林村交界的高台上,南距广汉市约 14 公里,东北距德阳市 12 公里。现存面积约 1.5 万平方米。相传为战时烧放烟火的高地,故名"烟堆子"。1986 年文物普查时在台地西北部发现商周时期陶器及石器。2003 ~ 2004 年,考古人员对其进行勘探及正式发掘。发现商周时期遗迹及晚唐、五代时期墓葬。简报分为:一、遗址简介,二、地层堆积,三、遗迹,四、遗物,五、结语,共五个部分。有照片、手绘图。

据介绍,主要遗迹包括灰坑、柱洞和沟,共清理灰坑 20 个、柱洞 4 个、沟 6 条。

其中商周时期灰坑 16 个，柱洞 3 个，沟 1 条；战国至汉代灰坑 3 个，沟 1 条；五代至宋时期的灰坑 1 个、柱洞 1 个；现代——近现代的沟 4 条。商周时期古蜀文化遗物和遗迹现象暗示该地曾经存在一个早期聚落遗址，是属于三星堆文化圈内的一个文化点。出土陶器以夹砂陶为主，占 90% 以上。

930.四川鸭子河流域商周时期遗址 2011 ～ 2013 年调查简报

作　者：四川省文物考古研究院　冉宏林、雷　雨
出　处：《四川文物》2014 年第 5 期

2011 年底至 2013 年上半年，四川省文物考古研究院在三星堆遗址上游的鸭子河流域开展了大面积的考古调查，共发现商周时期遗址 17 处，其中 16 处为首次发现。简报分为：一、鸭子河北岸遗址，二、鸭子河南岸遗址，三、结语，共三个部分。有拓片、手绘图。

据介绍，此次发现的 17 处遗址中，绝大多数的年代相当于三星堆遗址第三至四期，有三处遗址的年代则明确晚至三星堆遗址第四期。简报认为，第四期时三星堆遗址所在区域的考古学文化依旧较为强势。三星堆遗址第四期是属于以往学者所认为的十二桥文化抑或是三星堆文化，也是需要重新思考的问题。

绵阳市

931.盐亭县出土古代石璧

作　者：赵紫科
出　处：《四川文物》1991 年第 4 期

1987 年 5 月，盐亭县麻秧乡蒙子村农民在山上植树时发现古代石璧 10 件。简报配以照片予以介绍。

据介绍，石璧系经打制成型后磨制而成。这类石璧在广汉三星堆商周遗址曾发现过，故时代可能与其相当。作为古代礼器，石璧在绵阳市属首次发现。

广元市

遂宁市

内江市

乐山市

932.四川乐山市考古调查简报

作　者：中国社会科学院考古研究所四川工作队　吴加安
出　处：《考古》1988 年第 1 期

为了解四川地区古代文化遗存的分布、内涵、特征以及与江汉地区、中原地区古代文化的关系，1986 年，考古人员作了 1 次初步的调查工作。上半年有重点地调查了乐山、宜宾、重庆、内江等市县的 18 处地点，下半年又对乐山和成都市两地区作了调查，同时对乐山市洪雅县王华村和夹江县工农村作了小规模的试掘工作。简报分为：一、安谷乡陈黄村，二、夹江县，三、洪雅县，四、结语，共四个部分。有手绘图、照片。

简报称，乐山地区的调查使我们对该地区古代文化遗存有一个初步的了解，同时获得了一批石器标本。这些标本均系地表采集，失去了原生地层，又无共存的陶片可供参考，为判断这批石器的时代和文化属性带来一定的困难。这次采集的石器以打制的为主，其中双肩石铲是打制石器中富有特征的一种石器类型。这种石器的时代下限可至商周时期。

南充市

933.商代青铜单翼铃在三星堆遗址陆续出土

作　者：敖天照
出　处：《四川文物》2009 年第 2 期

1970 年冬，真武村配合广汉县开展"改渠、治河、灭螺大会战"中，在月亮湾台地冷家院子侧的倒流堰水沟弯道上"截弯取直"时，出土了不少青铜器，被作为废铜转卖给成都乐器厂，换成锣鼓等乐器作宣传队使用。其中有青铜铃1件，被挖沟村民拾得，后来才作废铜交收购站。考古人员于1976年11月3日到中兴公社废品收购站拣选文物时，发现这件残铜铃形制古朴，当即收购回交文化馆保存。铜铃为直筒形铃腔，横断而呈椭圆形，高10.2厘米。

2004年2月21日，三星堆商代古城内真武村月亮湾台地的旅游通道上，因平整路基，村民曾修廷等在路土回填中发现一青铜单翼铃，铃腔为直筒形，下大上小，腔壁斜直，横断面呈椭圆形，高7.7厘米。铜铃发现后已交三星堆博物馆收藏。

以上两件青铜单翼铃都出土在三星堆遗址的冷家院子附近。两件铜铃的形状，大同小异，其时代当在二里头夏文化之后，相当于商代早期，应是三星堆遗址发现最早的青铜乐器。

宜宾市

934.四川屏山县斑竹林遗址商周时期窑址发掘简报

作　者：四川省文物考古研究院、宜宾市博物院、屏山县文物管理所　辛中华、
　　　　王　涛、张　燕
出　处：《四川文物》2014年第3期

斑竹林遗址位于屏山县福延镇庙坝村3组，地处金沙江左岸的缓坡阶地上。为配合向家坝水电站工程建设，2011年11月至2012年1月和2012年5至7月，考古人员两度对遗址实施抢救性考古发掘，总发掘面积3000平方米，发现了比较丰富的商周时期和汉代遗存。其中2012年度发掘清理了3座商周时期的窑址。简报分为：一、前言，二、地层堆积，三、陶窑结构和形制，四、出土遗物，五、结语，共五个部分。有彩照、手绘图。

此次发现的商周时期遗存中由3座窑址组成的小型窑场形制和结构清晰，在川南地区尚属首次。简报推断窑址的年代为商代晚期。此次窑址的发掘，为研究金沙江下游地区商周时期的陶器制作技术和烧造工艺以及揭示其与早期蜀文化的渊源关系都提供了非常重要的实物材料。

广安市

达州市

眉山市

雅安市

935.四川汉源出土商周青铜器

作　者：岳润烈等
出　处：《文物》1983 年第 11 期

四川省汉源县文化馆曾收到百姓交献的 8 件青铜器。经调查了解，铜器出在富林公社六大队靠山腰的缓坡上，距汉源县城约 2 公里，是 1976 年冬和 1977 年春修建房屋时发现的。铜器上残留密集的布纹，疑是用丝绸包裹的痕迹。8 件铜器中，1件钺（I 式）单独出土，另外 7 件同出于距该钺 12 米左右的地点，可能是墓葬遗物。简报配以照片予以介绍。

据介绍，8 件青铜器有钺 3 件、戈 2 件、凿 1 件、斧 2 件，应为商周时期的遗物。这批青铜器为研究四川古代青铜文化与中原文化的关系，提供了值得注意的新资料。

936.荥经同心村发现石器

作　者：荥经严道古城遗址博物馆
出　处：《四川文物》1994 年第 1 期

荥经同心村紧依县城，北距荥河 1 公里，西距严道古城遗址仅 2 公里左右。1985 年元月在配合县广播局基建清理发掘巴蜀土坑墓时，扰土中不断有石器出土。后在挖一沟槽至 150 厘米处发现许多有肩石锄、石片刮削器、盘状砍砸器和一些半成品、磨石、石料等，并发现若干排列整齐的大砾石，观察其形状、堆放位置，估计为人工所致。简报配以手绘图予以介绍。

简报称，此遗址的时代大致相当于中原地区的商末周初。此次发现，对了解早期蜀文化的分布范围、活动区域有一定意义。

937.2005年雅安沙溪遗址发掘简报

作　者：四川省文物考古研究院、雅安市文物管理所
出　处：《四川文物》2007年第3期

为了配合城市建设，2005年对雅安沙溪遗址进行了挖掘，出土了大量的石器和陶器。从陶器器形和纹饰特征推测其年代应在商周之际，属于早期蜀文化范畴。出土实物为研究早期蜀文化及其同其他文化的关系提供了难得的资料。

简报分为：一、地理位置及发掘经过，二、地层堆积及出土遗物，三、遗迹、遗物，四、结语，共四个部分。有手绘图。

据介绍，沙溪遗址位于雅安市西北部的沙溪村，属青衣江北岸的一级台地，南距青衣江约150米，遗址位于台地中部，西面紧邻斗胆村。发现的商周时期遗迹主要有窑址1座、柱洞8个、沟槽2条、灰坑21个。出土遗物较为丰富。

巴中市

资阳市

阿坝州

938.汶川发现西周时期蜀文化青铜罍

作　者：阿坝洲文管所　徐学书、孙　敏、范永刚
出　处：《四川文物》1989年第4期

该青铜罍于1987年12月24日，被汶川县龙溪乡阿尔村2名小学生发现。罍内还盛有1件青铜剑，罍的风格与三星堆文化遗存一致，剑的风格与战国末西汉初遗存一致，但都带有浓厚的蜀文化特征。

939.新津县首次发现商代青铜觚

作　者：四川新津县文管所　李中华
出　处：《四川文物》1994 年第 5 期

1990 年 5 月 9 日，新津县人民政府在正北街县政府院内原旧食堂地基上新建宿舍楼。工人在取土时，于地面约 2.5 米深处挖出 1 件铜觚。考古人员随即到现场调查，并征集了这件出土文物，简报配以照片予以介绍。

这件铜觚，为青铜铸造，整体完好。其用途有二：一是为饮酒器皿，二是为一种礼器。经鉴定，此器为商代初期铸造，是一件难得的珍贵文物。

甘孜州

940.四川炉霍县宴尔龙石棺葬墓地发掘简报

作　者：四川省文物考古研究院、日本九洲大学、甘孜藏族自治州文化旅游局、
　　　　炉霍县文化旅游局　金国林、唐　飞、万　娇、郭　富
出　处：《四川文物》2012 年第 3 期

炉霍县宴尔龙石棺葬墓地，于 2008 年 10 月至 11 月发掘，清理石棺葬 13 座、建筑基址 1 处，出土有铜器、石器、骨器等。简报称其上限可到殷商早期，下限不晚于西周中期。应是川西高原上发现的最早的石棺葬。

凉山州

941.四川普格县瓦打洛遗址调查

作　者：凉山彝族自治州博物馆、普格县文化馆　刘世旭、秦应远
出　处：《考古》1983 年第 6 期

1981 年 3 月上旬，考古人员在普格县夹铁公社瓦打洛大队发现 1 处古代遗址。遗址位于西罗河上游西岸的马洪山山脚，北距小兴场约 2 公里，东距河道约 150 米，高出水面 50 米左右，南北长约 730 米，东西宽约 180 米，沿山脚分布，坡度平均在 30 度。由于坡度大、无植被，在长年山水冲刷下，遗址已遭严重破坏，被冲毁的墓葬、

灰坑、窖穴时有所见，残陶器、残陶片等成片堆积。

简报分为：一、文化层和遗迹，二、出土器物，三、结语，共三个部分。有照片、手绘图。

据介绍，瓦打洛遗址是近年来凉山地区发现的较大的遗址之一。从调查情况看，该遗址的陶器多系敞口或侈口，平底器，纹饰少而单一，带耳器不发达。石器磨制精细，斧的数量最多。用海贝、骨贝、骨环串成的项饰，工艺水平高，且为凉山地区出土的项饰中时代最早的，其时代当晚于商周之际。

简报称，此次发掘为探讨当地新石器时代晚期文化的发展与演变、大石墓的出现等均提供了新的资料。

942.泸沽湖畔出土文物调查记

作　者：黄承宗

出　处：《考古》1983 年第 10 期

泸沽湖的东北面是四川省盐源县，西南面是云南省宁蒗彝族自治县。泸沽湖是一座海拔 2685 米的高原湖泊，此次文物调查工作，自 1977 年 4 月 16 日起，进行了15 天。调查的主要地点是盐源县的沿海公社、前所公社的部分平川地带，即泸沽湖的北面和东面，发现新石器时代的遗址 1 处、古代墓葬 2 处。简报配以照片、手绘图予以介绍。

据介绍，乌丘遗址位于宁蒗彝族自治县永宁公社平坝各沟渠水系汇流出口，盐源县前所公社乌丘大队。遗物有陶片、石刀等。古墓葬均在盐源县，一在格萨村，一在烧人坪。出土有陶器、铜剑、铜矛、铜剑柄、金饰片等，表明已进入青铜时代。

简报称，这次调查证实，泸沽湖畔自古以来就有各族先民在活动，并且创造了比较高的文化。

943.四川凉山州新石器时代文化调查

作　者：黄承宗

出　处：《考古与文物》1990 年第 4 期

简报主要介绍了河谷阶地遗址、山间坡地遗址和丘陵山地遗址。其年代大致相当于中原地区商代晚期。遗存兼有南北方文化特征。

贵州省

贵阳市

六盘水市

遵义市

944.贵州仁怀县商周遗址的清理

作　　者：贵州省文物考古研究所　万光云
出　　处：《考古》1998年第9期

1994年4月，贵州仁怀县云仙洞风景区筹建组在县城东门河开发云仙洞的施工中，发现一石灰岩溶洞内的地层断面上有陶器、石器等，立即报告县文管所及省文物考古研究所。经调查确认，这里为1处洞穴遗址。随后，考古人员进行了抢救性清理。

简报分为：一、地理位置及遗址概况，二、地层堆积，三、出土遗物，四、结语，共四个部分。有手绘图。

据介绍，遗址位于云仙洞岩壁上的溶洞内，距东门河河床高约70米。遗址中出土的陶大口缸、圜底壶、绳纹杯及饰附加堆纹的陶器在贵州尚属首见。

简报认为，本次发现再次证实了地处边陲的贵州高原古代文化也经历了商周时期这一发展阶段，而且与邻省及中原地区文化有一定的关系。本次发现的商周时期遗存，在遵义地区尚属首见；其堆积较为贫乏，还不足以说明该时期本地的文化面貌。

安顺市

铜仁市

毕节市

945.贵州毕节瓦窑遗址发掘简报

作　者：贵州省博物馆　席克定、朱先世
出　处：《考古》1987 年第 4 期

瓦窑遗址位于贵州省毕节县青场区青场镇瓦窑村，东南距毕节县城 45 公里，西北离云南省镇雄县城 28 公里，地处黔滇两省交界处。乌江上游六冲河的支流吴家屯河由南流向北，遗址分布在河西的三级阶地上，总面积约 10 万平方米。该遗址于 1978 年调查发现，曾在当地征集到磨制石器 63 件，有斧、锛、网坠等。1982 年 7 ～ 9 月，考古人员对该遗址进行首次发掘，发现房址 4 座、窑址 1 座，出土石器、陶器、骨牙器、铜器 200 余件。简报分为：一、地层，二、遗迹与遗物，三、结语，共三个部分。有手绘图。

据介绍，瓦窑遗址是贵州西北部第 1 次正式发掘的古代遗址。遗址中出土的石范及少量铜件，说明该遗址已进入金属时代。经碳十四测定，其年代为距今 2950±125 年，树轮校正为 3210±175 年。时代在商末周初。

简报称，瓦窑遗址的发掘，说明早在商、周之际，这里就是四川通向贵州的交通要道之一；汉代的邮亭道，就是在古代民间交通线上扩建而成；今天这里仍有云南镇雄至毕节的公路通过。

946.贵州毕节县青场新石器遗址调查

作　者：贵州省博物馆　王海平
出　处：《考古》1987 年第 9 期

1977 年末，毕节县青场区农民进行大规模的农田基本建设时，在青场河两岸的坡地上发现 100 多件磨制石器。次年初，考古人员前往调查，又征集到 62 件较完整的标本。1984 年 7 月至 9 月，选择出土磨制石器最丰富的瓦窑队老板地进行试掘，发现青场遗址是 1 处包含新石器时代晚期和青铜时代早期文化的遗址。这是贵州省发现的第 3 处新石器时代遗址，其意义和影响是深远的。简报配以手绘图予以介绍。

据介绍，出土地点包括青坎大队的雁岩队、瓦窑队、松林队、火冲沟队、大弯队、新坪队，另在青场大队的大寨队、青场街及鲍家公社的梯田队、火冲沟队亦有零星发现，其中青坎大队的老板地和松林两地出土的数量最多，约占总数的 85%。遗物有石斧、石锛、石铲等。

经测定，飞虎山洞遗址年代为距今 4100 ～ 4200 年，青场遗址年代为距今 4100 ～ 3000 年，相当于中原地区夏、商之时。

947.贵州威宁县吴家大坪商周遗址

作　者：贵州省文物考古研究所、四川大学历史文化学院考古系、威宁县文物保护管理所　赵小帆、张合荣、罗二虎等

出　处：《考古》2006 年第 8 期

吴家大坪遗址是贵州省威宁县境内 1 处重要的古代遗址。1960 年，贵州省博物馆在该遗址东侧陡坡下的中河大河湾冲沟采集到锛、斧等石器。1972 年和 1981 年的调查分别在大河湾和吴家大坪遗址采集到一批陶片和磨制石器，初步断定这是一处新石器时代遗址。1995 年和 2002 年，对该遗址进行了钻探，并试掘了 3 个稻谷坑，同时采集到一批陶器、石器和骨器。2004 年 10 月至 2005 年 1 月，对该遗址进行了发掘。

简报分为：一、遗址概况，二、地层堆积，三、遗迹，四、遗物，五、结语，共五个部分。有照片、手绘图。

据介绍，遗址位于威宁县中水盆地中心地区中河与后河之间一条坡势平缓的土梁——水果梁子的东侧，中河从遗址东侧由东北向西南流过。遗址在中河西侧的坡地上，高出河床约 40 米，地势平缓，地理条件十分优越。吴家大坪遗址与鸡公山、营盘山等遗址相距不远，出土器物也几乎完全一致，应属于同一文化。遗址虽然受到严重破坏，但从出土的大量遗迹、遗物分析，应是 1 处居住遗址。

简报指出，吴家大坪遗址出土的遗物主要有陶器、石器和骨器，未见铜器。过去将其时代定为新石器时代，但简报认为吴家大坪遗址的年代应修正为公元前 14 ～前 11 世纪，即商周时期。遗址稻谷坑中出土的炭化稻谷数量巨大，相邻的鸡公山遗址中也出土了大量炭化稻谷。表明当时稻作农业生产已达到一定水平。

简报称，黔西北、滇东北地处金沙江流域，金沙江流域是沟通西北和西南地区交通的天然走廊，是多文化交会的地带。吴家大坪遗址的遗物中除了本地的文化因

素外，明显受到外来文化因素的影响：三耳器是受甘青地区文化的影响，有段石锛无疑是受东南沿海地区文化的影响。

948.贵州威宁县鸡公山遗址 2004 年发掘简报

作　　者：贵州省文物考古研究所、四川大学历史文化学院考古系、威宁县文物保护管理所　张合荣、王　林、罗二虎等

出　　处：《考古》2006 年第 8 期

威宁彝族回族苗族自治县位于贵州省西北部乌蒙山区中段，平均海拔 2000 米以上，有"贵州屋脊"之称，境内主要为高原山地，其间散布有少量俗称"坝子"的山间小盆地，鸡公山遗址所在的中水盆地便是其中之一。中水盆地位于威宁县西端的云贵两省交界处，东南距威宁县城 110 公里，西北距昭通市区 22 公里。坝子两侧的坡地和小山梁上已发现 12 处新石器时代晚期至汉代遗址。

简报分为：一、地层堆积，二、遗迹和遗物，三、结语，共三个部分。有彩照、手绘图。

据介绍，此次清理出坑、墓葬、建筑遗迹和沟等遗迹，出土大量陶器、石器、铜器、玉器和骨器，其中陶器器形独特，组合固定。发掘表明，鸡公山遗址是 1 处位于山顶的遗址，时代为距今 3300～2700 年。

简报指出，鸡公山遗址是贵州西部地区商周时期 1 处非常重要的遗址。此次发掘出土的丰富遗迹与遗物，对认识遗址的文化性质非常重要，并填补了贵州地区考古的许多空白，有着十分重要的意义。

例如，在这次发掘中，在鸡公山遗址和吴家大坪遗址中发现大量的炭化稻谷颗粒，经检测系人工种植稻且有意置于坑内，这为研究贵州西北地区早期稻作传播和当时的经济生活等提供了新的实物资料。

又如，在鸡公山遗址中，有祭祀坑性质的遗迹数量最多。几乎整个遗址就由众多的坑组成，坑的分布较有规律，可分为不同区域，且表现出明显的功能差异，因而可以确定该遗址是 1 处以祭祀活动为主而形成的山顶聚落遗址。这是首次在贵州揭露出的以祭祀为主的山顶遗址，为了解古代山地先民的宗教活动提供了重要实物资料。

再如，在鸡公山遗址中出土了少量带有西北地区氐羌文化因素、东南百越文化因素以及成都平原三星堆文化因素的器物。这为研究来自西北地区、成都平原和东南地区古文化与滇东北、黔西北地区的土著文化的交流，提供了新的实物资料。

黔西南州

黔东南州

黔南州

云南省

昆明市

949.昆明市西山区王家墩发现青铜器

作　者：李永衡、王　涵
出　处：《考古》1983 年第 5 期

1977 年 1 月，云南省文物店在省供销社废铜仓库选出两件完整的铜器，计铜锛 1 件、铜戈 1 件。出土地点在西山区党校一带，其选型简朴，技艺粗糙，铜质较纯，是滇池区域铜器中较为罕见的。简报配以照片、手绘图予以介绍。

考古人员在滇池西岸的王家墩村旁发现古代遗址 1 处。遗址范围内发现一些排列规整的木桩和两处贝丘堆积，采集到石斧、石镯、夹砂陶片、铜渣、鹿角及兽骨。石斧可分有肩、无肩两种类型。遗址中铜器、铜渣和石器的存在，说明当时居住在滇池区域的人们已会冶铸铜器，可能处于铜石并用时代，应早于滇池区域的其他青铜时代的墓葬。

曲靖市

玉溪市

保山市

950.云南龙陵怒江流域新石器时代遗址调查

作　　者：保山地区文物管理所、龙陵县文物管理所　耿德铭

出　　处：《考古》1991 年第 6 期

龙陵县位于云南西部，受怒江、龙川江两江环抱。龙陵新石器时代文化遗存甚为丰富，已发现遗址、地点 38 处，大致可以分为怒江西、北岸和龙川江东、南岸两区域，前者属于以大量打制、磨制双肩石斧为代表性器物的澜沧江忙怀类型和滇东南小河洞类型融合型文化，后者属于以磨光梯形条形斧、锛和穿孔石刀为特征的洱海白羊村类型文化。简报分为六个部分，专题介绍怒江西、北岸区域 1986 年冬季到1988 年 3 月发现的新石器文化遗存，有手绘图。

简报重点介绍了船口坝、马鞍山、光坡、乌木寨、蛮且、下芦水、养村等遗址。这 30 个遗址地处横断山脉到大江峡谷的立体气候带，江岸夏秋十分炎热，文化层大都很薄，收集有石器、陶器等，大量打制双肩石斧和刮削器利于坡地垦掘和砍割树根草丛，适于间歇性轮耕，再结合石矛、石镞、网坠、石刀、石磨盘和陶器等发现看，先民可能过着"夏处高山、冬居深谷"的兼定居、农牧、渔猎的特殊生活。直至近世，江岸地带居民仍沿袭着这种随气候炎凉、草木枯荣上下迁徙的牧耕习俗。其年代尚待具体测定，但大体应相当于商代甚至更晚。

昭通市

951.云南鲁甸县野石山遗址发掘简报

作　　者：云南省文物考古研究所、昭通市文物管理所、鲁甸县文物管理所
　　　　　　刘　旭等

出　　处：《考古》2009 年第 8 期

鲁甸县位于云南省东北部，地处与四川、贵州接壤的金沙江下游区域，牛栏江由县境南侧流过，蜿蜒向西北注入金沙江。境内东、西、南三面环山，其中部相对平坦地带属昭鲁盆地南区，盆地内低山丘陵散布，县城即位于盆地的南部边缘。野石山遗址西距县城约 3 公里。2002 年 4 ~ 6 月，考古人员对野石山遗址展开了发掘。简报分为：一、地层堆积，二、遗迹，三、遗物，四、结语，共四个部分。有照片、手绘图。

据介绍，遗址发现有陶窑、灰坑等遗迹，出土了陶器、石器、铜器等大量遗物。从陶窑、

出土的陶器及地层堆积状况等方面看，简报推测野石山遗址内存在 1 个规模较大的陶器烧造场。野石山遗址代表了云南东北部和贵州西北部青铜时代文化发展的一个相对独立阶段，年代为公元前 1300～前 900 年，大约相当于中原商朝后期直到西周时期。

丽江市

952.云南宁蒗县大兴镇古墓葬

作　者：云南省博物馆文物工作队　张新宁
出　处：《考古》1983 年第 3 期

云南西北部的宁蒗县，地处金沙江北岸的高寒山区，现为彝族、纳西族聚居区。县城所在地大兴镇位于高山峡谷的山麓。1969 年在 1 次施工取土时，发现一批青铜器。考古人员于 1979 年 4 月对该地进行了调查，确定是 1 处古墓地。墓地在大兴镇东北角，地势缓平，墓地中部和西部已被破坏，现仅存不足 200 平方米的空地。此次清理古墓葬 11 座。简报分为：一、墓葬形制，二、出土遗物，三、结语，共三个部分。有照片、手绘图。

据介绍，这批墓均属小型墓，木棺结构简单。男性墓主随葬品有陶器、铜兵器。女性墓主随葬品有纺轮、装饰品。宁蒗大兴镇墓葬的年代应晚于楚雄万家坝，而较大理鹿鹅山等地早，大约与大波那墓葬年代相当。应属滇西洱海地区青铜文化范畴。

普洱市

临沧市

953.云南云县忙怀新石器时代遗址调查

作　者：云南省博物馆文物工作队
出　处：《考古》1977 年第 3 期

1973 年 12 月，云县忙怀公社在农田基本建设中发现新石器时代遗址，随后在景东澜沧江两岸发现类似的遗址多处。1974 年 6 月，考古人员进行了调查。简报分为：一、地层堆积，二、文化遗物，三、结语，共三个部分。有手绘图。

据介绍,忙怀位于云县以东48公里,距顺甸河(罗闸河)与澜沧江交汇处22公里。公社所在地紧靠顺甸河北岸,遗址在忙怀村东的半山腰上,分2个地点:第1地点名"旧地基",位于忙怀村东;第2地点名"平掌",位于旧地基的东北,地势略高,与旧地基隔沟相望。出土石器140件,加上采集所得,共169件。出土陶片11片,其中夹砂灰褐陶8片、夹砂红陶3片。能认出器形的5片,其中罐3片,钵1片,圜底器1片。纹饰有绳纹1片、绳纹加乳钉纹1片,其余为素面。忙怀遗址的绝对年代,目前尚难断定,从文化面貌分析,应早于剑川海门口遗址,当属新石器时代。但有些石器与铜器十分相近,或已进入铜石并用时代。

954.云南耿马石佛洞遗址出土炭化古稻

作　者:云南省博物馆　阚　勇
出　处:《农业考古》1983年第2期

石佛洞遗址位于耿马县城西北25公里处,自古就是云南重要的产稻区。1983年4月进行了试掘,出土器物丰富,包括生产工具、生活用具、建筑遗存、动物骨骼及大量的炭化古稻等。简报配以照片予以介绍。

据介绍,石佛洞遗址的先民早已过着定居生活,建造了原始的住屋,而且形成规模较小的农业部落。它们掌握了比较娴熟但仍以手制为主的制陶技术,使用以磨制为主的生产工具,从事原始的锄耕农业,辅之以渔猎、采集经济生活。稻谷是当时种植的主要粮食作物之一,有粳稻、籼稻。出土稻谷的时代,经测定为距今2925±110年。

955.云南省临沧市那蚌遗址发掘简报

作　者:云南省文物考古研究所
出　处:《四川文物》2011年第2期

云南省临沧市的那蚌遗址,位于澜沧江的一级台地上,分布面积达1万多平方米,出土了大量石器与陶片。石器有打制的石斧、刮削器、石锛、石凿、石刀、石铲和石锤等。陶器纹饰以细绳纹、粗绳纹、刻划纹和戳印纹为主。那蚌遗址的发掘,对了解澜沧江中游新石器时代文化面貌有重要意义。简报分为:一、地层堆积,二、文化遗迹,三、遗物,四、结语,共四个部分。有照片、手绘图。

据介绍,该遗址发现于2002年,通过试掘,出土石器41件,多为梯形石斧,陶片极少。但出土有铜渣、铜管和制作铜器的石范,说明遗址年代已经进入青铜时代早期。

文山州

红河洲

956.云南石屏发现一件西周青铜鼎

作　者：苏伏涛

出　处：《文物》1989 年第 12 期

1982 年 12 月，石屏县王三寨一农民在修复县城北乾阳山玉皇阁的工程中，于东向高 2 米、宽 2 米的石壁中发现 1 件青铜鼎。铜鼎被送到县废品收购门市部。简报配以拓片予以介绍。

据介绍，铜鼎通体呈锈绿色，局部有褐斑。腹上部饰两道弦纹，弦纹之间饰三个饕餮纹。腹下部饰十二相连三角纹，内填雷纹。足部饰饕餮纹，上有铭文，年代相当于中原西周时期。

简报称，此鼎流入石屏的原因可能有两种：其一，明洪武十五年（1382 年）由明军入滇时带进的。当年明军在石屏驻屯 16 个伍的军户，这些军户大多来自中原地区。其二，可能是中原汉族在明洪武年间迁徙到石屏时带来的。当时汉民在乾阳山顶建玉皇阁，此鼎或被作为礼器置于石壁中。

西双版纳州

楚雄州

957.楚雄万家坝古墓群发掘报告

作　者：云南省文物工作队　邱宣充、王大道、黄德荣、王　涵等

出　处：《考古学报》1983 年第 3 期

楚雄万家坝古墓群是 1974 年 3 月在农田基本建设中发现的，考古人员于 1975

年 5 月发掘大墓 1 座（M1），同年 10 月至 1976 年 1 月正式发掘。简报分为：一、墓葬形制，二、随葬器物，三、分析与研究，共三个部分。有照片、拓片、手绘图。

据介绍，万家坝墓地除了个别为氏族领袖的较大墓葬，大多为无棺、无边桩垫木的小墓。发掘的 79 座墓出土遗物 1245 件，其中铜器 1002 件。年代简报推定为西周至春秋早期。万家坝古墓群的发掘，为研究云南青铜时代文化提供了实物资料。

大理州

958.云南祥云大波那发现木椁铜棺墓

作　者：张增祺

出　处：《考古》1964 年第 7 期

1964 年 3 月 10 日，在祥云大波那村发现 1 座古墓，考古人员前往清理。

据介绍，该墓位于大波那村西北约 250 米的黑龙山嘴土坡上，椁室距地面深 3 米，椁内置一铜棺，棺上饰有动物图案。随葬品共 60 余件，多为红铜器。兵器有鹰头铜啄、矛、短剑、钺各 2；生产工具有小犁头 2、铲 2、铡刀 1 套；生活用具有尊、豆、杯、小勺各 2，及铜筷 3 支；乐器有开孔葫芦、大鼓、小鼓、钟各 1；动物造型艺术品有水牛 4、马 2（1 马上骑一头梳小髻的铜人）、羊 2、猪 2、犬 2；装饰品有蛙形浮雕铜牌 2、梭形饰品 2、杖头插有 2 豹相抱雕饰的空心杖 1。此外，还有 1 铜房模型以及小铃、铜蝉等数件。该墓铜制葬具和器物上的纹饰，与中原和云南其他地区（如晋宁石寨山）出土的青铜器迥然不同。尤其是铜棺和大量红铜制品的出土，在全国说来也是极罕见的。今祥云大波那一带以前原为白族居住区，此墓或为白族文化遗存，时代应属青铜时代，应略早于石寨山青铜文化。

959.云南剑川海门口青铜时代早期遗址

作　者：云南省博物馆　肖明华

出　处：《考古》1995 年第 9 期

云南剑川海门口遗址是 1957 年 3 ～ 4 月间，在拓宽剑湖出口工程中发现的 1 处青铜时代早期遗址。遗址发现后，清理工作做得较草率。1978 年 4 月，再次对海门口遗址进行了发掘。简报分为：一、地理位置和地层，二、出土遗物，三、小结，共三个部分。有手绘图。

据介绍，海门口遗址位于云南省剑川县甸南乡海门口村西北的剑湖出口处，遗址分布在出口西岸。海门口遗址出土铜器表明，当时这里的铜器冶炼技术以锡青铜为主，还有铅青铜、红铜。铸造技术以单范铸造为主，有合范铸造，但仍使用锻造技术。虽进入青铜时代，但仍大量使用石器。时代经测定为距今3200～3000年左右，约相当于中原地区商周时期。

德宏州

怒江州

迪庆州

960.云南德钦县纳古石棺墓

作　者：云南省博物馆文物工作队　张新宁
出　处：《考古》1983年第3期

德钦县位于云南西北部的横断山区，是藏族主要聚居区。1974年10月，考古人员曾到德钦县南部的永芝进行过石棺墓的调查清理。纳古在德钦县城西北约70公里、白茫雪山西麓、澜沧江上游东岸，高出江面百余米，南距永芝100多公里。1976年9月，纳古南约200米处，因水土流失露出1洞穴。考古人员曾到现场了解，并钻入洞内，采集到陶罐、铜矛、铜剑各1件。1977年8月，到纳古进行实地调查，发现是1处石棺墓葬群。试掘工作自8月23日进行至30日，清理石棺墓23座。

简报分为：一、墓葬形制，二、随葬器物，三、结语，共三个部分。有照片、手绘图。

据介绍，此次清理的23座墓，均为石块砌成的石棺墓。葬式有侧身屈肢、侧身直肢等。出土遗物有石器、铜剑、绿松石珠等。随葬品虽少，但可看出已有贫富差别。如M22随葬铜矛、铜剑、陶罐各1，制作精巧的串珠600余。M4、M19等则全无随葬品，其余各墓也仅随葬陶罐1～4件。此批墓葬的年代，简报推断约为春秋早中期，或可早到西周晚期。墓主人应属《史记·西南夷列传》中提到的当地土著民族。

961.云南中甸县的石棺墓

作　　者：云南省文物考古研究所　王　涵等

出　　处：《考古》2005 年第 4 期

1988 年 3 月，中甸县尼西乡幸福办事处克乡村发现了古代遗物。据调查，这里应有青铜时代的石棺墓。因当地村民建房而使墓地受损，1988 年 3 月 22 日至 4 月 9 日，考古人员对克乡村及其附近村庄的石棺墓进行了调查，并对已暴露和不易保存的石棺墓进行了抢救性发掘。

简报称，中甸县为迪庆藏族自治州府所在地，位于云南省西北部，地处横断山区中的金沙江东岸。在县城西北约 70 公里的高山峡谷中，有 1 条长约 30 公里的小溪由东北流入金沙江。在小溪中下游的两岸台地上，从上至下分布着康萨、克乡、木茸、布独、诺哈、幸多、上桥头 7 个藏族村落，海拔 2200 ～ 2600 米。考古人员对康萨至幸多间长约 10 公里的河谷地段进行了重点调查，在克乡村西、木茸村西、布独村西及西南、幸多村北共发现石棺墓地 5 处。墓地距现代村落 50 ～ 400 米，因受地形限制，墓葬排列不太规整，但基本上无叠压打破现象，墓间距多在 2 米以内。墓地面积一般在 2000 平方米左右。因水土流失、耕作、建房等，墓地均受到不同程度的破坏，其中木茸村西的墓地已被毁殆尽。考古人员对其中的 3 处墓地简报分为四个部分予以介绍，有照片、手绘图。

对中甸县的 3 处墓地进行的发掘，共发掘石棺墓 43 座。墓葬多为单个建造，平面以圆角长方形为主。葬式有屈肢葬、二次葬、解肢葬和直肢葬。随葬品有陶器、铜器、骨器和石器等。海贝的出现，说明当地与外界有联系。这些石棺葬的时代，应相当于西周时期。墓主人应属古代氐、羌系统的民族。这些墓葬的发掘，为进一步认识横断山区、四川西部和西藏东南部的青铜文化提供了新资料。

今有罗二虎先生《文化与生态、社会、族群：川滇青藏民族走廊石棺葬研究》（科学出版社 2012 年版）一书，可参阅。

西藏自治区

拉萨市

昌都地区

山南地区

日喀则地区

那曲地区

阿里地区

962.西藏札达县格布赛鲁墓地调查简报

作　者：四川大学中国藏学研究所、四川大学考古学系、西藏自治区文物局、
　　　　阿里地区文化广播电视局　李永宪

出　处：《考古》2001 年第 6 期

1999 年 7 月，考古人员于西藏阿里地区札达县开展田野工作期间，获悉札达县东嘎乡格布赛鲁曾出土过陶器，立即前往该地进行调查，采集到多件遗物，确认格布赛鲁地点为 1 处古代墓地。简报分为：一、墓地概况，二、采集遗物，三、结语，共三个部分。有手绘图、拓片。

据介绍，格布赛鲁及皮央·东嘎格林塘、萨松塘等墓地所见陶器的诸多特征，明显不同于西藏以往发现的吐蕃时期墓葬，而其自身的共性和特征却是十分突出的。格林塘、萨松塘墓群曾出土带有北方游牧文化特征的青铜剑等兵器，表明其文化面貌和时代均与吐蕃时期墓葬有别。参考皮央格林塘、萨松塘墓葬的碳14测年数据，简报推断格布赛鲁吉墓葬的时代亦应大致在距今 2000～2500 年。

简报称，格布赛鲁墓地的调查，为进一步推动西藏西部地区考古学研究，探索早于吐蕃王朝时期的西部象雄文明，提供了重要资料。

林芝地区

陕西省

963.关中漆水下游先周遗址调查简报

作　者：宝鸡市考古工作队
出　处：《考古与文物》1989 年第 6 期

1983 年，考古人员对武功、扶风、乾县漆水下游地区进行了调查，共发现先周遗址 27 处，考古人员对发现的遗迹、遗址进行了分析，认为周人很早就掌握了冶铜技术，并不像有人认为的那样落后。

964.陕西渭水流域西周文化遗址调查

作　者：中国社会科学院考古研究所渭水流域考古调查发掘队　刘随盛
出　处：《考古》1996 年第 7 期

1959 年春，考古人员在陕西境内的渭水流域作了 1 次考古调查。据文献记载，周族文化起源于渭水流域，后稷居今武功，公刘居今彬县、长武、旬邑一带，太王居扶风、岐山一带，文王居丰，武王居镐，即今长安镐家村及张家坡、马王村一带。为此，考古人员沿渭水中游及其主要支流，一直调查到渭水上游甘肃境内。在长达 1 年的时间内，发现了大量的西周文化遗址。在陕西境内的渭水流域，西周文化遗址主要分布在岐山、扶风、武功、宝鸡、凤翔、彬县、长武、乾县、礼泉等地，其中岐山、扶风、武功等地的遗址最集中，这次共发现 77 处。简报分为五个部分予以介绍，有手绘图等。

据介绍，这次调查共发现 220 余处古文化遗址，其中仰韶文化遗址 95 处、龙山文化遗址 45 处、西周文化遗址 77 处。这充分说明渭水流域是古人重要的活动地域，这里不但分布着极为丰富的周代遗址，而且在此之前，仰韶文化、龙山文化的先民们也曾在此长期活动，并且留下了丰富的物质文化遗存。从调查的 77 处周代古文化遗址的面貌看，既有西周文化早、中、晚期的遗存，又有先周文化的遗存。

西安市

965.长安普渡村西周墓葬发掘记

作　者：中国科学院考古研究所　石兴邦
出　处：《考古学报》第8册

普渡村是长安县斗门镇的一个小村庄，南距斗门镇约1公里，在传说为镐京所在的丰镐村西南约1.5公里，在汉武帝所开凿的昆明池遗址的西边。此次清理发掘的2个西周墓葬，在普渡村东门外无量庙的东边。庙在土改后分给贫雇农李复兴和杨诚意居住。1951年夏季，他们在东院挖井时，掘出一批铜器。这批铜器现存西北历史博物馆，由它们的形制和花纹，初步判断是属于西周早期的遗物。1954年4月，考古人员在普渡村进行了发掘。

简报分为：一、墓葬的发现及发掘，二、墓葬形制，三、随葬器物，四、结语，共四个部分。配以照片、手绘图进行了介绍。

据介绍，两墓一墓随葬品为精致的铜器、玉器，一墓为较普通的陶器。但两墓应均为西周初期的墓葬。

966.长安普渡村西周墓的发掘

作　者：陕西省文物管理委员会　何汉南等
出　处：《考古学报》1957年第1期

普渡村位于长安县斗门镇北约1公里。此地屡有重要文物出土，1954年10月，该地农民上交一批铜器。根据这一线索，考古人员于当年11月至12月进行了发掘。

简报分为：一、墓葬形制，二、随葬器物，三、结语，共三个部分。有照片。

此次发现一座墓葬位于农民家房下，先拆掉房后进行发掘，为1座长方形带腰坑竖穴木椁墓。出土遗物400多件，包括铜器27件、陶器22件、玉器23件、石器1件、骨饰品2件、贝器56件、蚌器158件等。出土的铜盂有铭文，可知该墓的年代为西周中期。腰坑有殉狗，椁室北侧有两具儿童骨骸，似为殉人。

967.1955～1957年陕西长安沣西发掘简报

作　者： 考古研究所沣西发掘队　王伯洪、钟少林、张长寿

出　处： 《考古》1959年第10期

1955～1957年，考古人员在陕西沣河沿岸共作了五季发掘，发掘了客省庄（开瑞庄）、张家坡、冯村、斗门4个地点。古代文献指明西周的都城丰、镐都位于沣河沿岸，因此早在1933年就为了寻找它们而进行了调查。简报分为：一、客省庄的居住遗址，二、张家坡的居住遗址，三、客省庄和张家坡的两周墓葬，四、张家坡的西周车马坑，共四个部分。有照片、手绘图。

客省庄遗址包括仰韶文化、西周、战国等多个时代的文化遗存。张家坡已发掘4座车马坑，已探明未发掘的有3座。4座车马坑，最少的埋1辆车、2匹马，最多的是3辆车、8匹马，每坑都有1个殉人。冯村、斗门的遗址都很小，都是新石器晚期遗址，简报未予介绍。

968.陕西蓝田县出土弭叔等彝器简介

作　者： 段绍嘉

出　处： 《文物》1960年第2期

1959年6月间，蓝田县城南约2.5公里寺坡村北沟道中陆续发现一批西周青铜彝器。简报配以照片予以介绍。

据初步了解，这批葬器共有16件。计鬲6、毁6、盨2（1残缺仅存破盖）、壶1、钟1。其中4鬲、4毁、2盨、1壶，在掘出后曾辗转被运往西安，由陕西省和西安市文管会及陕西省博物馆派人协助蓝田县文化馆悉数收回，现存省博物馆。其余2鬲、2毁存蓝田县文化馆。据说1钟尚存当地某人手中。3鬲上有铭文，铭文相同。2毁亦有铭文。简报录有全文。其中一器铭文大意是：宣王命尴适官，管理邑人，并以虎臣为前驱，以西门尸等为后备，叫师等（师、官，等，名）特使羌尸等驻成周作后备军，走亚领秦人等为先驱，征服尸族。宣王赐尴厚赏，因而铸造此器以资纪念。此铭叙述宣王布置军旅大事，确是一篇研究西周历史的宝贵资料。

969.1960年秋陕西长安张家坡发掘简报

作　者： 中国科学院考古研究所沣西发掘队　杨国忠、张长源

出　处： 《考古》1962年第1期

1956～1957年，考古人员曾在张家坡进行了较大规模的发掘，发掘到丰富的西

周早晚两期的居住遗存和上百座西周墓葬。1960年秋季，在这个地区继续进行了发掘。这次发掘的规模较小，共发掘了600多平方米。发现有房屋、井、灰坑等遗迹和墓葬、车马坑等，大都属于西周早期。简报分为：一、居住遗存，二、墓葬，三、小结，共三个部分。有照片、手绘图。

此次房屋共发现3座，共中1座是长方形浅土窑式的，另外2座是深土窑式的。这些房屋保存都较完整。这次发掘到的墓葬很少，只有4座，另外还有1座车马坑。车马坑埋1辆车、2匹马，车后埋1个殉葬人。车的痕迹不清楚，器物除角铲外，没有发现别的车马器。

简报重点介绍的M101是1座东西向的长方形竖穴墓。墓底中央有椭圆形的腰坑，墓主人头向西，仰身伸直，身上及周围都撒朱砂，口内含7个贝。在北边的二层台上，有1个殉葬人，头向和葬式与墓主人相同。在殉葬人的腰部有4个贝。墓主人的随葬品，除1件陶鬲放在头前的二层台上，其他的都放在墓底头前，计有铜鼎1件、铜簋1件、陶簋1件、陶壶1件、陶罐3件和大量的铜车马器。另外，在头前的二层台上还放着1条牛腿和1条猪腿。简报推断此次发掘的墓葬时代应为西周早期成康时代。M101的墓主人似乎不应有车马坑，故简报推测附近应有更大的西周贵族墓。

970.1961～1962年陕西长安沣东试掘简报

作　者：中国科学院考古研究所沣镐考古队　胡谦盈
出　处：《考古》1963年第8期

史家记录周都镐京位置向以都址附近的滈池为据，大家一致认为它就在今日西安西南的沣河东岸，位靠昆明池的北部，故址部分或大部分沦没于昆明池遗址之中。所以，在探索镐京故址时，就必须连同并首先勘测昆明池及其相关诸水道。从1961年至1962年底（约7个月），主要工作是勘测昆明池遗址。与此同时，还着重考察了昆明池附近的西周遗址，并在遗址内的斗门镇、花园村、白家庄和洛水村等地区作过钻探和试掘。简报配以照片，先行介绍了西周遗址的一些工作收获。

根据多次调查，位靠昆明池的西周遗址仅发现1处。遗址在昆明池的西北部，即今洛水村、普渡村和斗门镇一带。这个西周遗址很早就被发现了。这次工作仅是过去工作的继续。这个遗址的范围很大，总面积约4平方公里。遗址地面上西周遗物俯拾皆是，灰层堆积在断崖里到处都可以见到。文化堆积密集且厚的地区，目前查明有3处：1是在长安县立斗门中学一带，这里的堆积破坏严重；2是在洛水村和上泉北村一带。这部分堆积保存的更少，除洛水村北边、西边各留下一个土墩（北边土墩面积约4000平方米，西边土墩面积2000多平方米）和上泉北村及其东40米以内诸地外（面积约 5 万平方米），其余地方均遭破坏；3 是在遗址中部偏东，即西鄂公路以东、白家庄以北，估计其面积约为 40 万平方米。这地区西周堆积基本上保存完好。经钻探查明，这里的西周文化堆积普遍深达 2 米以上，遗存相当丰富。这个西周遗址的延续时间很长，从周初到周末。但各个不同阶段的西周遗存的分布尚不能确切地指明，需要今后继续深入了解。

通过 1961 ~ 1962 年的工作，初步弄清了遗址和昆明池的关系，即遗址位于昆明池北，遗址在建筑或浚治昆明池时被破坏一些。这现象与古史记载镐京位于昆明池北、都址部分或大部分沦没于昆明池中是符合的。这次在洛水村北地发现这些西周建筑遗留，不是偶然的，在其附近当有规模宏伟的西周建筑基址。这类建筑，应该属于当时的权贵人物。

971.陕西长安沣西张家坡西周遗址的发掘

作　者：陕西省文物管理委员会　何汉南、唐金裕
出　处：《考古》1964 年第 9 期

1955 年 11 月，考古人员在长安县沣西张家坡村附近进行了遗址的钻探和试掘，清理了灰坑 14 个、房屋遗迹 1 处、井 1 座、沟 1 条，还发现西周墓葬 5 座、唐代墓葬 5 座。简报配以手绘图等，先行介绍西周文化遗存。

据介绍，遗址位于张家坡村的东南约 200 米，东距沣河约 1 公里，是在 1 条东西向的大土岗上。土岗由南向北逐渐高起，成一较缓的斜坡，南北宽约 250 米，高出附近地面 5 ~ 6 米，东西绵亘数公里，当地人呼为"鄌坞岭"。出土陶片达 4 万多片。还发现有卜骨、卜甲。

972.陕西长安张家坡西周墓清理简报

作　者：中国科学院考古研究所沣西考古队　赵永福
出　处：《考古》1965 年第 9 期

1964 年 10 月上旬，考古人员清理了 1 座西周墓。这座墓在陕西长安县沣西公社张家坡村东北。由于取土，墓已有三分之二被破坏了，仅存的三分之一，是墓的东南角部。9 件铜器出土于东南角的南边。简报配以拓片予以介绍。

据介绍，该墓是长方形坚穴墓。墓口距地表 1.2 米，墓底距地表 3.5 米，人骨架全被挖掉了，很难断定墓的方向。随葬铜器共 9 件。计鼎 3 件，簋 4 件，壶 2 件。

此外，还拣到一些蚌泡。有的有铭文，或大或小都有修补过的痕迹。就 9 件铜

器的形制、纹饰而论，它们的时代有早有晚：7号鼎可能属于西周初期，8、9号壶和5、6号鼎可能属于西周中期，而4件铜盨系西周晚期。墓葬本身当不早于西周晚期。

973.陕西长安新旺村、马王村出土的西周铜器

作　　者：西安市文物管理处
出　　处：《考古》1974 年第 1 期

1973 年 5 月，在长安县沣西公社的新旺村和马王村，各出土一批西周铜器。一批在新旺村北，一批在马王村西。这两批铜器，都是农民在取土时发现的。简报配以照片、拓片予以介绍。

据介绍，在新旺村北，中华人民共和国成立前有一王姓家族坟地。近年来，农民在坟地南面起土，平整土地，在坟地南坡距村 73 米处发现了 1 个铜器坑。出土铜器 2 件，1 鼎，1 盂。盂放在鼎内，2 器倒置于坑中。

马王村西户铁路以西，曾于 1961 年 10 月，发掘过一个铜器坑，出土铜器 53 件。这次出土的铜器，位于考古所发掘的铜器坑以西，相距 34 米。这次出土铜器的地方，过去曾是麦场。近年来由于农民取土，已形成一深 1 米以上的土坑。铜器即出于此土坑的西南角。当考古人员到达现场时，铜器已被全部取出，坑的形状也已经看不清楚。出土铜器 25 件，计鼎 3 件、甗 1 件、殷 6 件，壶 1 件、匜 1 件、盘 1 件、甬钟 10 件、车害 2 件。

简报称，2 处周边未见其他遗迹，应为窖藏。这次所发现的器物，从其铭文和器形看，时代大部分都是西周中期的。这两批器物，有烹饪器、盛食器、水器、我器和车马器，有使用痕迹。窖藏时间，应在幽王灭国之时。

974.陕西省周至县发现西周王器一件

作　　者：周至县文化馆　刘合心
出　　处：《文物》1975 年第 7 期

1974 年 1 月，周至县城关公社八一大队第十六生产队农民在距离地面约 1.3 米深的黄沙土层中，发现西周铜簋 1 件，继而发现有人骨，乃停止了挖掘。此件铜簋现由周至县文化馆收集保存。简报配以拓片予以介绍。

据介绍，簋两耳作兽形，口沿和盖均饰目云纹，圈足饰斜角雷纹。盖和器底各有铭文 2 行 6 字，内容完全一样，只是盖上的字稍小一些。

简报称，此为西周后期王室所作之器。从人骨发现的情况看，此处应是西周王室古墓，有待于进一步清理发掘。

975.记陕西蓝田县新出土的应侯钟

作　者：韧　松、樊维岳

出　处：《文物》1975 年第 10 期

1974 年 3 月，陕西省蓝田县红星公社农民在整理山坡积土时，发现了 1 个铜钟。简报配以拓片予以介绍。

据介绍，此钟有甬、干、旋、枚，是西周中期发展起来的甬钟的形式。两铣及钲间铸有铭文。从铭文的内容看，此钟应是 1 组编钟中的 1 个。

西周中期以前的甬钟，过去出土不多。1954 年陕西普渡村长由墓出土的 3 个 1 组的甬钟，属于穆王时期，是现今所知年代最早的编钟，但没有铭文。这件应侯钟也是甬钟的形式，并有了铭文，铭文书写在两铣及钲间，已开晚期钟铭的格式。简报由铭文可知其时代为略晚于穆王的恭王时期，这为我们研究西周钟的历史发展提供了重要资料。另外，钟铭中提到"应侯"以及"成周"与"周"对举、"见工"一词的出现，都对西周历史和金文的研究有重要的价值。

976.陕西蓝田县出土詤叔鼎

作　者：尚志儒、樊维岳、吴梓林

出　处：《文物》1976 年第 1 期

1973 年 12 月，蓝田县草坪公社草坪大队农民在山坡上平整土地时，发现了 1 个西周铜鼎。简报配以照片、拓片予以介绍。

据介绍，该鼎有长期使用痕迹，有铭文 47 字，简报录有全文。此鼎是詤叔及信姬为祭祀祖先而作的祭器。从器形、花纹判断，它的制作时代当在西周晚期。

977.陕西临潼发现武王征商簋

作　者：临潼县文化馆

出　处：《文物》1977 的第 8 期

1976 年 3 月上旬，零口公社西段大队发现了一批铜器。考古人员闻讯后即赴现场进行调查，发现铜器出土地点是 1 处周代遗址，面积约 2 万平方米。遗址位于零口街西北 1 公里的南罗村南、西段村东，在东距零河 0.5 公里的二层台地上。简报配以彩照、手绘图予以介绍。

此处系 1 处窖藏，共出土铜器 60 件、铜管状络饰 91 件。有的铜器上有铭文。

有铭文提到武王灭商之年，简报称是极重要的发现。同刊同期有唐兰、于省吾先生关于铭文的解释，可参阅。此处窖藏的年代，简报推断为西周前期。

978.陕西长安沣西出土的遹盂

作　者：陕西省博物馆　黑　光、朱捷元
出　处：《考古》1977 年第 1 期

1967 年 7 月，长安县沣西公社新旺村村民在村西北 200 米处挖土时，于距地面深约 2 米处，挖出了铜盂和铜匜各 1 件。据反映，出土时铜匜放在盂内，铜匜倒置，似为窖藏器物。简报配以照片予以介绍。

据介绍，铜匜 1 件，高 17 厘米，未见铭文。遹盂 1 件，有铭文 49 字，简报录有全文。据简报解释，此盂铭文记周王内宫之事。"天君"指太后，"姒后"指王后。太后命内小臣遹至郊遂隰、谋二地，引来为王后服役的宫人宫婢。太后见之容貌美丽，于是命遹使之梳洗装扮。这里的铭文有关周代"奚奴"，以前仅见于史籍的记载，今从本铭中又可以得到证明。

979.1967 年长安张家坡西周墓葬的发掘

作　者：中国社会科学院考古研究所沣西发掘队
出　处：《考古学报》1980 年第 4 期

陕西长安县张家坡位于沣河中游的西岸，有着极为丰富的西周时期的居住遗存和墓葬、车马坑等。1955 年以来，考古人员在这里连续进行了相当规模的发掘工作，并发表了有关工作的报告和简报。1967 年，考古人员又 1 次在张家坡进行发掘。这次发掘的主要任务是配合清理墓葬，发掘工作从 4 月初开始，一直延续到 12 月，历时 8 个月，共清理西周墓葬 124 座、车马坑 5 座、马坑 3 座、牛坑 4 座、战国墓葬 6 座、汉墓 1 座、唐墓 6 座。简报分为：一、墓葬举例，二、随葬器物的类别和型式，三、随葬陶器的组合和发展序列，四、铜器的组合和断代，五、张家坡西周墓地的探讨，六、关于张有坡的西周车马坑，七、附论，共七个部分。集中介绍了西周墓葬和车马坑等资料，其他时代的墓葬从略。

据介绍，西周墓葬、车马坑、牛坑共 136 座，分别集中在 3 个区域。这些墓葬的形制和埋葬习俗和过去在这里发掘过的相同，它们都是中小型墓，都有 1 个长方形的墓坑，但没有 1 个是有墓道的。绝大部分的墓都有棺木遗迹，少数略大的墓有木椁痕迹，这类墓有 35 座，其中有 7 座还在木椁的两端铺垫枕木。个别的墓没有棺木，仅有席裹。共出土青器礼器 25 件、陶器 273 件、漆器 4 件、铜矛 3 件等。5 座车马坑中 4 座曾被盗过。简报称,这是 1 处重要的西周遗址,但通过发掘,尚难得出张家坡西周遗址是丰邑中心地区的结论。

980.1976 ～ 1978 年长安沣西发掘简报

作　者:中国社会科学院考古研究所沣西发掘队　冯孝堂、梁星彭
出　处:《考古》1981 年第 1 期

1976 ～ 1978 年,考古人员在长安县沣西公社一带进行考古试掘和配合清理工作,发现西周时期夯土基址 3 处。同时,在客省庄和张家坡还清理了西周墓葬 11 座、车马坑 1 座。简报配以手绘图等予以介绍。

据介绍,沣西客省庄、张家坡一带,是文献记载中的"丰京"所在。此次发掘,清理出了较大的西周夯土建筑基址,证实了这里曾有过西周贵族的宫庭建筑,这就进一步为探索丰京的位置提供了新的线索。客省庄及张家坡的墓葬,大多数属于西周前期。在 11 座墓中,4 座有殉葬人,其中 3 座属于早期,1 座属于晚期。殉葬人数 1 ～ 3 人。车马坑里也有 1 个殉葬人。这些情况为研究西周的社会性质增添了重要材料。客省庄车马坑的清理,出土了一批铜车马器,为研究西周时期的车制,增加了一些资料。

981.陕西周至县出土西周太师簋

作　者:陕西省文物局　刘合心
出　处:《考古与文物》1981 年第 1 期

1972 年 4 月,周至县竹峪公社五星大队下仓峪村民在村西南挖土时发现西周铜簋 1 件,现藏周至县楼观台文管所。简报配以拓片予以介绍。

据介绍,簋上有简单的铭文,上有"太师作"字样。此应是西周中晚期的器物。该簋的出土,为考定传世的太师器的出土地点提供了新的线索。

982.西安老牛坡出土商代早期文物

作　者:保　全
出　处:《考古与文物》1981 年第 2 期

1972 年初,西安市洪庆公社老牛坡村西北出土了一批商代文物,有铜器 13 件、

陶器 1 件。考古人员前往现场调查。简报配以手绘图、照片予以介绍。

老牛坡位于西安城东 13 公里与蓝田县相接处。器物出土的地方是 1 处内涵十分丰富的商代遗址，面积约 5300 平方米，北高南低。断崖上可清晰看到文化层，暴露有灰坑、白灰居住面、残陶器和红烧土块等。出土铜器上未见铭文。时代简报推断为商代早期。

此次发现及 1978 年在老牛坡东南 5 公里蓝田县怀珍坊的发现，证明在商代早期，商王朝的疆域已到达关中中部。

983.陕西蓝田怀珍坊商代遗址试掘简报

作　者：西安半坡博物馆、蓝田县文化馆　巩启明
出　处：《考古与文物》1981 年第 3 期

怀珍坊位于蓝田县西白鹿原上，东距蓝田县城约 10 公里，西距西安市约 20 公里。商代遗址就分布在怀珍坊村南和村东，总面积约 50000 平方米。1973 年怀珍坊大队在农田基本建设中发现商代铜器数件。随后，考古人员曾多次到怀珍坊村进行调查、勘测，确认这是一处商代遗址。1978 年 10 月，陕西省文化局组织考古队进行了试掘。简报分为：一、地层堆积，二、遗迹，三、墓葬，四、遗物，五、结语，共五个部分。有手绘图。

据介绍，遗址共发现灰坑 7 个、墓葬 5 座。遗物有铜器、石器等 60 件。这批墓葬从其骨架残缺、被刀砍伤及随葬品极少等情况来看，死者身份比较低下，可能是专为商王朝奴隶主贵族冶铜的奴隶。此处可能是商代 1 处专门冶炼铜料的坊所。

984.临潼南罗西周墓出土青铜器

作　者：临潼县博物馆　赵康民
出　处：《文物》1982 年第 1 期

1975 年 5 月，陕西临潼零口公社南罗生产队在村南发现西周竖穴土坑墓 1 座，取出一批器物，经渭南县文化馆协助，交临潼县博物馆收藏。考古人员到现场调查，墓圹残破过甚，未能清理。简报配以照片予以介绍。

出土器物有车马器 36 件、铜礼器 13 件、玉石、蚌、贝及其他。据说出土文物还有戈 2 件、铜人 1 件。出土铜器中的盉，与长安普渡村所出西周前期的长由盉十分相似。铜器纹饰大多为云雷纹填底的鸟纹或夔龙纹。这些纹饰在西周前期至中期广为流行。因此，简报推断这座墓葬的年代当属西周中期较前。

985.陕西长安县新旺村新出西周铜鼎

作　者：中国社会科学院考古研究所沣西发掘队　戴应新
出　处：《考古》1983 年第 3 期

在沣京遗址范围内的长安县沣西公社新旺村，曾多次发现西周铜器。1982 年 1 月又出土 2 件铜鼎。简报配以手绘图、照片予以介绍。

铜鼎出土地点在新旺村南 250 米处，上距地表 2.7 米。大鼎（编为一号）倒置，三足向上，口朝下，其内套装一个蹄足小鼎（编为二号），小鼎正置。经发掘清理，得知这是一处窖藏坑（编号 H2）。一号鼎和二号鼎显然有时代早晚之不同。一号鼎器体高大，敦厚壮实，其造型、纹饰、铭刻都具有西周前期的特色。二号鼎的形制、纹饰均与毛公鼎、鬲攸从鼎、邓伯氏鼎相同，属西周晚期之器。简报认为 2 器应是平王东迁时仓促逃命的贵族所埋。同刊同期收有张长寿先生《记陕西长安沣西新发现的两件铜鼎》一文，可参阅。

986.临潼零口再次发现西周铜器

作　者：赵康民
出　处：《考古与文物》1983 年第 3 期

1979 年 12 月，陕西临潼县零口公社南罗东队在村南取土，发现西周铜器 3 件。出土点南距 1 号西周墓约 7 米，西距著名的利簋窖藏约 100 米。铜器距地表约 4 米。从周围观察，无墓葬痕迹，当是 1 处窖藏。简报配以照片予以介绍。

这 3 件铜器计甬钟 1 件、爵 2 件，未见铭文。总观 3 器造型、纹饰和风格，爵约当西周前期，甬钟则为后期。

987.长安沣西早周墓葬发掘记略

作　者：中国社会科学院考古研究所丰镐发掘队　卢连成、陈　昶
出　处：《考古》1984 年第 9 期

1983 年，考古人员为配合沣河毛纺厂基本建设，在陕西长安县沣西公社张家坡村东南发掘了 4 座周墓，编号为 83 沣毛 M1～M4。同年冬，又在客省庄西南清理了 1 座残墓，编号 83SCKM1。这 5 座墓葬有 3 座出随葬陶器，有的还有青铜礼器或兵器。从陶器的器形来看，其中的 2 座年代较早，当在武王灭殷以前。这类墓葬过去在沣西地区发现很少，因此这 2 座墓的发现对于了解该地区的先周文化遗存很有

意义。简报配以手绘图、照片、拓片予以介绍。

据介绍，83SCKM1 和 83 沣毛 M1 两墓各出 1 件高领袋足鬲，这种鬲过去在宝鸡斗鸡台、岐山贺家、凤翔西村都曾发现过，被认为是灭殷以前的先周文化遗存。1967 年，发掘队在张家坡村东发掘 89 号墓，出土 1 件类似的高领袋足鬲和 1 件磨光黑陶罐。原报告把这座墓定为第一期，年代在灭殷以前、作邑于丰的时期。上述两墓既出此种陶鬲，83 沣毛 M1 的随葬陶器组合又与张家坡 89 号墓相同，故确认两墓应属于张家坡第一期墓葬，年代在灭殷以前。2 座墓还出有青铜器，这是沣西地区以前未见的，为了解沣西地区先周文化遗存提供了重要的资料。83 沣毛 M3 所出陶鬲显然与 83SCKM1、83 沣毛 M1 所出陶鬲型式不同，而与张家坡第二期墓葬所出陶鬲相类似，年代应略晚，简报推断或在西周初年。

988.1961 ～ 1962 年沣西发掘简报

作　者：赵永福
出　处：《考古》1984 年第 9 期

1961 ～ 1962 年，考古人员在陕西长安县沣西公社马王村白家堡子村北、张家坡村东一带进行发掘。在马王村发掘了客省庄第二期文化和西周时期的各种遗迹；在张家坡发掘了西周的各种遗迹和墓葬。简报配以照片，介绍了在张家坡发掘的西周墓葬。

据介绍，发掘和清理的西周墓葬共 31 座，均位于张家坡村东及东南。墓葬的形制都为长方形竖穴墓，但规模大小略有不同。31 座墓葬共出青铜礼器 13 件、陶器 82 件、青铜兵器及车马器 37 件，此外，还有玉石饰物及蚌饰、蛤壳等。

简报还附带介绍了 1961 年在马王村征集到 2 件铜器，为 1 鼎 1 毁，系农民在集体猪场内打井时发现的。据说出自 1 座墓葬。

989.西周建筑基址勘查

作　者：郑洪春
出　处：《文博》1984 年第 3 期

1983 年 5 月至 1984 年 7 月，考古人员对镐京遗址进行了考古调查和部分钻探，在官庄、斗门、下泉砖瓦厂及花楼子发现了西周建筑基址 10 处以及大量建筑用材。简报配以照片、手绘图予以介绍。

简报依序介绍了 1 ～ 10 号西周建筑基址的位置及遗物。遗物中最多的是西周时期建筑用材板瓦、筒瓦、瓦钉、瓦环、穿孔瓦片，这些建筑用材与周原凤雏及召陈2地建筑基址出土物相同。建筑基址分布稠密，窖穴比比皆是，西周文化遗存非常丰富。墓葬区均分布在普渡村东、西、南三面，花园村北面；普渡村北又是陶窑区。据此，简报认为镐京的具体位置，应在昆明池西北，小昆明池（滈池）之西南，即今之洛水村西、上泉村、普渡村北，下泉窑厂、斗门窑厂、官庄窑厂、花楼子台地，滈河故道河堤南岸（郿邬岭）东西约3公里范围以内地区。

990.蓝田县出土一组西周早期青铜器

作　者：樊维岳
出　处：《文博》1985年第3期

1982年11月，陕西省兰田县泄湖乡兀家崖大队第三生产队在距地表60厘米处发现一组青铜器。简报分为：一、出土器物，二、结语，共两个部分。

这组青铜器，计青铜鼎1件、青铜簋1件、青铜钺1件，另有陶鬲2件。简报称，这组器物的断代应是西周早期，其下限不晚于成康时期。墓主人应为元士等级。

991.长安县新旺村出土的两件青铜器

作　者：陈　颖
出　处：《文博》1985年第3期

1980年3月14日，长安县沣西新旺村农民送交陕西省博物馆铜鼎、铜簋各1件。据介绍，这2件铜器是在村外挖土时发现的，两器同出1坑。简报配以拓片予以介绍。

沣西曾是西周沣京所在地。20世纪60年代初期和70年代中期，曾先后在沣西地区出土大量西周铜器。这两件铜器从形体、花纹、字体看，与以前在这里出土的铜器相似，应为西周器物，均有铭文。由铭文知，史惠是这两件器物的主人。

992.长安张家坡西周井叔墓发掘简报

作　者：中国社会科学院考古研究所沣西发掘队　张长寿、卢连成
出　处：《考古》1986年第1期

陕西省长安县原沣西公社于"文化大革命"期间，在丰镐遗址所在的张家坡和大原村之间俗称"郿坞岭"的高冈上，建立了1座机制砖瓦厂。连年来，由于挖土烧砖破坏了很多西周时期的遗址和墓葬，不少文物被毁坏和流失。直到1983年由于

西安市文物管理委员会根据文物保护条例进行干预，这个砖瓦厂才停止了生产。从1982年开始，考古人员用了将近2年的时间在这个砖瓦厂的周围进行普遍的钻探，共探明西周墓葬1500多座，其中包括几座带墓道的大型墓，这种墓葬是丰镐地区以前从未发现过的。1984年秋季，考古人员在张家坡村西发掘，共发掘西周墓葬40多座，其中1座是有两条墓道的大型墓。简报分为：一、墓葬形制，二、随葬器物，三、关于墓主人和年代的推断，共三个部分。有手绘图。

据介绍，这3座墓葬位于张家坡村西大路的西侧，离村子只有数十米远。这3座墓的编号分别为84SCCM157、M161和M163。M157是一座有南北两个墓道的"中"字形大型墓，位于中间，M161和M163都是较大的长方形竖穴墓，分列于M157的东西两侧。这种排列状况使人强烈地感到这3座墓葬很可能是一级家族墓葬。经鉴定，M157墓主人为1个40～45岁男性，M161墓主人为1个45～50岁女性，M163墓主人为1个25～30岁女性。简报推测M157墓主为"井叔"，此处当为井叔家族墓地。M163、M161应为其妻室之墓。M163已被盗。3墓共出土有青铜器等不多的遗物，个别上有铭文。时代简报推断为西周晚期。

993.1979～1981年长安沣西、沣东发掘简报

作　者：中国社会科学院考古研究所沣西发掘队　戴应新
出　处：《考古》1986年第3期

1971～1981年，考古人员在长安县沣西公社张家坡发掘西周墓葬8座、车马坑1座，在新旺村发掘墓葬5座。又在沣东斗门公社普渡村开探方5个，发掘面积140平方米，发现西周时期居住遗存2处、灰坑1个。另外，在白家庄村北发掘西周窑址2个。简报分为：一、张家坡和新旺村西周墓葬与车马坑，二、随葬器物，三、结语，共三个部分。有手绘图。

据介绍，墓葬都是长方形土圹竖穴，M2、M4、M7还有椭圆形或方形腰坑，内殉1狗。M1和M5的二层台上随葬有兽骨，但不完整。葬具均为棺木，稍大的墓且有木椁痕迹，木质都已腐朽呈粉屑状。棺椁经过髹漆，有的墓在棺椁周围还衬铺篾箔。M1、M2、M3、M6墓底有薄厚不等的一层朱砂，大多数墓曾遭盗扰，稍大点的墓几乎没有1座例外，都有盗洞。唯M2盗洞不到底，随葬器物得以保存。人骨保存极差，葬式不明。张家坡西周车马坑，以前发掘不少，但凡是车辕向东且有两辆以上的车子，车子都是南北并列放的，唯这次发掘的车马坑，却是车辕向东、3辆车子都是东西顺放，前1辆车的车箱压在后1辆车的辕头上。墓葬与车马坑的时代，简报推断为西周晚期。

994.1984 年沣西大原村西周墓地发掘简报

作　者：中国社会科学院考古研究所沣西发掘队　梁星彭、郑文兰
出　处：《考古》1986 年第 11 期

大原村在陕西省长安县沣西乡张家坡村西南 500 米许，属西周丰镐遗址范围。张家坡和大原村之间，地势较高，是当地人称为"郿坞岭"的一部分，这里西周时期的遗址和墓葬分布比较密集。这一带经过钻探，发现西周墓葬 1500 多座。1984 年下半年，考古人员在此进行发掘，发掘地点西南距大原村约 500 米，北距张家坡村约 300 米，其西紧靠着大原村通向张家坡的土路。发掘面积大约为 1000 平方米。发掘到西周墓葬 18 座，车马坑和马坑各 1 座。简报配以拓片、手绘图，先行介绍了其中较为典型的 4 座墓。

据介绍，M315、M304、M301、M309 中，除 M309 为洞室墓外，其余均为长方形竖穴墓。出土有陶器、铜器等。铜器有的有铭文，简报录有全文。M315 的年代属于西周初年。M304 所出的陶器晚期因素较为明显，因而墓葬年代可定为西周晚期。M301 所出铜鼎及毁盖均为西周晚年流行形式，故年代亦应属于西周晚期。M309 是西周不多见的洞室墓。

995.长安沣东西周遗存的考古调查

作　者：郑洪春、蒋祖棣
出　处：《考古与文物》1986 年第 2 期

1983 年、1985 年，考古人员在沣河以东斗门乡范围内进行了 2 次考古调查。简报分为：一、沣东考古工作的历史和认识，二、调查清理的主要地点和遗迹，三、清理和采集的遗物，共三个部分。有手绘图。

沣东古代遗存的考古调查始自 1933 年，徐炳昶先生在斗门—丰镐村一带做了短期踏察，从遗存的性质上初步肯定了镐京遗址的位置。1943 年，石璋如先生在丰镐村进行了较详细的调查。但报告中发表的主要是仰韶和龙山时代的标本。1949 年后，中国科学院考古研究所等单位在沣河两岸进行了一系列更为正规的考古调查和发掘工作。比较重要的有 1951 年、1953 年的调查、1953 ~ 1954 对普渡村西周墓的发掘、1961 ~ 1962 在斗门—洛水村的发掘。1983 年、1985 年两次调查，是在前人工作基础上进行的。调查以地面踏察为主。通过两次调查，所发现的西周遗存主要集中在斗门镇—洛水村沿钱，这与以往的考古认识是一致的。调查中抢救性发掘了一些灰坑、当地人称"罐罐窑"的西周陶窑等。遗物主要为陶器。

996.蓝田泄湖镇发现西周车马坑

作　者：曹永斌、樊维岳

出　处：《文博》1986 年第 5 期

1985 年 4 月，蓝田县泄湖镇农民在清理塌窑过洞时，发现了一批出土文物。考古人员赶赴现场进行调查清理。泄湖镇距蓝田县城约 10 公里，位于县境西北灞河右岸的第二阶地上，文物出土地点位于泄湖镇西北角。这一带有丰富的新石器时代遗存，新石器时代的上层有商周遗址。这次发现的车马坑为一长约 5 米、宽约 3 米的准长方形坑道。车马坑位于村民居住窑洞的窑顶。由于窑洞塌陷，坑道遗址已遭严重破坏，出土的文物就是在洞顶塌土内发现的，其内除青铜器、蚌饰外，还发现了大量马骨和其他动物骨片。简报分为：一、出土文物，二、结语，共两个部分。有拓片。

据介绍，出土文物有青铜器和蚌饰，其中青铜器约 161 件，蚌饰四种 40 多件。简报推断这一车马坑的时代为西周早期。

简报称，蓝田县在西周时属京畿，泄湖镇位于丰镐以东约 40 公里处。近年来，这一带多次出土商周之际的铜器，而且其纹饰造型多与丰镐出土西周早期器物相同。泄湖镇这次出土的西周早期器物，对于揭示西周早期的社会面貌及物质文化生活都有着重要的价值。

997.1984 ～ 1985 年沣西西周遗址、墓葬发掘报告

作　者：中国社会科学院考古研究所丰镐工作队　卢连成

出　处：《考古》1987 年第 1 期

1984 年至 1985 年，考古队在陕西长安县沣西地区配合基本建设工程，先后在沣西客省庄、马王村、张家坡等地清理西周墓葬 44 座、车马坑 2 座，试掘西周遗址探沟 2 条。简报分为：一、张家坡村东西周遗址的试掘，二、张家坡等地的西周墓葬，三、张家坡村东两座车马坑的发掘，共三个部分。有手绘图、拓片、照片。

1985 年夏，为配合沣河毛纺厂基建，考古人员发掘了长方形竖穴土坑墓 1 座（M30）、深穴房屋 2 处（H2、H3），出土石刀、石饰、蚌刀、陶网坠、陶纺轮、牙饰、骨笄等，年代为商末周初。1984 年至 1985 年，清理西周墓葬 44 座，其时代约在西周中期穆、共之际。其中 M2、M17、M26 时代可能略偏早，在穆王前期或昭、穆之际。三期略晚于二期墓葬有 2 座，其年代或相当于懿、孝之际。四期有 4 座墓

葬，时代可能在夷、厉之际。五期有3座墓葬，各种器类多成组成套出现，陶器明器化倾向十分明显。五期墓葬陶器组合和器类均和关中地区春秋早期秦墓较为相近。本期墓葬时代可能在西周晚期宣、幽之世。

上述五期墓葬分别与1967年长安张家坡发掘的二至六期墓葬对应。这批墓葬均为小墓，多数墓主口含贝，手握贝。有4墓发现殉人。所得资料有限，无论从组合、器类、器形演变诸方面均不能囊括西周各期墓葬的所有特点，仅仅是从某些侧面反映出从西周早期到西周晚期沣西地区小型墓葬的一些主要特征。简报还介绍了M28、M29两座西周车马坑的发掘情况。M28有1车4马及1个20岁左右青年男子，曾被盗。M29为两车四马，有1个12岁左右少年殉人，也曾被盗。2坑共出土车马器103件（组）。这2座车马坑的时代约在西周早期。2座车马坑周围没有发现形制较大的墓葬，归属尚不能有明确答案。

998.陕西长安沣西客省庄西周夯土基址发掘报告

作　者：中国社会科学院考古研究所沣西发掘队　卢连生
出　处：《考古》1987年第8期

1983年秋至1984年夏，考古人员在长安县沣河西岸的客省庄发掘了1座西周时期的大型夯土基址，编号为四号夯土基址。这座夯土基址位于客省庄西南、马王村之北，西临客省庄砖瓦窑厂，南距马王村小学北墙约45米。简报配图予以介绍。

四号夯土基址的平面略呈'T'字形，西部较宽，东部略向南突，但大多被断崖破坏。基址东西长61.5米，西部南北最宽35.5米，东部残宽27.3米，基址总面积为1826.98平方米，应为高级贵族活动之处。

简报指出，沣西地区经过长期的考古调查和发掘，发现沣河中游西岸的客省庄、马王村、张家坡、大原村、冯村、曹家寨、新旺村等地是西周遗址和墓葬最为密集的地区，这个地区方圆约10平方公里，应该就是西周丰邑的大致范围。

999.蓝田出土一组西周早期铜器陶器

作　者：樊维岳
出　处：《考古与文物》1987年第5期

1982年10月下旬，蓝田县泄湖公社兀家崖大队第三生产队在平整土地时，发现了1座古墓葬和一批青铜、陶器。墓葬位于蓝田县城北约7.5公里处。这里过去曾几次出土商周青铜器，周共王时的永盂出土地点距这个墓葬不过100米左右。墓葬上部已被挖掉，出土器物的位置距地面只有约60厘米深。器物出土后曾由当地百姓收藏，出售的1件铜鼎，已从西安废品库追回，现全部保存于蓝田县文管会。简报配以照片、拓片予以介绍。

这批器物，计有青铜鼎1件、青铜簋1件、青铜钺1件、陶鬲2件。这组器物的年代至迟不晚于成康时代。墓主人很可能是元士等级的军人。

今有商艳涛先生《西周军事铭文研究》（华南理工大学出版社2013年版）一书，可参阅。

1000.西安老牛坡商代墓地的发掘

作　　者：西北大学历史系考古专业　刘士莪、宋新潮等
出　　处：《文物》1988年第6期

1986年3至7月，考古人员在西安市东郊老牛坡遗址内，发掘了1处古代墓地，清理墓葬45座、灰坑21个、陶窑2座，出土了一批文化遗物。简报分为：一、遗址的现状，二、墓葬形制与葬具葬式，三、墓葬举例，四、出土遗物，五、结语，共五个部分。配以照片、手绘图，先行介绍商代墓葬和车马坑的发掘资料。

据介绍，老牛坡是西安东郊1个住有300多户居民的村落，地属灞桥区洪庆乡，东与蓝田县境接壤，距西安城约27公里。45座古墓葬中，其中4座（M31、M32、M38、M39）属于龙山文化；1座（M3）为唐墓；40座为商代墓葬，包括马坑（M17）、车马坑（M27）各1座。38座商代墓按面积大小和葬具、殉人的差别大体可分为两类：一类为中型墓，7座（M2、M5、M8、M11、M24、M25、M41）；一类为小型墓，31座（M1、M4、M6、M7、M9、M10、M12～M16、M18～M23、M26、M28～M30、M33～M37、M40、M42～M45）。商代墓均为竖穴土坑墓，没有墓道。大部分墓有腰坑和二层台，这是殷墟商墓中常见的现象。各墓的面积都不甚大。值得注意的是，不少墓除底部有腰坑外，还有头坑、脚坑和角坑。这类长方形小坑，1墓之中最多的可达7个，坑内一般殉葬1只狗。葬具木质，均已朽毁。有殉人现象。因中型以上木椁墓全部被盗，随葬品情况不明。但可知老牛坡商代墓地墓主生前社会身分属于不同的阶级或阶层，他们以血缘关系为纽带，生前聚族而居，死后埋在同一墓地里。

简报推断老牛坡墓地的年代，从商代早期至商代中期不等。文化风貌已是典型的商文化。这说明3000多年前，今西安灞河流域已是商王朝势力所及之地，或为商国的直接辖区，或为商朝的封国所在。

1001.1984 年长安普渡村西周墓葬发掘简报

作　者：中国社会科学院考古研究所沣西发掘队　戴应新
出　处：《考古》1988 年第 9 期

陕西长安县沣河东岸的普渡村，位于丰镐遗址的范围内，这里曾多次发现西周墓葬，出土过很多重要的文物。1984 年春秋两季，考古人员在村南西户公路的南侧发掘西周墓葬 39 座，西周车马坑 2 座，另在村东发掘墓葬 3 座，共 44 座墓葬，编号 84SCPM1 ～ M44。简报分为：一、墓葬形制，二、车马坑，三、随葬器物，四、结语，共四个部分。有手绘图、照片。

这批墓葬都属于中小型的长方形竖穴土坑墓，没有墓道。绝大多数有棺木痕迹，较大的墓还有木椁痕迹，死者多为仰身直肢葬。其中 27 号墓保存较好。出土随葬器物中陶器 194 件，铜器都是兵器和车马器，另有玉石及其他随葬品。在这次发掘的 44 座墓葬和车马坑中，被盗或无随葬陶器的有 14 座，其余的凡随葬有 2 件以上陶器的，其组合情况有 11 种。这些墓的年代，简报推断应是西周早期偏晚，甚至已经进入中期了。

1002.长安县花园村西周墓葬清理简报

作　者：郑洪春、穆海亭
出　处：《文博》1988 年第 1 期

1985 年 4 月，花园村扩建砖厂时，考古人员在村子西南 200 米处进行了钻探，发现古墓葬 25 座，有选择地清理了其中 4 座，编号为 M1、M2、M3、M4。除 M1 为客省庄二期文化墓葬外，其余 3 座均属西周时期的墓葬。1986 年 7 月，花园村在村南给村民规划庄基地，配合村民建设楼房，又清理了西周时期墓葬两座。编号为 M5、M6。简报分为"墓葬形制结构""葬具及葬式""随葬遗物""时代推断"等几个部分予以介绍，有照片、手绘图。

据介绍，M1 为不规则的椭圆形带台阶竖穴灰坑废弃后作为墓葬的，坑口距地表深 1.55 米，为龙山时期墓葬。另外 5 墓均为长方形土坑竖穴墓。由墓室、熟土二层台和腰坑三部分组成。简报推断为西周中期偏晚墓葬。6 墓出土有陶器、石器、玉器、蚌器等。

今有张礼艳先生《丰镐地区西周墓葬研究》（社会科学出版社 2015 年版）一书，可参阅。

1003.蓝田县出土一件西周青铜簋

作　者：冉素茹

出　处：《文博》1988 年第 6 期

1986 年 3 月 13 日，蓝田县城关镇东关村农民郑新强，在取城墙土时发现青铜簋 1 件，当即送交县文管会收藏。简报配以照片予以介绍。

据介绍，这件青铜簋，通高 24 厘米，口径 19.5 厘米，腹深 0.5 厘米，圈足高 9 厘米，重 1.7 公斤。兽首耳，耳下有长方珥，颈腹外部饰饕餮纹，圈足饰夔龙纹。器物完整，纹饰精美，式样庄重古朴。此簋可能为西周早期的器物。据《蓝田县志》记载，蓝田县城城墙建筑于北周，而此件发现于城墙夯土之内，既不是窖藏，也不是墓葬内随葬品，且直身通高 24 厘米，显而比夯土层要厚，不会是夯土人无意中将墓葬或窖藏中的土夯入墙内带入的，而可能是夯土人将此器物有意填入土内的。

1004.长安张家坡 M183 西周洞室墓发掘简报

作　者：中国社会科学院考古研究所沣西发掘队　卢连成、郑文兰

出　处：《考古》1989 年第 6 期

陕西长安张家坡西周墓地位于沣河西岸的郿坞岭高岗上，考古人员多年来在这一带进行较大规模的钻探和发掘工作，已经查明和发掘的各个时期的西周墓葬总数已达 2000～3000 千座。考古人员在这里发掘了将近 400 座西周墓，其中有井叔家族的带墓道的大型墓葬，也有许多中小型墓，这些墓都是土坑竖穴墓。但是，也发现一批形制不同的洞室墓，M183 就是其中比较典型的一座，出土器物也较丰富和重要。简报分为：一、墓葬形制，二、随葬器物，三、有关的几个认识，共三个部分。有照片。

M183 位于井叔家族墓群的东侧约 7 米，在 M183 之东约 30 米处，则是西周洞室墓比较集中的地点。M183 的形制可以分为竖穴和洞室两部分。竖穴与一般的西周长方形土坑竖穴墓完全相同，洞室则在竖穴底部的一侧。洞室中部置一木棺，棺已朽，高度不明。墓主人骨架保存较好，头向南，面向西，仰身直肢，双手交叉于腹部，骨架周围有大量朱砂粉末。人骨经鉴定，为 25 岁至 30 岁的男性青年。

M183 的随葬品有陶器、青铜礼器、青铜兵器和车马器、玉石器、漆器、骨器、蚌器等共 90 件（组）。

简所称，根据 M183 所出陶器、青铜礼器、兵器的形制分析，墓葬的年代可能在西周穆王前期，墓主人孟员当是昭、穆时人。采用洞室墓这种墓葬形制的，究竟

是在丧葬习俗方面的孑遗，还是代表了不同族属、不同信仰，抑或更有其他方面的原因，还不是十分清楚，需要进一步探讨。

1005.陕西长安张家坡 M170 号井叔墓发掘简报

作　者：中国社会科学院考古研究所沣西发掘队　郑文兰
出　处：《考古》1990 年第 6 期

1985 年春，考古人员继上一年发掘了 M157 号井叔墓之后，又发掘了井叔家族墓地的其他几座墓葬，M170 就是其中之一。这座墓位于井叔家族墓地的最东侧，是一座单墓道的"甲"字形墓。其西侧是另外 2 座单墓道的"甲"字形墓，M168 和 M152 墓，3 墓并列。其东是一座马坑 M192，此坑有可能是 M170 墓的殉葬坑。不过，M192 马坑规模较小，而且殉马的处置方式也与其他两座井叔墓的殉马坑不同，因此，也有另一种可能，即打破 M152 井叔墓的 M153 马坑才是 M170 井叔墓的殉葬坑。这座墓被压在汉代堆积层之下，墓口全部露出后，发现其上有 13 个盗坑。此墓虽经严重盗扰，但墓葬形制保存清楚，而且椁室前有头厢、墓底积炭，是西周墓中仅见的。随葬品虽大多被窃，但还残存若干精品，尤其是保存了可以确定墓主的青铜方彝。简报分为：一、墓葬形制，二、随葬器物，三、结语，共三个部分予以介绍，有手绘图、照片。

根据 M170 的墓葬形制、它在井叔家族墓地中的坑位，以及所出土青铜方彝上的铭文，可以确认其墓主人是一代井叔。

井叔家族墓地包括一座双墓道的"中"字形墓、3 座单墓道的"甲"字形墓以及其他一些竖穴墓和殉葬的马坑等。其中带墓道的 4 座墓，墓主人都是一代井叔。M170 是 3 座单墓道的甲字形墓中规模最大的，是其中年代最晚的。另外，从出土的青铜方彝来看，其形制与眉县出土的盠方彝相同，而后者被认为是孝王时器。将 M170 中的积炭收集了一部分，做碳十四年代测定，测得结果为距今 2850±70（半衰期 5730），即公元前 900±70 年，经树轮校正年代则为距今 2970±105，即公元前 1020 年。陈梦家先生曾推断孝王所处的年代为公元前 897～前 888 年，与碳十四测定的年代相比，校正后的年代显然太早了。

1006.陕西长安沣西西周墓地出土的龟甲

作　者：叶祥奎
出　处：《考古》1990 年第 6 期

1988 年 5 月，考古人员收到中国社会科学院考古研究所周本雄先生送来几件龟甲标本供研究。这些标本系该所沣西考古队在陕西长安沣西张家坡西周墓地中发掘出土的。简报配以手绘图予以介绍。

据介绍，除碎片不计外，共有4件龟类的背甲。其中以编号为M170：70的1件最为完整，仅左后部缺失，补以石膏。编号为M170：52的1件右侧骨板几乎全部破毁，但仍可看出背甲的整体外形。编号为M129：24的为1件个体较上述两者稍小的部分完整背甲，前部和左部破缺。编号为M129：45的保存最差，仅存背甲前缘部分。这4件龟甲分别出于2座西周墓葬，就其构造特征来看，简报推断属种分别为花龟和乌龟。

1007.长安张家坡 M170 号西周墓出土一组半月形铜件的组合复原

作　者：白荣金
出　处：《考古》1990 年第 6 期

这组铜件出于陕西长安张家坡第 170 号西周墓中（编号 85SCCM170：252），为中国社会科学院考古研究所沣西队所发掘。出土时位于东侧棺外椁底上，与钺、戈、盾等兵器共出。发现时铜件都叠作一堆，表面较乱，堆积南北长 37 厘米，东西宽 33 厘米，最厚处 11 厘米。铜质主体构件近半月形，正面凸起，边缘窄平，层层叠压，俯仰错杂，排列不整。发现后当即以木箱套装，保持原状，取运回室内。

简报分为：一、出土情况及清理经过，二、I、II 两组铜件的组织结构及连接，三、小结，共三个部分。有手绘图。

据介绍，在这组铜件清理过程中，编号的半月形铜件，I组计为 37 号，复原为 40 枚，其中 2 枚未显露、1 枚残缺。II组计为 25 号，25 枚全部复原。III组为 31 号。尚有一部分夹在 I、II 组之间未能编号，其数量尚难统计。III组中有个别铜件尺寸略大，或者属于另 1 个个体。复原起来的布满半月形铜件的长方体，其总长度约为 110 厘米，宽度为 29 厘米，其用途一时难下结论。根据其出土时附近的共存器物多为兵器推测，此物有可能属于兵器，或为铠甲一类的防御性器物。

1008.陕西长安县沣西新旺村西周制骨作坊遗址

作　者：中国社会科学院考古研究所沣镐工作队　徐良高
出　处：《考古》1992 年第 11 期

1989 年，考古人员在冯村砖瓦厂取土区内发现很多有加工痕迹的骨角料。为了抢救文物，于1990 年秋在此处进行了考古钻探和发掘。这次发掘的具体地点位于新旺村西南约650米处，紧贴冯村砖瓦厂北取土区的东边。共开4米×5米的探方2个，在挖到西周文化层后，为了统一地层和工作进度，将两方合并成1个探方，统一发掘。本遗址的主要文化堆积为西周制骨作坊遗迹。简报分为：一、地层堆积与文化遗迹，二、遗物，三、结语，共三个部分。有手绘图。

通过对该遗址所出骨器半成品、成品及废料的观察，简报认为这是1个主要制造骨笄、骨镞类物品的专业作坊，它所采用的骨料和工艺程序同扶风云塘西周制骨作坊基本一样。这次发掘所出骨料中，牛骨占绝大部分，推测当时牛已成为畜养的主要动物之一；鹿占有相当比例，说明当时狩猎仍是人们日常的生产活动之一；马在西周墓葬和祭祀坑中大量出现，而在此处则很少见。这次钻探和发掘都未发现房子遗迹，根据现场情况推测，它应已被冯村砖厂取土所破坏了。简报推断这一遗址的时代应属于西周晚期阶段。

1009.镐京西周五号大型宫室建筑基址发掘简报

作　者：郑洪春、穆海亭
出　处：《文博》1992年第4期

1983年3月至1984年8月，陕西省考古研究所镐京考古队在长安县斗门镇东北的花园村、普渡村、洛水村一带进行了较大范围的钻探，铲探出西周时期的夯土建筑基址10余座。西周五号宫室建筑基址，位于西安市西南25公里的长安县斗门镇以北约700米的花楼子，在滈河故道南岸，东距花园村500米，西北距官庄村400米。抢救性的清理发掘工作从1984年8月开始，至1986年10月结束。共开10米×10米探方24个，其中4个探方为客省庄二期文化（陕西龙山文化），余20个探方全部囊括了五号宫室建筑基址。简报分为：一、地层堆积，二、文化遗迹，三、文化遗物，四、结语，共四个部分。有手绘图、拓片、照片。

五号西周宫室建筑基址地层分为五层，建筑基址坐落在客省庄二期文化遗址之上，宫室夯土高台基，夯窝为圆形，密密麻麻，排列密集。建筑基址整体平面呈"工"字形，坐西朝东，主体建筑居中，南北两翼为附属部分。主体建筑南北长59米，东西宽23米。附属两翼东西各长为59米，南北宽为13米。除发现了少量陶器是生活用具外，更多地是发现了西周时期的建筑用瓦，总计出土各类瓦片2808片。这可能是建造于武王灭商以前或灭商后在镐京建立的1座王的宫室建筑，圮毁于厉王时，拟或是西周末年幽王犬戎之难中。

简报称，五号宫室建筑基址的重大发现，为系统研究西周宫室建筑制度，提供了珍贵的实物资料。它是确定镐京宫城具体位置的一个明显的标志，并为而后秦汉各个时代大型高台宫殿建筑模式的研究提供了依据。对于探讨西周社会政治、经济制度和物质文化的发展，亦有较高的学术价值。

1010.1987、1991 年陕西长安张家坡的发掘

作　者：中国社会科学院考古研究所沣西队　刘文兰
出　处：《考古》1994 年第 10 期

1987 年春，位于陕西省长安县张家坡村东南的西安沣河毛纺织厂修建 1 条排污渠。因工程在丰镐遗址保护区内，故由考古人员配合钻探、发掘。考古人员在工厂东墙外开了 2 个探方，并在渠的沿线清理了一些灰坑、墓葬。发掘面积共计 48 平方米，清理灰坑 16 个、陶窑 1 座、墓葬 20 座。1991 年又在西户公路南侧原先发掘地点之西清理了 3 座墓葬。简报分为：一、遗址，二、墓葬，三、结语，共三个部分。有手绘图、照片。

这次发掘地点是张家坡西周遗址的一部分。根据地层和出土陶片的特点，可分为早、晚两期，这和过去分期是一致的。

这次发掘的 23 座墓葬，简报推断 M22 和 M19 是西周早期墓中较早的，年代约相当于成康时期；M12 和 M1 是早期墓中较晚的，年代约当穆王；M6 和 M15 是西周晚期的，其中 M15 可能晚到西周末年。

根据以上认识，简报把余下的 M2～M5、M8、M11、M13、M18、M20、M21、MJ23，11 座墓归入西周早期；把 M7、M9、M10、M14、M17、M24，6 座墓归入西周晚期。

1011.1992 年沣西发掘简报

作　者：中国社会科学院考古研究所沣镐队　徐良高、张良仁
出　处：《考古》1994 年第 11 期

1992 年春，马王村村民在西户铁路马王镇火车站西南新辟一片宅基地。为配合农民建房，考古人员对这片宅基地进行了考古钻探和发掘，共清理西周陶窑 4 座、墓葬 22 座。另外，为了抢救文物，又在马王镇粮站东土壕清理西周墓葬 4 座，在张家坡村南取土壕清理西周墓葬 9 座。简报分为：一、陶窑，二、墓葬，三、结语，共三个部分。有手绘图。

陶窑 4 座，均分布在马王村宅基地范围内，可分为 2 个类型：竖式窑和横式窑。32 座西周墓中，出陶器的墓有 23 座，所出陶器的种类有鬲、簋、豆、盂、罐、瓶几

种。玉器有玉圭 5 件、玉璧 5 件、玉柄形饰 1 件、玉贝 2 枚、玉片 1 件，另有骨管、铜铃、蚌圭等。时代可分五期：

第一期包括 M2、M25、M37 三座，每座墓仅出土陶器 1 件。年代约在西周康王、昭王之时。

第二期包括 M8、M23 二座，M8 出土 BII 式罐和 A 型簋各 1 件，M23 出土 BI、BII 式罐各 1 件，未见陶鬲、陶豆等。年代约在穆王、共王之时。

第三期包括 M11、M18、M27、M28、M30、M32、M38、M39，共 8 座。陶器组合：鬲、簋、盂、瓶，鬲、豆、罐、盂，鬲、罐、盂几种。有些墓因被盗扰，其组合已不清楚。这期新出现盂、瓶。年代约在懿王、孝王之际。

第四期包括 M12、M33、M34、M36、M40、M41、M42，共 7 座。陶器的组合有鬲、罐；鬲、豆，罐、盂。陶簋在这期未见。年代约在夷王、厉王时期。

第五期包括 M13、M15、M16 三座。陶器组合有罐、盂，豆、罐、盂。豆、盂往往成组出现。年代约在宣王前后。

1012.西周特大容器"三足仓"

作　者：李涤陈

出　处：《考古与文物》1994 年第 4 期

陕西省考古研究所镐京考古队于 1991 年 5 月 16 日，在户县涝店乡马营村南砖窑场抢救清理了特大容器三足仓。简报配以手绘图予以介绍。

据介绍，三足仓为夹砂泥质灰陶，圆口，主体呈椭圆形，底部附加乳状三足鼎。经贮粮验证，可贮小麦两石，即今 300 公斤。三足仓造型独特，拍印独特，拍印各种纹饰，恰当协调。在陶质方面，虽然有些粗糙，但体高腹大，容量大。反映了西周时期制陶工业的风格特点，很有代表性。陶仓之大，堪称周之最。三足仓的出土，提供了西周储藏粮食用具的实物依据。

1013.户县发现西周特大容器三足仓

作　者：李涤陈

出　处：《文博》1994 年第 5 期

1991 年 5 月 16 日，陕西省考古研究所、镐京考古队在户县涝店乡、马营村南的"郿鄠令"上，砖瓦窑厂内，抢救性清理了大型容器三足仓 1 个。三足仓发现于 3 米深的淤泥层内，口南倒斜，仓南有陶盖 1 个，东侧有陶罐 1 个。简报配以手绘图予以介绍。

据介绍，三足仓为泥质夹砂灰陶，呈椭圆形，圆口，底部下弧附加乳状三足鼎。泥胎快轮拉坯法加手摹而成，仓外部饰有交错细绳纹、带纹、旋纹、指甲纹。经贮粮验证，可储小麦两石，折合 300 公斤。从表面上看，显然有些粗糙现象。但在拍印交错绳纹时，使用的绳网织维较细，纺好的绳子也较紧密。在拍印时，首先要掌握陶坯的湿硬度，软硬合适，才能拍印出清晰美观的纹饰。至于绳排列纹饰，有竖行正齐的，也有斜行交错的，前者多，后者少。对旋纹和带纹的制作，是借轮制的转动划上的，带纹可能用挡板按压轮转划上的，旋纹是用小型锥具旋转划上的。

简报称，户县发现的这件西周特大容器三足仓，是研究西周史的珍贵实物资料。

1014.1997 年沣西发掘报告

作　者：中国社会科学院考古研究所丰镐工作队　徐良高等
出　处：《考古学报》2000 年第 2 期

考古人员于 1997 年春秋两季分别在马王村西和大原村北 2 处进行了考古发掘。春季，考古人员发掘了长安县马王镇沣西毛纺厂东马王乳品厂北部，共发掘灰坑 15 座、窖穴 1 座、房子 1 座、墓葬 17 座。由于春季发掘的西周中晚期的遗存堆积较少，为弥补其不足，秋季又在大原村北台地上进行了发掘。另外在村北村民取土形成的断崖上，清理残灰坑 1 个，编号为 97SCDH3。本次共发掘灰坑 4 座、西周墓葬 3 座。简报分为前言：一、遗址概况，二、地层及遗迹、出土遗物，三、墓葬及随葬品，四、沣西周文化遗存的分期与断代，共四个部分。有照片、拓片、手绘图。

简报将沣西周文化遗存分为六期：第一期年代为文王迁丰至武王伐纣之间的先周文化晚期，是周人在丰、镐一带的最早遗存；第二期为西周初年武王至成王前期，为先周文化向西周文化过渡时期；第三期时代约相当于成王后期至康、昭王时期；第四期时代约相当于穆、恭王时期；第五期时代约相当于西周中期偏晚，值懿、孝、夷王时间；第六期相当于西周晚期厉、宣、幽时期。

本次发掘的收获为"夏商周断代工程"中的武王伐纣和西周列王年代研究提供了从先周到西周晚期的背景明确的系列测年样品。

1015.西安丰镐遗址发现的车马坑及青铜器

作　者：西安市文物保护考古所　王长启
出　处：《文物》2002 年第 12 期

1972 年秋至 1975 年夏，西安市文物考古小组参加了丰镐遗址的发掘清理工作，主要发掘地点在铜网厂南的宿舍楼与配件厂车间基建区，共清理 80 余座西周墓葬和 3 座车马坑。这里后来又陆续发现了许多西周时期铜器与车马器等。简报配以彩照等，介绍了发现的车马坑与征集的铜器。

据介绍，车马坑出土 4 车，前 2 车各 2 马，后 2 车各 4 马。出土当卢上有铭文"丰师" 2 字。西周墓葬出土及后来征集的铜器有鼎、簋、鬲、罍、尊、觚、爵等，许多器物铸有铭文，纹饰也很精美。

1016.陕西长安羊元坊商代遗址残灰坑的清理

作　者：陕西省考古研究所　张天恩
出　处：《考古与文物》2003 年第 2 期

2000 年 4～5 月份，考古人员在长安县搞考古调查时，发现羊元坊村东北约 400 米处是 1 个内涵较丰富的古文化遗址。村办砖瓦厂正在从遗址的西部边缘取土，已有多个灰坑被破坏殆尽，考古人员及时对 1 个残灰坑进行简单的清理，获得了较多的残陶器和骨器、石器、卜骨等。结合遗址采集的其他标本，初步确认，这是极为罕见的 1 处商代文化遗存。简报分为：一、遗址及残灰坑概况，二、遗物，三、小结，共三个部分。有手绘图。

据介绍，羊元坊村位于长安县郭杜镇西南约 2 公里处，滈河古道北岸上。古河道以北有一东西延绵数公里的高亢地带，称为"细柳塬"，但与古河道的高差不大，一般只在数米之内。遗址分布在细柳塬南缘的突出部分，地面非常平坦，存有 50 厘米的文化层和一些灰坑，因断崖较低，灰坑形制不清，可在地表和断面上采到鬲、罐、盆等陶器残片。残灰坑出土和从该遗址采集的遗物主要有陶器、石器、骨器和卜骨等。羊元坊残灰坑年代，简报推断为相当殷墟第一期。该遗址还应有与此坑的时代略有早晚的遗存。

1017.陕西长安县沣西大原村西周墓葬

作　者：中国社会科学院考古研究所丰镐发掘队　徐良高等
出　处：《考古》2004 年第 9 期

陕西省长安县沣西地区的张家坡至大原村之间的高地是西周墓葬集中区。1998 年春，村民在井叔墓地西南约 300 米处大原村北的低地开挖现代墓穴时发现古墓，考古人员随即在此进行了抢救性发掘和钻探。大原村北的低地是早年取土形成的，埋藏较浅的中小型墓葬均已被破坏，少数大型墓葬因墓穴深而得以保存底部。本次共发现较大型的残墓 3 座（编号为 98SCDM4～M6）、车马坑 1 座。另发现 M8，但仅存墓底痕迹，无任何遗物。车马坑位于 M4 东南 15 米处。简报分为：一、墓葬概况，二、出土遗物，三、结语，共三个部分。先行介绍了 M4～M6 这 3 座墓葬的情况，有手绘图。

据介绍，3 座墓葬均为长方形土坑竖穴木椁墓，出土有石器、玉器、骨器、鹿角、蚌饰等。M4 年代简报推断为西周后期夷王、厉王时期，出土的 5 件 1 组的编磬值得注意。M5、M6 具体年代已难判定。简报认为这应是某一贵族家族墓。

1018.西安市汉唐昆明池遗址区西周遗存的重要考古发现

作　者：中国社会科学院考古研究所、西安市文物保护考古研究院　刘　瑞、李毓芳、王自力、柴　怡等

出　处：《考古》2013 年第 11 期

昆明池是汉上林苑中最重要的池沼。2012 年秋至 2013 年春，考古人员对位于昆明池文化生态景区约 200 万平方米的范围开展考古勘探，在汉唐昆明池遗址的淤积层下发现了大量的古代遗存，集中分布于 1 条大型壕沟（G1）西侧。2012 年秋至 2013 年 4 月，又对 G1 选点进行了解剖，并清理了其西侧的一处车马坑遗存。简报分为：一、壕沟（G1），二、车马坑（K1、K2），三、学术意义，共三个部分。有彩照等。

从此次古勘探情况看，G1 东、西两侧的西周遗存分布状况有明显差异，显示 G1 大体即是镐京遗址西周遗存分布的东界与南界，这为确定及研究铺镐京范围提供了新资料。而 K1、K2 等车马坑遗存的发掘以及西周遗存的发现，更是填补了该区域西周考古的空白，这对镐京遗址布局的研究均有重要价值。

1019.陕西长安县沣西新旺村西周遗址 1982 年发掘简报

作　者：中国社会科学院考古研究所沣西发掘队　郑文兰

出　处：《考古》2012 年第 5 期

1982 年初，陕西省长安县沣西新旺村的村民在村南土壕取土时，挖出西周窖藏铜鼎 2 件。当年春季，考古队即在新旺村村南约 150 米处出土的铜鼎土壕边布方发掘。全年发掘面积共计 416 平方米，发现的遗迹有房址、窖穴、烧坑、井、灰坑、墓葬，出土陶器、石器、骨器、铜器、蚌器等遗物。简报分为：一、遗迹分布和地层堆积，二、出土遗物，三、墓葬，四、结语，共四个部分。有手绘图。

此次发掘面积不大，但弄清了铜器窖藏的形制及其层位关系，确定它是各类遗迹中年代相对较晚的，简报认为，该地应是1处居住址，遗址年代属西周晚期。

1020.西安市长安区冯村北西周时期制骨作坊

作　者：中国社会科学院考古研究所丰镐队　付仲杨、李志鹏、徐良高
出　处：《考古》2014年第11期

2009年秋季，中国社会科学院考古研究所丰镐队对陕西西安市丰镐遗址进行考古调查时，在马王镇冯村北约200米的土壕取土区内发现大量有加工痕迹的骨角料。2011年6～7月对此处及周边地区进行了重点考古钻探，大体确定了遗址的分布范围。2013年11月，为进一步了解制骨作坊的范围、性质和内涵，再次在遗址西部、西北部和东北部布3个探方进行发掘（编号为2013SFC），发掘面积61平方米。简报分为：一、地层堆积，二、典型遗迹，三、遗物，四、结语，共四个部分。

简报推断，冯村北制骨遗址的时代为西周晚期偏早阶段。冯村北制骨作坊遗址规模较大，通过对遗址所出骨料、废料、边角料、骨器半成品和成品的观察，简报初步认为这是1处主要制作骨笄、兼制作骨镞和骨锥等器类的专业作坊，所用骨料和制作工艺流程与扶风云塘、新旺西周制骨作坊基本相同。

铜川市

1021.陕西铜川发现商周青铜器

作　者：铜川市文化馆　卢建国
出　处：《考古》1982年第1期

铜川市在工厂和农村基建与平整土地时，发现1批古代铜器。简报配以照片、拓片，介绍了红土镇、十里铺和三里洞出土的商周青铜器。

1962年铜川三里洞出土铜鼎1件。1965年三里洞出土铜鼎1件。1975年十里铺出土铜鼎1件，有铭文。1974年红土镇出土铜簋1件，有1"戈"字铭文；蝉纹弓形器1件。1974年铜川黄堡出土戈1件。以上各器，简报认为应属商代前期、商代后期不等。其中十里铺为1处商代后期至周代早期遗址。

根据文献史籍记载，殷末周初，渭河北岸广阔地域内，分布着许多异族、方国。

周自公刘迁居豳即今陕西旬邑县。铜川与旬邑接壤。铜川市商周青铜器及其文化遗址的发现，为研究商代至早周文化和历史，特别是周人于豳地定居阶段，提供了新的实物资料。

1022.陕西耀县北村商代遗址调查记

作　　者：卢建国、巩启明、尚友德
出　　处：《考古与文物》1984 年第 1 期

1980 年夏，铜川矿务局干校教员尚友德先生，在学校附近的耀县北村东侧坡地里，发现了 1 处商代遗址。同年 9 月 18、19 日两天，考古人员对现场进行了踏查，并采集了标本。根据对已暴露出的遗迹和实物标本的分析判明，北村东侧是 1 处商代遗址，其时代与河南郑州二里岗商代遗址大致相同。耀县北村商代遗址，是陕西商周考古的重要发现之一，它为研究陕西境内商文化及其历史，商与周之间的关系，提供了重要的新资料。

简报分为：一、遗址概况，二、遗址，三、遗物，四、小结，共四个部分。有拓片、手绘图。

北村位于耀县城以北约 30 公里，村东南为铜川市，距离市区约 3 公里。发现居住遗址数处，破坏严重。采集大量陶片及骨器、卜骨等。

简报称，陕西省境内发现的商代遗址不多，耀县北村遗址应是陕西新发现的第三处商代遗址。这处遗址的发现，再次说明远在盘庚迁殷以前，关中东部及至渭河北岸广阔沃野，已是商王朝势力范围。

1023.铜川市城关出土西周青铜器

作　　者：卢建国
出　　处：《文物》1986 年第 5 期

1979 年底，陕西省铜川市城关畜牧兽医站职工在兽医站院内基建中，从地表以下 3 米深处发现青铜器、石器等物，并见人骨、编织物印痕和朽木痕迹。经考古人员调查，认为这是 1 座墓葬。简报配以照片予以介绍。

据介绍，墓葬竖穴土坑式，长约 2 米，宽约 1 米。出土共 6 件青铜器。鼎 1 件、戈 4 件、牛头形铜饰件 1 件（出土时已残断）。此外，墓中还出土石斧、石铲各 1 件。这批青铜器的年代简报推断为西周早期。

1024.陕西铜川市清理一座西周墓

作　者：尚友德、薛东星

出　处：《考古》1986 年第 5 期

铜川王家河乡炭案沟村对面的立陡城台地系一古墓区，墓区西对面约 0.5 公里的山上，为耀县北村商代遗址。1983 年 10 月，因雨水冲刷，该地有 1 座古墓塌陷，暴露出 3 枚贝币，后被人扰乱。考古人员于 11 月 4 日派人对该墓进行了清理。简报配以照片、拓片、手绘图予以介绍。

据介绍，墓为长方形竖穴土圹，坑内殉狗 1 条。墓室上部填土为夯土。墓室灰土中有 1 层白色席纹遗迹，说明当年筑墓时曾在棺盖上铺席 1 层，人骨已朽，葬式不明，出土遗物共 10 件，计有铜鼎 1 件、铜泡 2 件、车饰 2 件、石斧 1 件、玉刀 1 件、贝币 3 枚。铜器未见铭文。此墓的年代，简报推断为西周中期。

1025.耀县丁家沟出土西周窖藏青铜器

作　者：呼林贵、薛柬星

出　处：《考古与文物》1986 年第 4 期

1984 年 11 月 25 日，铜川市委财务干部刘尚林、耀县丁家沟村民刘育华，将一批出土的西周青铜器交给铜川市博物馆，并报告了有关青铜器出土情况。简报配以照片、拓片予以介绍。

这批青铜器是刘育华在村后取土时发现的，共计 6 件，2 个簋、4 个编钟，出土于窖藏之中。发现时，青铜器上边覆盖着 1 块薄青石板。铜簋上有铭文，两簋铭文一致，个别字有差异，计 82 字，简报录有全文。铭文说，作器人段，在某年三月丁丑日，在周王室新宫接受周王册命。周王命段继承其祖辈管理"东鄙五邑"。并赐给他"市"和"朱黄"。为了宣扬天子美好的赏赐，特作此簋。简报推断这批青铜器的铸造时代为西周中期偏晚。窖藏时间当在西周晚期。

1026.陕西耀县北村遗址发掘简报

作　者：陕西省考古研究所商周室、北京大学考古系商周实习组　徐天进、
　　　　　曹　玮

出　处：《考古与文物》1988 年第 2 期

北村位于耀县城北约 30 公里处，东南距铜川市区约 3 公里，属演池乡。遗址分

布在村东的塬地上，东西长约 500 米，南北宽约 300 米，总面积约 15 万平方米。在此范围内分布有仰韶、龙山、商、东周等不同时代的文化遗存，而以商代遗存最为丰富。该遗址发现于 1980 年，1984 年 4 月，考古人员又在此进行了调查，并于同年 9 月至 12 月进行了正式的发掘，清理了龙山（客省庄 II 期）时期的灰坑和商代灰坑，获得了一批丰富的遗物。简报配以手绘图，先行介绍商代的考古收获。

关于北村遗址发掘的收获和意义，简报归纳为三点：

一是以往关中地区商文化遗存也有零星发现，但都不甚丰富，欠系统，因而整个文化面貌也不甚清楚。北村遗址的发掘为我们提供了一批丰富而系统的商文化遗存，不仅使我们对分布在这个地区的商文化有了比较全面的认识，而且初步建立了这个地区商文化的年代序列，为今后进一步的研究工作提供了一把时代标尺。

二是北村遗址的发掘，说明了这一地区在商代早期至商代后期偏早阶段（即武丁前后）属商文化的分布范围，填补了该地区龙山文化（客省庄 II 期）至现在已知的先周文化之间的一段空白。

三是商周文化历来有着比较密切的联系，参照北村遗址商文化遗存，我们了解到，商文化的影响或分布范围已西至扶风、岐山一带。这样就为探讨先周文化和商文化的关系、寻找先周文化的渊源和判断已知先周文化的年代等问题提供了极为重要的线索。

宝鸡市

1027.岐山发现西周时代大鼎

作　者：王玉清
出　处：《文物》1959 年第 10 期

1958 年陕西岐山县进行文物普查时，由于同时进行了较深入和广泛的保护文物的宣传教育，几位农民将他们 1952 年在岐山县城清华镇童家村南面壕内起土时发现的大铜鼎 1 件，交给国家保存。简报配以照片予以介绍。

据介绍，鼎为直耳柱足，重约 99 公斤，口沿内有"外叔乍宝尊彝"铭文 6 字，是 1949 年后陕西出土的最大铜器。从器的造型及铭文字体来看，与中华人民共和国成立前陕西出土的周康王时代的盂鼎很相近，简报初步推断它是西周早期的作品。至于究竟出土于墓葬还是遗址中，则尚待进一步调查。

1028.宝鸡扶风发现西周铜器

作　者：程学华
出　处：《文物》1959 年第 11 期

陕西省博物馆为充实馆内陈列，于 1959 元月下旬派考古人员往扶风、宝鸡、兴平等地征集文物，计获历史文物数十件，其中以宝鸡、扶风 2 地的青铜器最为突出。简报配以照片、拓片予以介绍。

宝鸡青姜河桑园堡出土铜器。这是 1958 年 6 月在筑路工程中陆续发现的。计铜鼎 6 件、簋 5 件、瓯 1 件。此外有戈、车马饰和陶鬲等 20 余件。按同出遗物，简报推断这批铜器多是属于西周早期的。经实地勘查，桑园堡村西断崖仍有隐约的墓边痕迹，东向 500 米许就是西周姜城堡遗址，这里很可能是西周墓葬群所在地。

扶风镇黄堆乡齐家村出土铜器。这是 1958 年 1 月当地农民在村东南积肥时发现的，共 4 件。盂 2 件，铜鬲 2 件。经调查该地出土有卜骨、兽骨、大石块及大量绳纹灰陶片，由此北去 100 米有小卵石铺的路面，断崖灰层、灰坑几乎连接成片，可能为 1 处周代遗址。

从器物形制和遗址包含物情况推测，这批铜器应为西周晚期遗物。

1029.陕西岐山、扶风周墓清理记

作　者：陕西省文物管理委员会　蒋忠义、阳吉昌
出　处：《考古》1960 年第 8 期

1957 年考古人员先后在扶风县上康村、岐山县礼家村、王家咀子进行残墓发掘清理，并在扶风县任家村、陈家、齐家、白家、胡同刘家及岐山县贺家、呼刘村等进行了周墓调查。简报分为：一、前言，二、上康村第二号墓，三、王家咀子第一号坑，四、其他六座墓，五、附记几处遗址，共五个部分予以介绍，有手绘图等。

据介绍，上康村在扶风县北方，距县城约 150 米，清理墓葬 5 座，其中二号墓为一残墓，有腰坑，内有殉狗。王家咀子位于岐山县，清理了 1 座车马坑，出土小型车马具 251 件。上康村的第一、三、四、五号墓和礼家村第一、二号墓，因破坏太甚，清理时对于墓的结构很难了解。各墓皆经盗掘，铜器大部分均已失去。简报称这些墓及车马坑应均属西周时期，上康村二号墓应为西周晚期。

1030.陕西兴平、凤翔发现铜器

作　者：陕西省文物管理委员会
出　处：《文物》1961 年第 7 期

1960 年 7 月，考古人员前往扶风（属兴平县）、岐山（属凤翔县）一带 13 个村庄进行调查和试钻。10 月 11 日在齐家村东南 100 多米处，发现 1 个铜器窖穴。简报配以拓片予以介绍。

据介绍，出土有方壶、圆壶、钟、鼎等铜器计 39 件，其中 24 件带有铭文。对于研究周代历史十分重要。

1031.扶风县又出土了周代铜器

作　者：雒忠如
出　处：《文物》1963 年第 9 期

扶风县法门公社，在 1963 年 1 月至 2 月 21 日，在农民挖土积肥中，共发现铜器 3 起，计 12 件。简报配以拓片、照片予以介绍。

一是庄李村出土 4 件簋、1 件鼎。簋今存中国科学院考古研究所西安考古研究室，鼎现存该县文化馆。二是齐家村出土 6 件，其中 5 件今在陕西省考古研究所，1 件盘现存该县文化馆。三是白家村出土 1 件鼎，现存扶风县文化馆。

扶风县文化馆收藏的 3 件铜器，皆为西周时的文物。白家村的鼎，蟠虺纹下有雷纹底及直足而下端稍细，据此特征，知其为西周前期的遗物。庄李村的鼎和《青铜器图释》（文物出版社 1960 年版）中的禹鼎很近似，当是西周后期之物。齐家村的盘，腹饰重环纹，亦属西周晚期之物。

1032.陕西长安、扶风出土西周铜器

作　者：梁星彭、冯孝堂
出　处：《考古》1963 年第 8 期

1963 年年初，在长安县沣西公社马王村和扶风县法门公社齐家村出土两批铜器。简报分为三个部分予以介绍，有照片。

沣西的铜器出于马王村车站东约 40 米的断崖上，是当地农民挖土时发现的。从残存的情况观察，这里原是 1 座墓葬。墓为南北向，残留部分为墓的西北角。墓口距地表 1.5 米，底部略大，深 3 米，有生土二层台，填土经夯打。随葬的铜器据说

出于墓的南部，另外在填土中还发现 3 枚蚌泡。铜器共 28 件，现存长安县文化馆，计有容器 9 件、兵器 19 件，应属西周早期。另一批铜器出土于齐家村，计 6 件，有铭文，制作精美。可分 2 组，分属西周早期、西周晚期。

齐家村一带相传是岐周故地，这个地区在很长的时期以来，曾不断发现成批的窖藏铜器。这种窖藏铜器的发现，曾被认为是在西周末年战乱迁徙时被埋入地下的。如果是这样，那么这次的发现又增添了探索岐周的有价值的线索。

今有李峰先生《西周的灭亡：中国早期国家的地理和政治危机》（上海古籍出版社 2016 年版）一书，可参阅。

1033.陕西宝鸡、扶风出土的几件青铜器

作　者：赵学谦

出　处：《考古》1963 年第 10 期

1958 年 12 月，赵学谦先生在协助宝鸡市博物馆鉴定该馆所藏器物时，在仓库中发现 3 件有铭文的青铜器。这些铜器是 1958 年 8 月在宝鸡市东北郊五里庙发现的。据发现铜器的农民谈，原来和铜器一起出土的还有许多陶器，但现已无存。调查中在附近没有发现其他遗物和文化层堆积，推测这些铜器可能是墓葬出土的。带铭文铜器有甗、鼎、鬲各 1 件，应属西周早期遗物。

1961 年 4 月，贾瑞源先生在歧山礼村工作时，听说扶风齐家村曾出土几件铜器，随即前往调查。据了解出土的 3 件铜毁是于该村东南约 120 米 1 处窖藏中出土的，有铭文，年代应为厉王时期或稍晚。

1034.陕西扶风、岐山周代遗址和墓葬调查发掘报告

作　者：陕西省文物管理委员会　雒忠如

出　处：《考古》1963 年第 12 期

1960 年 7 月考古人员在扶风、岐山一带进行了调查和部分发掘。简报分为：一、遗址调查，二、墓葬，共两个部分。有照片、手绘图。

据介绍，遗址横跨扶风、岐山两县的北部，北距岐山约 2 公里。遗址范围东西、南北各宽约 2.5 公里，包括张家、贺家、李家、嘴子王家、齐家、刘家（以上属岐山县）、强家、齐镇、白家、任家、任里、陈家、康家（以上属扶风县）13 个村。在这一范围内遗址和墓葬连成一片。墓葬 29 座，大部分曾被盗，出土遗物 100 余件。简报称，这些墓葬均属西周时期，早、中、晚期都有。

扶风一些地名都很有古意,有兴趣的话可参阅郭军良先生主编的《扶风地名故事》(中国文化出版社 2018 年版)一书。

1035.岐山、兰田等地发现西周铜器

作　者:不详

出　处:《文物》1972 年第 1 期

岐山很早就是周人重要聚居点之一,周文王的祖父开始在今岐山京当一带建立都邑。所以,这里就经常传说出土商周铜器。1962 ～ 1963 年,考古人员在京当的贺家村发现了周代遗址和车马坑,并开始了试掘工作。

1966 年底,京当公社农民在贺家村西平地取土,发现了一批西周铜器。其中饕餮纹簋铸有铭文 23 字;2 件方鼎和 1 件饕餮纹角都有"史述"自作器的铭文;1 件饕餮纹分裆鼎有"尹丞"2 字铭。此外还有提梁卣、夔凤纹罍、调色器和兵、车马器等。几件铜器上的铭文,可以说明这批西周铜器的所有者是西周的史、尹之官。如果这批铜器是墓葬所出,这里就分布有西周史官的墓葬了。30 多年前的书籍中曾著录一件乙亥彝铭文,内容与上述饕餮纹簋铭完全相同,这就可以断定岐山京当的周代遗迹,确实是早已被盗掘过了。

简报还提到"文化大革命"期间,陕西省除岐山外,长安、扶风、兰田、宝鸡等地也都发现了较重要的周代铜器。

1036.扶风庄白大队出土的一批西周铜器

作　者:史　言

出　处:《文物》1972 年第 6 期

庄白大队位于陕西省扶风县法门公社西北,在周代岐邑范围之内,是周代青铜器的主要出土地区之一。据不完全统计,近 50 年来,该地曾先后出土周代铜鼎、殷、壶、尊、盘、匜等珍贵文物 300 余件。1960 年农民割草时发现铜器,1971年 6 月天交给了国家,现藏于陕西省博物馆。这批铜器共 19 件,计鼎 5、殷 8、壶 2、盘 1、匜 1、勺 2。其中 14 件有铭文,有的铭文长达 20 多字,简报配以拓片予以介绍。

由铭文知,这批器物可能是周室东迁时,贵族亦随之逃亡,因铜器笨重携带不便埋入地下的。除弦纹鼎为西周初期外,其余均属于西周中期。

简报指出,关于散国的历史史书缺乏记载,出土的器物亦为数不多。这次出土

的散伯车父铜器，是散器出土最多的1次，为研究散国的历史增添了新的资料。铭文中有些字为《说文》所无，对研究我国的文字亦具有一定的价值。

1037.岐山贺家村出土的西周铜器

作　者：长　水

出　处：《文物》1972年第6期

1966年冬和1967年春，陕西省岐山县贺家村几次发现西周铜器。简报配以照片、拓片予以介绍。

岐山县京当公社贺家村及其周围地区，是周代的"岐"邑所在地，是出土周代铜器最多的地区之一。贺家村在当时应是1个墓葬区。1966年12月发现墓葬1处，出土有铜泡100多个和戈、矛、弓形器质、銮铃、盖弓帽等车马器和贝币数十枚。这次出土的铜容器有簋、鼎、罍、角、甒、尊等17件，其中有一些器物花纹精美，有的还有铭文。简报认为这批青铜器的下限，当不会晚于穆王时期。

1967年3月，贺家村村民在村东北修水渠时，又掘出铜牛形酒尊1件。简报推断为西周初期遗物。

1038.新出土的几件西周铜器

作　者：周　文

出　处：《文物》1972年第7期

1971年冬，考古人员在陕西省扶风、岐山一带作考古调查时，看到一批周代铜器。岐山县文化馆存有9件，扶风县文化馆存有150多件（其中马络饰80余件），大多有明确出土地点，有的有铭文。简报配以照片予以介绍，对铭文进行了试释。

扶风、岐山一带，据《汉书·郊祀志》，从西汉宣帝神爵四年（前58年）即出土铜器，2000多年来连绵不绝，被称为"西周铜器产地"。

1039.陕西扶风县北桥出土一批西周青铜器

作　者：扶风县文化馆　罗西章

出　处：《文物》1974年第11期

1972年12月9日，扶风县建和公社东桥大队北桥生产队在村北土崖中挖出铜器9件。考古人员前往调查，知悉此处为一窖藏，出土处距崖顶约3米。有罍、殳、盘、鬲、甬钟、鼎等，其中两件有铭文。简报推断为西周中叶以后文物。

简报称，扶风已多次出土西周窖藏铜器，推测均为西周灭亡之时埋葬。北桥窖藏铜器，器物放置杂乱无章，应该也是西周灭亡之时匆忙埋葬的。

1040.陕西省扶风县强家村出土的西周铜器

作　　者：吴镇烽、雒忠如

出　　处：《文物》1975 年第 8 期

1974 年 12 月 5 日，扶风县黄堆公社云塘大队强家生产队农民在平整土地时发现一批西周铜器。简报配以照片予以介绍。

据介绍，铜器出土于强家村西稍北 300 多米处，共 7 件。经实地勘查，出土地点没有墓葬痕迹，也无其他遗物发现，窖穴开口在周代地层，没有晚期人为扰动的迹象。

简报称，这批铜器的特点是形制大，铭文长，其中不乏精品。

1041.陕西省宝鸡市茹家庄西周墓发掘简报

作　　者：宝鸡茹家庄西周墓发掘队

出　　处：《文物》1976 年第 4 期

宝鸡市益门公社茹家庄位于秦岭山麓川陕公路入山口。1974 年 12 月下旬，茹家庄生产队在庄东北冯家塬坡地上平整土地时发现了文物。1974 年 12 月至 1975 年 4 月底，考古人员进行了清理，共清理了墓葬 2 座（M1、M2）、马坑与车马坑各 1 处。墓内椁室保存完整，没有人为扰乱现象。墓葬出土文物十分丰富。简报分为：一、墓葬及其出土物，二、几个问题，共两个部分。有手绘图等。

据介绍，墓葬出土有铜器、陶器、玉石器等。从铜器铭文知 M1 的墓主人为强伯，M2 的墓主人是井姬。该墓应是强国国君夫妻异穴合葬，两墓均有殉葬着。强伯墓殉葬 7 人，井姬墓殉葬 2 人。年代为西周中期之初。

1042.陕西省岐山县董家村西周铜器窖穴发掘简报

作　　者：岐山县文化馆、陕西省文管会　庞怀清、镇　烽、忠　如、志　儒

出　　处：《文物》1976 年第 5 期

董家村在岐山南麓古周原上，西北距京当公社 1 公里，属于周代岐邑遗址的西部。1975 年 2 月 2 日，在农田基本建设中发现了贮藏铜器的西周窖穴 1 座，考古人员随

即进行了清理。窖穴位于村西150米西周居住遗址北边，略呈椭方形，挖筑比较草率。简报分为三个部分予以介绍，有照片、手绘图。

据介绍，窖穴内出土铜器37件，计鼎13、簋14、壶2、鬲2、盘1、盉1等。这批铜器不是一个时期的物品，其下限可到宣王末幽王初，因此，窖藏的时间可能在西周末年，其中30件有铭文。内容涉及以物换田、土地交换、林场易主、诉讼判决、赏赐策命等，对研究西周政治、经济、法律、土地制度、阶级关系等均有重要意义。

1043.陕西扶风出土西周伯𢦦诸器

作　　者：扶风县文化馆、陕西省文管会　罗西章、吴镇烽、雒忠如
出　　处：《文物》1976年第6期

1975年3月15日，扶风县法门公社庄白大队白家生产队农民在村西犁地时发现一批西周青铜器。考古人员于18日前往调查时，铜器已全部取离现场，放在生产队仓库内保存。在出土地点还拣到贝币和蚌泡数枚，并发现棺椁板的朽痕、朱砂及墓的残壁1段，墓底距现在地表约0.5米，但已无法量得墓圹大小。据社员反映：这块地方原来较高，因长期取土，逐渐削平。1974年冬修水渠时，又下挖1米多深。这次犁地时，铜器将伴尖碰坏，因而继续挖掘，取得铜盘、小方鼎、圆鼎、盉、爵、觯、饮壶、甗、戈等14件铜器。出土时圆鼎和甗并列，爵和小方鼎放在圆鼎东侧，再东为盉，大饮壶与盘放在圆鼎和小方鼎上。在距离这些铜器东北约0.80米的地方，又挖得壶、大方鼎、簋等4件铜器。出土时带盖簋压在方鼎上，鼎内盛有羊肢骨和肋骨，壶斜倚鼎、簋，附耳簋放在壶侧。有的有铭文，简报录有全文并予解说。简报指出，这批铜器甚为重要，尤其是铭文记述的穆王时期征伐淮夷之事，为我们研究西周社会历史提供了极其珍贵的资料。

罗西章先生所著《周原寻宝记》（三秦出版社2005年版）一书中有《伯𢦦之宝出土的前前后后》一文，详细记载了此批文物的情况，可参阅。

1044.陕西扶风县召李村一号周墓清理简报

作　　者：扶风县文化馆、陕西省文管会　罗西章、吴镇烽、尚志儒
出　　处：《文物》1976年第6期

1975年3月2日，扶风县法门公社庄白大队张家生产队在召李村西北50米处修水渠时，发现1座西周墓葬，出土了4件铜器，主动交给文物管理部门。考古人员对该墓进行了清理。简报配以手绘图等予以介绍。

据介绍，墓底有腰坑，殉葬狗 1 只。葬具 1 椁 1 棺，人骨架已朽，葬式不明。有铜礼器 4 件、车马器 58 件、兵器 2 件及陶器等。共计 68 件。是岐周地区小型墓葬中随葬品最丰富而又未被盗过的。该墓的年代，简报推断为西周早期。

罗西章先生所著的《周原寻宝记》（三秦出版社 2005 年版）一书中有《渠·宝·跑——记召李一号墓发现之后》一文，可参阅。

1045.陕西岐山贺家村西周墓葬

作　者：陕西省博物馆、陕西省文物管理委员会　戴应新
出　处：《考古》1976 年第 1 期

岐山县贺家村西，北至董家村，是 1 片西周墓地，曾多次出土铜器。1973 年冬，在贺家村西壕发掘清理周墓 10 座。简报分为三个部分，介绍了其中没有盗扰或保存较好的 4 座，有手绘图。

据介绍，4 墓中 3 座为土圹竖穴墓，棺椁已成白粉末状，骨殖也均无存。出土有陶器、铜器、石器骨器等。4 墓虽均为西周墓葬，但有早晚之分。M1 的下限在西周初年武、成之世，M5 为成、康时代。

1046.扶风白家窑水库出土的商周文物

作　者：扶风县文化馆　罗西章
出　处：《文物》1977 年第 12 期

白家窑水库在扶风县北约 4 公里处，水库周围有 1 片很大的古文化遗址，其范围往北延伸到法门公社的庄白和黄堆公社的云塘，往南延伸到县城以南，与沣河两岸的遗址相连接。自 1973 年修建水库以来，这里不断有仰韶、龙山、商代、西周以及秦汉等各个时代的遗物出土。简报分为：白家窑出土的商代陶器，杨家堡出土的商周之际的铜器，共两个部分。有照片。

简报介绍，白家窑大队位于水库土坝西南，1973 年 12 月出土了一批陶器，共 9 件。它们可能出自 1 座墓葬中，简报介绍的有陶鬲 1 件、陶尊 1 件、陶罐 3 件、夹砂陶罐 4 件。此外，1976 年春在一灰坑中出土假腹豆 1 件。这批陶器中，鬲、假腹豆、罐与河北翼城台西遗址中出土的相似，简报推断时代大体相当于殷墟文化第一期。杨家堡村属于法门公社君谊大队，位于白家窑水库东岸，这里有 1 片范围较大的西周遗址。1974 春在村南发现铜器两件，即铜甗 1 件、铜簋 1 件。从这两件铜器的形制、纹饰及铭文看，其时代当属商周之际。

如对铭文有兴趣，可参阅曹兆兰、马婧如先生《图释青铜器铭文》（光明日报出版社 2014 年版）一书。

1047.陕西省岐山县发现商代铜器

作　者：宝鸡市尊物馆　王光永
出　处：《文物》1977 年第 12 期

1972 年 1 月，岐山县京当公社京当大队农民在该村打麦场边先后发现几批青铜器，其中 5 件是在 1 个用圆石头砌成的窖穴中发现的。考古人员曾到铜器出土地点进行过调查，石头窖穴已被拆掉，在断崖上有红烧土痕迹，据发现人反映，没有见到骨头，因此，它们可能是 1 个窖穴中出土的。简报将 5 件铜器予以介绍，有照片。

据介绍，这批铜器有戈 1 件、爵 1 件、斝 1 件、觚 1 件、鬲 1 件，时代应属商代晚期前段，即殷墟早期阶段。

1048.陕西扶风庄白一号西周青铜器窖藏发掘简报

作　者：陕西周原考古队
出　处：《文物》1978 年第 3 期

1976 年 12 月 15 日，陕西扶风县法门公社庄白大队白家生产队平整土地时，发现了青铜器。考古人员进行了发掘。这是 1 个西周青铜器窖藏，编号为庄白一号窖藏（76FZH1）。简报配以照片予以介绍。

据介绍，窖藏位于白家村南 100 多米的坡地上，长方形，南北长 1.95 米，东西宽 1.1 米，深 1.12 米。窖口距地表最浅处 0.26 米，最深处 0.45 米。窖口开于耕土层下的西周文化层内，周围没有后人扰动的迹象。窖穴挖得比较草率，四壁略加修整。从窖穴所在的地形看，当年埋藏较深，由于长期水土流失，才形成窖口距地表很浅的现状。

1977 年春，考古人员在窖藏 60 多米处，又发现了一排南北向的石柱础 6 个，柱础间距 3 米左右由于是平整土地时挖出来的，未见墙基和地面，说明窖藏当时应埋在离房不远处。窖藏内共出土青铜器 103 件，计鼎 1、方鬲 1、鬲 17、簋 8、盨 2、豆 1、釜 2、觥 1、觚 7、盘 1、匕 2、尊 3、卣 2、方彝 1、斝 1、壶 4、贯耳壶 1、罍 1、爵 12、觯 3、斗 4、钟 21、铃 7 件，其中有铭文者 74 件，铭文少者 1 字，多者 284 字，此外，还有玉器 7 件、蛤蜊 2 件。有铭文器中以"史墙器"最为重要。同刊同期有唐兰先生研究文章一篇，可参阅。

罗西章先生所著《周原寻宝记》（三秦出版社 2005 年版）一书中有《庄白一号窖藏发掘纪实》一文，记叙此事甚为详实，可参阅。

1049.陕西扶风县云塘、庄白二号西周铜器窖藏

作　者：陕西周原考古队

出　处：《文物》1978 年第 11 期

简报分为：一、云塘出土铜器，二、庄白二号窖藏出土铜器，共两个部分。有手绘图。

据介绍，1976 年 1 月，扶风县黄堆公社云塘生产队挖土积肥时发现西周窖藏 1 处，出土西周铜器 9 件、计勺 2 件、壶盖一件、盨 5 件、盨盖 1 件。器物上有铭文，简报录有铭文全文。庄白二号窖藏出土铜器 5 件，有的上有铭文，简报录有铭文全文。

1050.宝鸡竹园沟等地西周墓

作　者：宝鸡市博物馆、渭滨区文化馆　周世荣、何介钧

出　处：《考古》1978 年第 5 期

竹园沟村与濛峪沟村同属宝鸡市渭滨区益门公社，两地相距 1.5 公里远。这一地区分布有很多西周时期的遗址及墓地，多年来这一带不断有西周青铜器出土。1976 年 8 月，竹园沟生产队农民在平整土地时发现一座西周墓葬，考古人员进行了清理。同年 3 月，茹家庄第一生产队农民在濛峪沟口修蓄水池过程中又发现一批西周小墓和春秋时期墓葬，考古人员征集了部分出土陶器。简报分为：一、竹园沟一号西周墓，二、濛峪沟口采集的西周陶器，三、寺洼"安国寺"文化与西周文化的关系，共三个部分。有手绘图。

据介绍，已发表的材料表明，寺洼文化大体分布在今甘肃洮河流域、渭水上游地区，"安国式"陶器则分布在泾水上游及渭水上游地区。"安国式"陶器与寺洼文化的陶器有着很多的共同之处，但二者之间也有一定的差别，特别是陶鬲的差异比较显著。

简报指出，宝鸡竹园沟、濛峪沟口的出土物可以说明，"安国式"类型文化遗存的年代，大致相当于西周，可能晚于寺洼文化，这种风格更加接近西周文化的特点，其青铜器的使用已经同周人无大差别。

1051.陕西扶风发现西周厉王㝬簋

作　　者：扶风县图博馆　罗西章
出　　处：《文物》1979 年第 4 期

1978 年 5 月，扶风县法门公社齐村（不是黄堆公社的齐家村和齐镇村）修陂塘时，先后发现西周时的文物，并送交县图博馆收藏。简报配以照片、手绘图，先行介绍了其中两件带有铭文的铜器。

据介绍，㝬簋 1 件，出土于陂塘西北距地面 3 米深的一个灰窖中，有铭文 124 字。简报录有全文。"㝬"即"胡"，是周王的名字，此器为厉王十二年（前 852 年）为祭祀先王而做。丰邢叔簋出土于西南 25 米处 1 个灰窖中，有铭文 11 字，简报录有全文。"丰"为国名，"邢叔"为作器人名。此器为邢叔为其妻所做，也为西周晚期遗物。

1052.陕西扶风齐家十九号西周墓

作　　者：陕西周原考古队
出　　处：《文物》1979 年第 11 期

陕西扶风县齐家村位于县城以北 15 公里处，现属于黄堆公社云塘大队。1978 年夏天，连日暴雨，雨水汇集于大壕，许多残墓被水浸泡下陷。8 月 13 日至 25 日，考古人员对暴露出来的 30 座墓葬进行了清理和发掘。这批墓葬有大有小，但形制基本一样。其中多数墓被盗，有的仅存一二件陶器，有的则空无一物。简报分为：一、地层关系，二、墓葬形制，三、随葬器物，四、结语，共四个部分。有手绘图、拓片、照片。

据介绍，齐家十九号墓是一座长方形土圹竖穴墓，此墓 1 棺 1 椁，骨架仰身直肢。此墓共出土器物 70 余件。其中铜器 12 件（保存完好），陶器 41 件，玉器 21 件。简报推断齐家十九号墓的年代为西周穆王末年或共王初年，墓主人的身份是士。简报称，这批陶礼器是目前发现的西周仿铜陶礼器中年代最早的 1 例，所反映出的西周士礼是十分规整的。它为研究西周礼制，提供了珍贵的资料。

罗西章先生所著《周原寻宝记》（三秦出版社 2005 年版）一书中有《破镜重圆的厉王豁簋》一文，记录此事甚详。

1053.陕西岐山凤雏村西周青铜器窖藏简报

作　者：陕西周原考古队　陈全方、李涤陈、巨万仓
出　处：《文物》1979 年第 11 期

陕西周原地区自汉以来一直是西周青铜器出土的重要地点。继 1975 年岐山京当公社贺家大队董家村卫鼎、卫盉、𠭯匜等 37 件窖藏青铜器、1976 年扶风法门公社庄白大队史墙盘等 108 件窖藏青铜器出土之后，1978 年 9 月在岐山县京当公社贺家大队凤雏村农民秋种犁地时又发现 1 窖西周青铜器。考古人员对现场进行了勘查钻探，得知这是 1 个西周青铜器窖藏，周围有多处西周灰坑。简报配以手绘图、拓片、照片予以介绍。

据介绍，窖藏位于凤雏村西约 200 米，南距 1975 年发现的西周青铜器窖藏约 500 米，西南距凤雏村西周甲组宫室（宗庙）建筑基址约 200 米。从地形看，周甲组宫室（宗庙）建筑基址同位于一个台地上。窖呈长方形，窖内共出青铜器 5 件，计鼎 1 件（器内壁有铭文 3 行 17 字）、簋 1 件、盨 2 件、甗 1 件。近年征集所得几件西周青铜器鼎、簋、甗，3 件窖藏铜器简报推断均属西周中期偏晚。而征集的 1 件簋，从其纹饰、形制、铭文看，当属西周早期。盨 2 件。其大小、形制、纹饰相同，其盖、器铭文行款相同，都为 5 行 27 字。观其形制、铭文，简报推断当属厉王时器。另车䡅 1 件，是在贺家村征集。

简报称，这批西周青铜器有重要的资料价值。其中伯尚鼎、伯宽父盨的作器人均属初见。据初步统计，伯宽父盨铭文中年月日完整的月象记时法，在已发现的青铜器铭文中，加上这 2 件在内仅有 50 余例。它为研究西周历法提供了可贵的资料。

1054.宝鸡市郊区和凤翔发现西周早期铜镜等文物

作　者：宝鸡市博物馆、凤翔县文化站　王光永、曹明檀
出　处：《文物》1979 年第 12 期

1958 年在宝鸡市郊区发现一批出自古墓的青铜器，计铜镜 1 件、铜鼎 4 件、簋 1 件、戈 1 件。简报推断这批青铜器的年代为西周早期。

1975 年在凤翔县彪角公社新庄河大队发现铜镜 1 件，1976 年在同一地点又出土铜鼎 1 件、铜簋 1 件。简报推断其年代为商周之际，也可能早到商代晚期。

1055.陕西岐山凤雏村西周建筑基址发掘简报

作　　者：陕西周原考古队

出　　处：《考古》1979 年第 10 期

1976 年，考古人员在岐山凤雏村和扶风召陈村、云塘村进行考古发掘。简报分为：一、地层关系，二、房屋的平面布局，三、营造技术，四、主要出土物，五、建筑的性质及年代，共五个部分。有照片、手绘图。

凤雏村位于岐山县东北，属于京当公社贺家大队，西南距岐山县城 25 公里。1976 年 2 月，凤雏村生产队在平整土地时发现了大量红烧土、墙皮，经勘查，是 1 处居住遗址，考古人员便在此进行了发掘。发掘证明，这里是 1 座大型的宫室建筑基址。房基南北长 45.2 米，东西宽 32.5 米，共计 1469 平方米。以门道、前堂和过廊居中，东西两边配置门房、厢房，左右对称，布局整齐有序。年代经测定为公元前 1100 年至前 1000 年左右，正值西周时期。其始建时期可能在武王灭商以前，一直使用到西周晚期。其性质，简报认为是西周宫室宗庙。出土遗物以卜甲、卜骨最多，约 17000多件（片）。

1056.一九六二年陕西扶风齐家村发掘简报

作　　者：中国社会科学院考古研究所扶风考古队　梁星彭

出　　处：《考古》1980 年第 1 期

为了解岐山、扶风地区的周文化遗存，考古人员于 1961 ~ 1962 年在岐山、扶风地区进行了调查和试掘。简报分为"地层概况""居住遗迹和遗物""结语"等几个部分，先行介绍了 1962 年秋在扶风齐家村试掘的情况，有手绘图。

据介绍，齐家村属扶风县黄堆公社云塘大队，与岐山县贺家大队仅一沟之隔。发掘地点位于齐家村东 100 多米的断崖上，西南距 1960 年发现的作钟等 39 件铜器窖藏坑 100 多米。该遗址可分为两期，第一期的年代大致属于西周中期，第二期的年代应属西周晚期。遗迹中可能包括一处制作手工产品（骨、蚌器）场所。

1057.扶风云塘西周骨器制造作坊遗址试掘简报

作　　者：陕西周原考古队　刘士莪

出　　处：《文物》1980 年第 4 期

扶风县黄堆公社云塘大队云塘村坐落在岐山主峰之下，南距扶风县 15 公里。

3000 年前，这一带是周原、岐邑之地。1976 年，为配合当地农田基本建设，考古人员在云塘村以南试掘了 1 处骨器制造作坊遗址。通过先后 3 次试掘，共清理了灰坑 19 个，墓葬 20 座，出土石器、陶器、铜器、骨器等近 200 件，还出土了 10000 多公斤废骨料和大量的陶片，这为我们了解西周时期骨器制造作坊的规模、工艺、生产过程，提供了丰富的资料。简报分为：一、文化堆积，二、主要遗迹，三、出土遗物，四、几点认识，共四个部分。有照片、手绘图。

遗址位于云塘村西南约 300 米处，废骨、陶片遍地皆是。据说，前些年当地人在这里挖出的废骨料不计其数。这次试掘点属于骨器制造作坊的边缘地区。从密集的灰坑来看，这里是 1 处倾倒废骨料和垃圾的场所。作坊的主要活动区和整个布局，尚待进一步发掘和探求。年代简报推断为西周。

简报称，这次试掘出土的废骨料和大量的骨制半成品，牛骨占 80%，马骨占 5%，还有羊、猪、狗、鹿、骆驼骨。绝大部分带有锯、削、锉、磨等加工痕迹。同时还出土铜锯、铜刀、铜钻和砺石等制骨工具。以骨笄为例，古人的制作工序为：

第一步，选材。云塘遗址出土的废骨料，以兽类骨骼的关节部位（骨臼和关节头）为最多，如股骨头、桡骨头、尺骨头、掌骨头、股骨头、腔骨头、排骨头、腑骨头、肩甲臼和肩胛骨的前缘、后缘等，约占总量的 90%。可见兽类的四肢骨是制造骨器的主要原料。值得注意的是，许多取材后遗弃的前后肢关节部位套合在一起。这表明，当时制器都是采用兽类的新鲜骨骼为原料，当外表还附有软体组织时，就送进作坊进行加工。

第二步，锯割。骨料选好后，用锯或刀先将其两端的关节头截去，然后顺着骨体剖成粗细适用的长条。对于掌骨、蹠骨等较短的肢骨，只去一端的关节即进行锯割，留另一端以便手握；肩胛骨一般是截去肩臼等，用来制作骨铲或骨匕。对于骨壁粗厚的骨骼，多是从两面锯割。

第三步，削锉。把劈裂后的骨条，用刀削去棱角，然后锉成圆锥状，制成骨笄的雏型（在一些器物的半成品上，锉痕清晰整齐，像是使用一种转支的工具锉圆的）。

第四步，磨光。把具雏型的骨笄在砺石上打磨光滑，就是成品。出土的许多砺石面上带有深浅不同的沟槽和凹面，当是磨制骨笄留下的痕迹。

第五步，雕嵌。有些骨笄磨光后，还在顶端雕镂纹饰，或者另外雕刻笄帽插装上去，有的在顶端还嵌上绿松石。

出土情况表明，西周时期的制骨业内部已经出现了细致的分工。当时每个工序可能是由固定的工奴来操作的。青铜刀、锯、钻等工具的使用，对于促进骨器制造手工业的发展，无疑是一个重要的因素。从生产规模看，云塘遗址应为西周王室下属的大型骨器制作作坊。

简报指出，除云塘骨器制作作坊以外，齐家北有冶铜遗址，白家西南有玉器制造作坊遗址，任家、召陈有制陶作坊遗址，齐家东和白家南有骨器制作作坊遗址。岐邑一带，当年应是遍布着周王室的手工业作坊。

1058.扶风云塘西周墓

作　　者：陕西周原考古队　刘士莪
出　　处：《文物》1980 年第 4 期

1976 年，考古人员在扶风黄堆公社云塘村南地发现了 21 座墓葬，其中 20 座属于西周墓（内有 1 座未加清理），1 座（M1）为近代空墓。出土遗物有铜器、陶器、玉器、蚌饰和漆器约 100 件。简报分为：一、墓葬形制，二、随葬器物，三、墓葬的年代，共三个部分。有照片、拓片。

据介绍，这 19 座墓规模都较小，1 棺 1 椁者 14 座，有棺无椁者 3 座，无棺无椁者 1 座。随葬品有陶器、铜器、漆器、石器等。墓葬可分早晚两期。早期下限不会晚于西周穆王时期。晚期墓大多被盗，年代简报推断为西周末年。这批墓葬与云塘手工业作坊遗址的关系是：早期墓葬—骨器作坊—晚期墓葬。即西周早期此处为墓葬区，中期为骨器作坊所在地，晚期当作坊废弃后，此处复变为墓葬区。

罗西章先生所著《周原寻宝记》（三秦出版社 2005 年版）一书中有《冤家路宽》一文，描述了云塘 13 号墓的发掘情况，可参阅。

1059.岐山贺家村周墓发掘简报

作　　者：陕西省考古研究所　徐锡台
出　　处：《考古与文物》1980 年第 1 期

贺家村位于岐山县东北部，距县城约 35 公里。贺家村西及其附近，主要是先周和西周墓葬分布地区之一。发掘地点在村西北。东、西和南部三面都是断崖，距现地面深约 2 ～ 3 米。墓地东西宽 30 米，南北长 150 米，可能一直延伸到董家村。1963 年 4 ～ 12 月进行正式发掘，清理出先周和西周墓葬 54 座、车马坑 1 座。

简报分为：一、墓葬形制，二、随葬器物，三、车马坑，四、墓葬年代，共四个部分。有照片、手绘图。

据介绍，54 座墓（被盗 18 座）都属中小型长方形土坑墓，其中小型多，中型少。葬具均腐朽，墓底都无腰坑。头向，南北向约占三分之二，头向不明的 4 座。有 28 座或因骨质腐朽，或因被盗，葬式无法识别。其余 26 座，仰身直肢葬 23 座，侧身直肢葬 2 座，单独以人头埋葬的 1 座。有 2 座是小孩墓。随葬器物放置在头前二层台上或墓坑的两角。装饰品多在颈部或其两侧，亦有在腰部或脚下的，如铜泡、蚌壳。个别的墓，墓主人口里或手中有贝。有随葬品的墓共38座。随葬品以陶器为主，鬲最多，罐次之。单出鬲的墓20座，出鬲、罐的墓10座，出鬲、罐、壶的墓1座，单出罐的墓1座，出簋与瓮的墓各1座。还出土了一些铜戈、铜戟、玉器、蚌饰等。车马坑中埋马8匹，大小车各1辆。

简报称，这批墓葬可分为两期：第一期29座及车马坑，为先周晚期；第二期为西周早期成王以前。

1060.宝鸡市茹家庄发现西周早期铜器

作　者：宝鸡市博物馆　王光永
出　处：《考古与文物》1980年第1期

1971年11月间，宝鸡市桥梁厂取土时，发现5件铜器。考古人员前往查看，但现场已无法再清理。器物是1个墓的随葬品，没发现陶器。另外还发现不少兽骨，多为牛腿骨。简报配以拓片、手绘图予以介绍。

据介绍，出土文物计有白鼎1件、白簋1件、公卣1件、铜鼎1件、铜觯1件共5件，3件上有铭文。简报推断该墓为西周早期墓，墓主人应为当地一个统治者。

1061.陕西扶风杨家堡西周墓清理简报

作　者：扶风县图博馆　罗西章
出　处：《考古与文物》1980年第2期

杨家堡位于扶风县北5公里处的白家窑水库东岸，属法门公社君谊大队。该村南面有1西周遗址，其范围南北长约1000米，东西宽约250米。这里经常有西周重要文物出土。据村里老人谈，1949年前在村东现在的涝池底下出土过一批铜器；1974年春，农民杨富昌在村南建砖瓦窑时又发现了两件西周铜器。1979年秋冬，考古人员对这个遗址进行了调查和试掘，确知铜器出土在1处西周墓葬区内。该墓区内墓葬较密集，埋葬也深。

简报分为：一、四座西周墓的情况，二、马坑，三、几个问题，共三个部分。配以照片、手绘图，先行介绍了1979年11月间在砖瓦窑周围清理的4座西周墓和1座马坑。

据介绍，4座西周墓（M1～M4）中，M4曾六次被盗，但仍出土有玉鱼、原始青瓷尊（残）、铜车器等遗物300多件。特别是M4中有壁画，这在西周墓中属首次发现。马坑中有殉马4具，马似有挣扎状。简报推断杨家堡M4的时代当在西周早中期之间，即昭王后期或穆王前期。马坑当为其殉葬坑。

简报认为，此处当为西周某一大奴隶主贵族采邑，杨家堡为其家族墓地。

罗西章先生所著《周原寻宝记》（三秦出版社 2005 年版）一书中有《珍贵的西周墓葬壁画》一文，记录此事甚详。

1062.扶风云塘发现西周砖

作　者：罗西章

出　处：《考古与文物》1980 年第 2 期

扶风的庄白、召李、云塘三个相邻的大队是 1 片很大的西周文化遗址。地面暴露的灰层厚处竟达 10 米左右。这里经常有青铜器、陶器、石器、骨器出土。考古界认为这里可能是西周岐邑的中心地带。最近，考古人员去这 3 个大队搞文物普查时，在云塘大队张家村南的西周灰窖中发现了 2 块可复原为 1 块的特殊砖块。简报配以照片予以介绍。

据介绍，这些砖块的正反两面都饰以西周流行的细绳纹，两对角各有一个完整的乳钉。另一残缺较少的角上留有明显的被打掉的乳钉痕迹。由此可知此砖原来四角都有乳钉。砖的质料坚硬，表面灰蓝色，与过去和这次普查中所发现的周瓦陶质特点皆同。复原后的砖长 36 厘米，宽 25 厘米，厚 2.5 厘米。到底这块砖有何用处？考古人员请教了建筑工人。他们认为这类砖可能是给土墙砌墙面，用以防风挡雨的。当土墙筑好后，先在墙面上涂上一层泥，然后把砖上的乳钉插入泥内。用这种方法砌的砖墙面既稳当又结实，能较好地保护土墙不受风雨的侵蚀，延长使用时间。

罗西章先生所著《周原寻宝记》（三秦出版社 2005 年版）一书中有《也说华夏第一砖》一文，可参阅。

1063.扶风沟原发现叔赵父禹

作　者：罗西章

出　处：《考古与文物》1982 年第 4 期

1981 年 10 月 1 日，扶风县南阳公社鲁马大队沟原生产队在平整土地时，发现了一批西周文物。经勘察，这批文物出土于 1 个西周遗址的灰坑中。遗址距乔山（岐山之一段，在扶风县境内称"乔山"）仅 1 公里，隔美阳河与周原遗址相望。遗址的内涵丰富，文化堆积层厚。在平整过了的土地上，兽骨、红烧土块、残石器陶片遍地皆是。陶片有绳纹和素面两种。陶色有灰、红两类。可辨认的器类有簋、豆、鬲、罐等。简报配以拓片予以介绍。

据介绍，发现的文物有陶罐 1 件、铜簋盖 1 件、再 1 件，铜料铜渣多块。这批文物，不论从器形、纹饰、字体看，都具有西周晚期的特点，是西周晚期之物。简报推断其窖藏时间和周原其他窖藏一样，也在周室东迁之时。

1064.扶风召陈西周建筑群基址发掘简报

作　者：陕西周原考古队　尹盛平等
出　处：《文物》1981 年第 3 期

召陈西周大型建筑群基址，位于扶风县法门公社庄白大队召陈村北。自 1979 年以来，这里的发掘已进行 8 次，每次 3 个月左右。

简报分为：一、地层简述，二、建筑布局和基址情况，三、建筑技术，四、陶器及分期，五、结语，共五个部分。有手绘图、照片。

据介绍，召陈遗址已发掘 6375 平方米，共发现西周建筑基址 15 处，编号为 F1 ～ F15。其中有西周初期基址两处（F7、F9），西周中期基址 13 处（F1 ～ F6、F8、F10 ～ F15）。建筑中用苇束作为屋面结构材料以及瓦的发明和使用等，都是建筑方面的重大进步。

同刊同期有杨鸿勋先生《西周岐邑建筑遗址初步考察》一文，可参阅。

1065.扶风县齐家村西周甲骨发掘简报

作　者：陕西周原考古队　贾　靖等
出　处：《文物》1981 年第 9 期

扶风县黄堆公社云塘大队齐家村，南距县城 15 公里，北距岐山南麓 5 公里，位于西周"岐邑"的手工业作坊和平民居住区。1979 年 9 月，齐家村村民在村北平整土地时发现西周卜骨，其中 1 件刻有卜辞。稍后，考古人员又在村东土壕畔发现刻有卜辞的龟甲版 1 件。当年冬天和次年春天，考古人员在出甲骨的地点进行了小规模的清理发掘，又发现甲骨 10 多件，连同在附近采集的共 22 件，其中 5 件上有卜辞共 94 个字。

简报分为"齐家村北灰坑""齐家村东遗址""出土遗物""几点认识"四个部分，有手绘图、剖面图。

据介绍，齐家的陶器和云塘西周骨器制造作坊遗址所出陶器差别不大。甲骨的年代简报推断不晚于西周中期。周原所出甲骨文的特征之一是微雕技术的运用。在指头大的 1 片龟甲上竟刻了 30 ～ 40 个字，最小的字长宽仅 1 毫米，真是字小于粟，只有借助放大镜才能看清。字虽小而结构严谨，一笔不苟。3000 年前的这种微雕技术是在怎样的条件下形成的，值得今后研究。

1066.陕西宝鸡上王公社出土三件西周铜器

作　　者：王桂枝、高次若
出　　处：《文物》1981 年第 12 期

1979 年 4 月宝鸡县上王公社强家庄大队 1 座竖穴土圹墓中，出土西周时期铜器 3 件。墓葬形制已破坏。3 件器物简报配以照片予以介绍。

简报介绍，爵，锥足稍向外侈，突底，伞状柱在流折内，柱上饰圆涡纹，宽流，尾部上翘，内侧有錾。腹部饰饕餮纹，间以云雷纹衬地。錾内有铭文。觯，侈口，呈椭圆形，束颈，下腹外鼓，圈足。颈部饰饕餮纹，圈足有三道弦纹。瓿，腹部有瓿棱，饰饕餮纹，圈足饰目雷纹，联珠纹镶边，圈足上部有假"十"字矮孔。

1067.宝鸡地区发现几批商周青铜器

作　　者：王桂枝、高次若
出　　处：《考古与文物》1981 年第 1 期

宝鸡市及其所属的宝鸡县、眉县近年来发现几批商周时期的青铜器，对于研究商周历史和青铜冶铸工艺有一定的参考价值。简报配以手绘图、照片予以介绍。

1979 年 4 月宝鸡县上王公社强家庄出土 3 件青铜器，计瓿、爵、觯各一件。1980 年 7 月，宝鸡水利工程卧龙寺管理段工人在代家湾渠岸取土时，挖出青铜器 5 件，计簋、觯、斗各 1 件，銮铃 2 件。1980 年 7 月，眉县小法仪公社小法仪大队社员，在黑河河旁台地上取土时，发现竖穴土坑，出土青铜器 12 件，其中有斝 1 件、泡 1 件、戈 1 件、镞 9 件。宝鸡县县功公社白道乐观大队土壕出土铜簋 1 件、戈 1 件。

简报称，这 5 批青铜器中，宝鸡县强家村、代家湾、眉县小法仪等地出土的器物，为商代晚期周人遗存。宝鸡县石桥、白道沟，为先周时期（不晚于成康）遗存。

1068.古夨国遗址、墓地调查记

作　　者：卢连城、尹盛平
出　　处：《文物》1982 年第 2 期

近年来，在陇县、宝鸡县发现了西周时夨国的遗物。根据已有线索，考古人员先后在陇县南坡、宝鸡县贾村一带作了田野调查和小规模的发掘。结果表明，位于汧水上游的陇县南坡和下游的宝鸡县贾村都属古矢国地域。这为研究古矢国的地望、矢部族的活动范围以及与周族的关系，都提供了较为重要的资料。简报分为：一、陇县南坡西周居址、墓地的调查与发掘，二、宝鸡县贾村、上官、灵陇西周层址、墓地的调查，三、古矢国地望及有关问题，四、关于矢国方位的推测，共四个部分。有照片、手绘图。

1974年7月中旬，陇县曹家湾公社南坡大队在平整土地时发现1处西周墓地，其中1座较大的西周墓（暂编号为LNM6）中出土青铜器60余件。8月间考古人员到现场进行调查，发现断崖上还有几座暴露出来的周墓。9月上旬开始发掘，下旬结束。其间共清理西周墓4座（编号为LNM1、LNM2、LNM5、LNM6），另外又清理战国墓1座、西汉墓1座。南坡大队位于陇县城西17.5公里。遗址区域内发现房屋居住面、窖穴、灰坑，大量兽骨、陶片、灰烬。南坡西周墓均为土坑竖穴墓，墓中夯土填实，夯层不清。现存墓葬由东而西，排列有序。四座西周墓共出铜礼器4件，另外在墓地又征集到1件，另有兵器共13件、车马器198件、銮铃6件、马镳8件、车辖2件、铜泡176件、陶器2件。简报称，已发现的墓葬可能有早晚的区别，但都应在西周早期。

1969年，宝鸡县贾村公社上官村农民在取土时发现一批文物，其中有"矢王"簋盖1件，石磬1件。1974年10月，在距上官村约1公里的灵陇村，又发现了一批车马器，其中有1件铜泡背壁上有铭文"矢"字。在此之前，1965年贾村公社贾村镇曾出土西周初期重器矢尊，有记载成王迁都洛邑的铭文。1975年，考古人员先后两次在这里进行了地面调查和访问。

宝鸡县贾村公社所属贾村、上官村、灵陇村是一处面积较大的西周和春秋时期遗址。西北部地势高亢，发现窖穴、灰坑、陶窑以及建筑遗迹。遗址东部界临汧水河谷，地势卑下，调查过程中发现不少竖穴墓。

简报指出，古矢国是一个不见经籍记载的小国，然而传世周代器铭中，矢国器多次出现。看来在西周中、晚期，矢国是一个比较活跃的小国。简报列举了有关的考古资料，认为矢国在西周早期或更早已建国，一直延续到西周晚期，几乎与西周王朝相始终，与矢国、姜姓莫国有联姻关系，统治范围在今陇县、千阳、宝鸡县贾村一带。汧水是流经古矢国境内最主要的一条河流。矢国在其东面。

1069.周原出土伯公父簋

作　者：周原考古队

出　处：《文物》1982年第6期

1977年8月，扶风县黄堆公社云塘生产队农民在村南何家沟崖边铲土，发现西周铜器窖藏1处，出土伯公父簋1件。这处窖藏在1976年1月发现的西周铜器窖藏以南，相距仅20多米。简报配以照片、拓片予以介绍。

据介绍，这件簋底盖成套，底与盖的形制、大小、纹饰相同。底、盖均有方圈足，四周中间有缺，腹两侧各有1对环纽，盖沿四周中间各有1个小兽首，吻部下垂，扣合时以纳底。盖顶与底下饰以中间有圆突的曲纹，盖沿与底沿饰一周重环纹，腹部饰一周波带纹，间以眉纹、口纹，圈足饰垂鳞纹。底、盖内各有铭文61字，其中重文2。两处铭文相同，唯行款稍异。简报录有铭文全文。

简报称，伯公父的铜器早已散失，过去曾有伯公父盂传世。此次出土的伯公父簋和伯公父其他的铜器一样，从形制、纹饰和铭文字体来看，当属西周晚期。这件铜簋在伯公父铜器中是比较重要的1件。伯公父铜器不断出于周原，说明伯公父是西周晚期居于周原的王臣。

1070.周原发现师同鼎

作　者：陕西周原扶风文管所　傅升岐等
出　处：《文物》1982年第12期

1981年12月，陕西扶风县黄堆公社下务子村农民王长成在平整土地时，发现1处西周铜器窖穴，内有铜鼎2件，随即报告并将出土器物送交扶风县文管所。为了了解铜器出土情况，考古人员在窖穴附近进行了勘察，并清理了窖穴。简报配以照片、拓片和手绘图予以介绍。

据介绍，窖穴位于下务子村东南200米的下漩涡沟。由于长期雨水冲刷，形成了西北高、东南低的沟槽，窖穴即在此沟槽的塄边缓坡上。窖穴正西有方圆约200米的台地，曾暴露出几处石子铺设的散水、大量红烧土堆积、火烧地面等，是一处西周建筑基址。在窖穴周围发现一些灰坑，内含西周陶片、原始瓷片、兽骨、红烧土块、草拌泥块、墙皮等。在窖穴附近采集到1片西周卜甲（81FXJ1：采集1）。窖穴中出土师同鼎、弦纹鼎各1件，有铭文，简报予以释读。简报认为师同鼎为西周中期偏晚遗物，弦纹鼎为厉王、宣王时遗物。

1071.眉县出土"王作仲姜"宝鼎

作　者：眉县文化馆、宝鸡市文管会　刘怀君、任周芳
出　处：《考古与文物》1982年第2期

1981年3月20日，眉县青化公社油房堡大队第四生产队农民在平整土地时，发

现 1 处西周铜器窖藏，考古人员赶往现场，对未被挖掉的窖穴部分进行了清理。简报配以手绘图、拓片予以介绍。

据介绍，窖穴位于第四生产队村南 250 米处。这里是渭河一级台地，北距渭河 1000 米左右，南边紧靠渭河二级台地的北缘。窖穴周围有西周遗址和墓葬。窖穴为圆筒形，挖筑窄小而草率。出土铜器 2 件，陶罐 1 件。"王作仲姜"宝鼎和窃曲纹鼎的形制、纹饰完全相同，大小相次，应是一套列鼎中的两件。窃曲纹鼎中的铭可能系脱铸。简报称，"王作仲姜"宝鼎铭文中的"王"是指周天子还是异姓诸侯王，尚不清楚。这些为姜姓女子作的铜器，可能都与申国故地在眉县境内有关。

1072.岐山县北郭公社出土的西周青铜器

作　　者：岐山县博物图书馆　祁健业
出　　处：《考古与文物》1982 年第 2 期

岐山县北郭公社位于县城西北，南端与城关镇接壤，北靠凤凰山，面向横水河，自然条件优越，古代文化遗存丰富。近几年来，这个公社在农田基本建设中，出土了许多重要的周代文物。简报配以手绘图、照片、拓片予以介绍。

1974 年在北郭公社张家场出土铜器 2 件：蕉叶纹觚和父乙爵。上述 2 器从形制、纹饰看，属西周早期铸造。

1975 年 7 月，北郭公社北寨子西沟崖出土铜器 3 件：涡夔纹鼎、方格乳钉簋、史父已鼎，立耳，平沿，深腹微鼓。以上 3 器从器形、纹饰和铭文书体看，为商末周初之物。

1981 年 5 月 14 日，北郭公社曹家沟出土铜器 2 件：周郙骏鼎、弦纹鼎。从形制、纹饰和铭文字体看，属西周晚期之物。

1977 年元月，北郭公社周公庙东侧出土双耳铜鬲 1 件。从造型判断，该鬲为西周早期后段铸造。

1978 年 8 月，北郭公社北杨村大队吴家庄出土铜器 2 件：王伯姜鼎、窃曲纹簋盖。简报推断为西周中期偏晚之物。

简报称，这些器物，时代有早有晚，出土地点比较集中。这表明西周时期，这一带是奴隶主贵族重要的居住区，而且延续时间较长，对研究周人在周原西侧的分布有一定的价值。

高西省先生有《西周青铜器研究》（陕西人民出版社 2005 年版）一书，可参阅。

1073.周原西周遗址扶风地区出土几批青铜器

作　者：陕西周原扶风文管所　傅升岐
出　处：《考古与文物》1982 年第 2 期

几年来。周原西周遗址扶风地区，除科学发掘了几批重要青铜器外，还清理、收集、拣选了几批西周青铜器。这些青铜器，有的出于窖藏，有的出于墓葬。简报分为：一、青铜器，二、车马器，三、生产工具，四、器物残件，共四个部分。有图。

据介绍，青铜礼器多为西周遗物，有的上有铭文，简报录有铭文全文。车马器为西周遗物，计 6 件。生产工具有斧 1 件、锛 2 件、刀 1 件。此外还有铜鼎足、残尊口沿等，有的似系冶铜作坊遗弃的废品、残件。这为我们在黄堆公社齐家村一带寻找冶铜作坊遗址提供了线索。

1074.岐山凤雏村两次发现周初甲骨文

作　者：陕西周原考古队、周原岐山文管所　庞怀靖、巨万仓
出　处：《考古与文物》1982 年第 3 期

陕西周原考古队于 1977 年在凤雏西周甲组宫殿（或宗庙）基址 11 号窖穴中，清理出土了一批周初甲骨文，共达 17000 余片。继 H11 出土甲骨之后在该基址 31 号窖穴中又 1 次出土了一批周初甲骨文。简报配图予以介绍。

据介绍，31 号窖穴位于该基址的西厢二号房间，共出土先周卜甲、卜骨 413 片。简报对其中 78 片重要带字甲骨录有全文并以解说。其字笔画刚劲有力，雕刻工艺精湛，字小如粟米，须用 5 倍放大镜方可看清，其工艺水平可与当今的微雕相媲美。简报指出这批甲骨文记载了有关西周重要史实，为研究西周历史提供了极其珍贵的实物资料。

1075.凤翔南指挥西村周墓的发掘

作　者：雍城考古队　韩　伟、吴镇烽
出　处：《考古与文物》1982 年第 4 期

西村墓地在凤翔县南指挥公社西村大队六小队的村西 300 米处，系钻探秦公大墓 M23 时发现的。北距县城 6 公里，属三畤原范围之内。该墓地有西周（包括先周）与战国 2 个时代的墓葬,发掘时统一编号。凡在周墓葬平面图中缺号者，均为战国秦墓。

简报分为：一、墓葬形制，二、随葬器物，三、结语，共三个部分。

据介绍，经 1979～1980 年连续 2 次发掘，共计清理周墓 210 座，其中 1979 年清理 73 座，最大编号为 92；1980 年清理 137 座，最大编号为 160。从钻探与发掘的情况看，这里周墓地的范围相当大，南北 127 米，东西 129 米。墓葬分布稠密，但却未见周墓间的相互打破关系。最早的周墓为先周中期的，最晚的则到西周中期，沿用时间较长。墓葬极少有被盗扰的情况。值得重视的是，先周墓在该墓地中所占的比重较大，大约是陕西境内发现先周墓最多的 1 处。这为研究西周史提供了很重要的一批资料。

1076.宝鸡竹园沟西周墓地发掘简报

作　者：宝鸡市博物馆
出　处：《文物》1983 年第 2 期

1976 年，考古人员在宝鸡市益门公社竹园沟村发掘了几座西周墓葬，引起学术界的重视。1980 年 6 月至 1981 年 4 月，考古人员为配合当地农田基本建设工程，作了第 2 次发掘，共发掘墓葬 18 座，马坑 3 座。简报分为：一、墓地布局及墓葬形制，二、随葬物品，三、几个问题，共三个部分。有手绘图。

据介绍，18 座墓葬和 3 座马坑均为长方形土坑竖穴，共出土青铜器、玉器、陶器等计千余件。其中 M4 一墓就出土车马器 300 余件，玉、石、骨器 50 余件。简报认为竹园墓地使用时间在百年以上，从西周初期一直到西周中期。墓主人应为古強国贵族。強，国名，史书失载，统治区域应在今宝鸡市区、凤县一带。离竹园沟仅 2 公里的茹家庄，也曾发现过強国贵族墓地。

1077.宝鸡县贾村塬发现矢王簋盖等青铜器

作　者：王光永
出　处：《文物》1984 年第 6 期

1974 年 5 月 16 日，陕西省宝鸡县贾村塬上官村生产队农民交给宝鸡市博物馆 3 件铜器，是在该队饲养室后边取土时发现的。后又收集到同 1 处出土的 1 件完整石磬和一些石磬碎块。在生产队附近和新开渠道两岸发现很多西周及春秋时代的绳纹陶鬲足碎片。看来这个地区是西周至春秋时期的 1 处遗址和墓葬区。附近还屡见汉至宋代的遗物出土。简报配以拓片、照片予以介绍。

所出的 3 件铜器是：矢王簋盖，上有铭文 17 字，简报录有全文；桨其簋；窃曲纹簋。3 件铜器的年代简报推断为西周中期。据铭文，简报认为矢王封地就在凤翔县、贾村塬一带，其都邑可能就在今贾村塬上。

1078.扶风刘家姜戎墓葬发掘简报

作　者：陕西周原考古队　尹盛平、王均显
出　处：《文物》1984 年第 7 期

峙沟河及其上游的刘家沟，为扶风、岐山两县的分界水，两岸散布着许多古代文化遗存，刘家村墓地便是其中之一。刘家村位于刘家沟东岸，属扶风县法门公社庄白大队，南距县城约 15 公里，地处周原遗址区之内。1981 年 11 月 20 日，生产队在此建新窑时出了高领乳状袋足分裆鬲等 3 件陶器，证实此处是 1 处重要的古代墓地，考古人员作了抢救性清理。简报分为：一、墓葬概述，二、墓葬分期，三、随葬器物，四、结语，共四个部分。有手绘图等。

据介绍，共探明古代墓葬 80 余座，简报仅介绍其中的 20 座姜戎墓葬。此 20 座墓 4 座已被村民挖掉，其余 16 座墓除 1 座为土圹竖穴墓外，均为偏洞室墓。葬具尚可辨认的为 14 座，其中 11 座为没有底和盖的 1 个长方框棺。葬式多为仰身直肢葬，屈肢葬、侧身直肢葬各 1 例。有两墓曾被盗，其余 18 座墓出土有陶器、铜泡、骨珠等。年代可分六期，一期与齐家文化比较接近，与二里头晚期相当；二、三、四、五期为商代前期至周人迁岐时；六期在西周文王、武王之际。墓主人应为宝鸡一带的土著——姜姓羌族，也即姜戎。

1079.扶风北吕周人墓地发掘简报

作　者：扶风县博物馆　罗西章、张天恩
出　处：《文物》1984 年第 7 期

北吕村地处渭河北岸台地之上，南靠陇海铁路，距渭河约 4 公里，距扶风县城约 10 公里。从 1958 年起，百姓在这里修地时，就大量发现周人墓葬，出土铜、陶、玉、蚌各种文物。1977 年秋至 1981 年春，考古人员在北吕村墓区随工清理。历时 5 年，先后发掘 6 次，主要清理发掘了北山、东山、窑院三个墓区的早周到西周中晚期的墓葬 283 座、早周陶窑 1 座。简报分为：一、墓地概况，二、随葬器物，三、陶窑，四、结语，共四个部分。有手绘图。

据介绍，北吕这 283 座墓全部为土坑竖穴墓，均没有腰坑、狗架，这为腰坑是受商人影响的论点提供了依据。北吕墓葬从早周到西周中晚期之交，绵延数百年没

有间断，说明北吕从早周古公亶父迁岐之后不久，就成了周人在渭河北岸的一个重要聚落，历西周一代，长久不衰。北吕周墓把沣西西周文化和郑家坡早周文化联系了起来，为岐丰地区从早周到西周陶器发展序列和分期提供了较可靠的依据，对了解周文化及早周文化的内涵。探索其渊源，有积极意义。

1080.陕西凤翔出土的西周青铜器

作　者：曹明檀、尚志儒
出　处：《考古与文物》1984 年第 1 期

凤翔县文化馆历年来征集了大量历史文物，其中西周青铜器较为引人注目，对研究凤翔地区西周文化的面貌及与国部族的分布颇有价值。简报分为：一、礼器（共十九件），二、兵器（共十二件），三、生产工具及车马器（共十件），共三个部分。有手绘图。

据介绍，这些青铜器大多有明确的出土地点，有的上有铭文。时代有西周早期、西周中晚期不等。

1081.宝鸡贾村再次发现夨国铜器

作　者：宝鸡市博物馆
出　处：《考古与文物》1984 年第 4 期

1983 年元月 28 日，宝鸡贾村公社扶托大队向宝鸡市博物馆送交西周铜方盨 1 件、铜鼎 1 件。2 器系由 1 座古墓葬中出土。简报配以照片、拓片予以介绍。

据介绍，铜方盨重 2.2 公斤，上有铭文，知为西周晚期夨国遗物。铜鼎有使用痕迹，未见铭文。夨国史籍不见记载，但传世铜器铭中涉及“夨”字者甚多，时代有早、晚期。据考证，夨国应是商代时已建立的古老诸侯国，姜姓，统治中心故址在今天的陕西省周至县中南镇一带。

1082.周原西周建筑基址概述（上）（下）

作　者：陈全方
出　处：《文博》1984 年第 1 期

考古人员自 1976 年以来，对岐山京当公社凤雏村西周甲乙两组宫室（宗庙）建筑基址和扶风法门公社召陈村西周大型建筑基址进行了发掘和清理，取得了我国西周时期建筑规模和技术等方面的丰富材料，填补了我国古建筑史上的空白。简报分为：一、岐山凤雏村西周甲组建筑基址的平面布局，二、岐山凤雏村乙组西周建筑基址，三、扶风召陈西周建筑群基址的平面布局，四、凤雏、召陈西周建筑群的营造技术，五、周原西周建筑基址的性质和年代，六、周原西周建筑基址发掘的价值意义，共六个部分予以介绍。

据介绍，召陈上层西周建筑群目前已发掘了13处，这13处基址分布在甲乙两个区域内，甲区在前，乙区在后稍偏东。简报认为召陈遗址应为1处王宫遗址。而凤雏这1组建筑建于西周早期，距今3100多年，废于西周中期偏晚，使用的时间是相当长的，这样的建筑遗址，在西周考古史上还是首次发现。性质应为宗庙。

1083.周原出土陶文研究

作　者：陈全方
出　处：《文物》1985年第3期

1979年春至1980年春，考古人员在发掘清理岐山凤雏村西周甲组建筑基址和扶风召陈村西周建筑基址时，发现了有刻划符号和文字的陶器残片和瓦片，计84片（件）。简报配图予以介绍。

据介绍，有刻划符号或文字的陶器残片共31片（件），有刻划符号或文字的瓦片共53片（件）。简报试释了部分文字，指出陶文字迹草率，当出自工匠之手，这说明当时民间可能已经流行这种文字。

1084.扶风齐家村七、八号西周铜器窖藏清理简报

作　者：周原扶风文管所　罗西章、傅升岐、王均显
出　处：《考古与文物》1985年第1期

简报分为"甲·七号窖藏""乙·八号窖藏"两个部分予以介绍，有照片、拓片、手绘图。

1982年3月，齐家村农民齐智辉在村西土壕挖土时，发现西周铜、陶器窖藏1处（编号82F齐家J7），共出土铜、陶文物5件，现存周原扶风文管所。1984年3月9日傍晚，齐家村农民李慧芳在村东土壕背柴草时，发现土壕南崖中段因解冻而崩塌，从中暴露出了一些翠绿色铜器。她在看护好文物的同时，让家里人将这一发现立即报告给周原扶风文管所。考古人员当晚派人前往现场勘察，第2天进行了清

理。发现铜器 7 件，有的有铭文，简报录有全文。通过清理，了解到这批铜器出土于 1 个西周窖藏（编号 84F 齐家 J8）。

简报称，周原地区铜器窖藏出土频繁，故有"青铜器之乡"之称。众多铜器窖藏的埋藏时间，人们普遍认为属于同一时期，而且必然在西周王朝遭遇到一次大的变故之际。有人认为在厉王奔彘之时，但大多数专家、学者则认为是在周室东迁之时。简报认为不能一概而论，具体窖藏得作具体分析。从齐家七号窖藏看，其埋藏时间在犬戎入侵之时的可能性极大。再看八号窖藏，窖藏埋藏时间当在幽王十一年（前771 年）犬戎入侵之时，当是奴隶主贵族在逃跑时仓促埋藏。

1085.扶风发现一铜器窖藏

作　者：高西省、侯若斌
出　处：《文博》1985 年第 1 期

扶风县法门乡官务吊庄位于时沟河（七星河）的东岸，距河约 120 米，距周原中心区约 3 公里，属法门乡所辖。这条河发源于岐山南麓，是扶风与岐山的交界河，经周原遗址、扶风东门外注入渭河。沿河沟两岸散布着许多古代文化遗存。1982 年9 月 14 日，吊庄村庄在平整土地时发现 1 个铜器窖藏，考古人员进行了清理。简报予以简单介绍。

这批铜器有贯耳壶 1 件、编钟 5 件，保存完好。由于农民挖土时把器物周围的土已取完，只剩余灰土、陶片和器物，所以窖藏大小、形状无法测量，只测得窖藏距地表 1.8 米。出土地点在村的西南方向，距村 110 米左右。这里西低东高，呈漫坡状。窖藏周围发现不少龙山文化的灰色陶片和大量的西周时期的陶片，由陶片中可以辨认的器形有鬲、罐、豆等。法门官务吊庄这一铜器窖藏的年代应为西周中期，其下限年代应为中期偏晚。

1086.宝鸡下马营旭光西周墓清理简报

作　者：王桂枝
出　处：《文博》1985 年第 2 期

1984 年 5 月，宝鸡县下马营乡旭光村在该村东南取土时，于地表 1 米深处发现青铜器 2 件，考古人员前往调查，确定这是 1 处西周墓。简报分为：一、墓葬形制，二、随葬器物，共两个部分。

据介绍，该墓平面呈长方形，应为 1 棺 1 椁，尸骨已朽，出土有青铜器、陶器、贝类、漆器、玛瑙饰等。简报称，墓内出土的文物，当是武王伐商前的器物。周人早期主要的墓葬区分布在渭水、汧水流域的眉县、扶风、岐山、凤翔、宝鸡市一带。宝鸡地区是周人发祥地，屡出周人器物。在商代晚期，周人本是一个偏处西方的小邦国，杂居在戎狄之间。自古公亶父、王季、文王三代不断用军事力量征服消灭了许多小的部族和邦国后，才扩充了自己的力量。

1087.陕西岐山王家嘴、衙里西周墓葬发掘简报

作　者：巨万仓
出　处：《文博》1985 年第 5 期

岐山县京当公社王家嘴、衙里两村，地处岐山脚下，西距县城 25 公里，与岐山凤雏村西周大型宫殿基址相毗邻，间距仅有 2 公里。在周人迁居周原以后，王家嘴、衙里一带又是周人活动的中心地区，历年来屡出商周青铜器。1980 年 3 月和 1980 年 10 月，当地农民在平整土地时，先后发现了一批西周墓葬和车马坑，考古人员进行了抢救清理。简报分为："墓葬形制""随葬器物""对王家嘴、衙里西周墓葬的一点认识"，共三个部分予以介绍，有手绘图。

据介绍，此次先后共清理王家嘴、衙里两处西周墓葬 5 座、马坑 1 座。其中，王家嘴墓葬 2 座，马坑 1 座；衙里墓葬 3 座。两处墓葬都曾被盗。出土随葬器物计有青铜器、玉器、陶器、蚌器、海贝、车马器等。王家嘴 M2 规模较大，墓主应为贵族。时代简报推断为西周早期。

1088.扶风黄堆西周墓地钻探清理简报

作　者：陕西周原考古队　贾　靖、王均显等
出　处：《文物》1986 年第 8 期

黄堆村位于岐山主峰箭括岭稍偏东的前山脚下，南距扶风县城约 20 公里。这里地势背山面原，北高南低，属周原遗址区的北部边缘。1980 年 4 月 26 日，黄堆村农民在村东土壕取土时，发现西周铜器 8 件并上交。考古人员赴现场观察，查明这批铜器系 1 座西周墓葬出土。附近的断崖上和壕底还暴露出一些墓葬和车马坑，有几座已被破坏。考古人员对该墓地进行了小面积的钻探，对即将被破坏的残墓作了抢救性的清理。简报分为三个部分，配以照片、拓片、手绘图，介绍了相关情况。

考古人员在黄堆围绕铜器出土地点就发现墓葬 5 座，在老堡子南城壕发现大型墓 3 座。车马坑为方形，墓葬全部是长方形土圹竖穴。这批墓排列有序，相距很近，

排列在一条线上。1983 年，黄堆农民在村西涝池北边挖土，碰到大片坚硬夯土，经观察为西周墓葬。考古人员从涝池北边向北钻探，发现西周墓葬 32 座。在钻探过程中还发现相当一部分墓被盗掘过。这批墓葬埋葬很集中，与村南诸墓处在东西一条直线上，应是被村庄隔开的同一墓地东西两部分，村庄民房下所压墓葬一定很多。涝池北岸也是墓地的南边缘，西边是耕地，只钻探了一排，墓地仍在向西延伸，向北是老堡子西队，百姓反映以前曾多次发现过铜器。1980 年 8 月 6 日到 9 月 20 日和 1981 年 3 月 26 日至 6 月 2 日，考古人员先后两次对已经暴露出来的 6 座墓进行了清理。这次清理的 6 座墓，M1 基本完整，M16 是农民挖的但出土器物没有分散，M2、M3、M22 都被盗一空，M4 虽然被盗但仍然出土不少器物。出土的有铜器、陶器、玉石器等。至于年代，M22 为西周早期偏晚，M4、M16 应属西周中期，M1 应属西周中期偏晚或晚期前段。

简报指出，黄堆墓地的发现，无疑是周原地区考古的又一较大成果。从现在掌握的材料看，黄堆墓地范围很大，至少在 100 亩以上。这次清理和钻探的面积仅是其东南和西南的一小部分，其中心区还压在黄堆村下面。周原遗址区内的齐家、庄白、康家、刘家、礼村、贺家等周人墓地都是同居住遗址掺合在一起，而黄堆墓地却很特殊，墓地内既无遗址，也无灰坑、灰层，且墓较大，随葬器物以铜器为主，大多数墓葬随葬车，另置马坑。这些都说明这个墓地的主人，生前是有一定身份的。整个墓地延续时间较长，墓坑方向基本一致，排列有序，没有发现相互打破现象。甚至有人认为，"黄""王"两字韵母相同，可以通用，在古代"黄""王"不分，黄堆就是王堆，可能是周王墓地。虽然到现在为止，还拿不出任何证据证明此说，但黄堆墓地是为数不多的一处西周高级贵族墓地，应当是无疑问的。

1089.扶风县官务窑出土西周铜器

作　　者：扶风县博物馆　王仓西、侯若冰、白金锁
出　　处：《文博》1986 年第 5 期

1985 年 11 月 8 日，法门乡官务窑院村农民在村东南土壕取土时，发现铜鼎 1 件、蛤蜊 10 枚、蚌泡 8 枚。考古人员赴现场勘查，并进行了抢救性清理。这批器物出于 1 处西周墓葬，编号 85F 官务窑院 M1。简报配以手绘图、拓片、照片予以介绍。

据介绍，墓葬位于官务窑院村东南 100 米处的土壕东崖北段，北距官务尉家村 250 米，西距時沟河 300 米，南距官务吊庄西周窖藏 2000 米左右。墓葬长方形竖穴式，

人骨架已朽，只存头骨残片及骨骼残段，余散失无存。此墓出土青铜礼器仅 1 鼎、5 枚贝饰、蚌泡 8 枚、蛤蜊壳 56 个。

据当地人反映，断崖上常有骨料和陶片出土，简报推断此处为 1 处西周墓地。从此残墓的规模来看，属于西周时期的中小型墓葬，墓主有一定的社会地位和财富，属奴隶主阶层。

1090.陕西凤翔水沟周墓清理记

作　者：雍城考古队

出　处：《考古与文物》1987 年第 4 期

水沟位于凤翔县东北的北山山麓，距县城约 10 公里。1984 年 9 月，当地农民犁地时发现铜鬲 1 件。墓地已遭到严重破坏，共清理周墓 4 座（编号 84 凤水 M1～M4）。简报分为：一、墓葬结构，二、随葬品，三、结语，共三个部分。有照片、手绘图。

据介绍，4 座墓葬中，M1、M3 保存较好，M2、M4 已遭破坏，均为长方形竖穴土圹墓。葬具为单棺，已朽。葬式为仰身直肢葬。出土遗物有铜鬲、陶鬲、玉器、蚌器、贝等。

简报推断这些墓为西周中期墓葬。

1091.陕西陇县川口河齐家文化陶器

作　者：尹盛平

出　处：《考古与文物》1987 年第 5 期

1976 年冬季，陇县杜阳乡川口河村修梯田时，发现齐家文化墓葬 10 余座，出土一批陶器，被村民收藏家中。考古人员赶到村里调查，征集到齐家文化陶器 26 件。简报配以手绘图予以介绍。

据介绍，墓葬详情已不得而知。26 件陶器中，24 件是陶罐，多为手制。川口河齐家文化陶器的年代晚于甘肃永靖大何庄和秦魏家文化。专家称："我们可以将齐家文化各区典型遗址的相对年代排成这样的顺序：天水七里墩（包括秦安咀坪）—大何庄—秦魏家—皇娘娘台，即东边的相对年代要比西边的早。"川口河齐家文化墓葬陶器的年代既然晚于秦魏家，故推知川口河齐家文化与武威皇娘娘台齐家文化的年代相当。

一般认为，齐家文化的时代约相当于夏商之时。

1092.眉县出土一批西周窖藏青铜乐器

作　　者：刘怀君

出　　处：《文博》1987 年第 2 期

1985 年 8 月，眉县马家镇杨家村砖厂工人在取土时发现 1 处西周青铜器窖藏，共出土西周甬钟 10 件、镈钟 3 件。考古人员对出土地作了调查清理。简报分为：一、地理位置和地层关系，二、出土器物，三、几点看法，共三个部分。有手绘图。

据介绍，马家镇原名"眉站"，在眉县城西北 5 公里的渭水北岸。杨家村位于马家镇东北 1.5 公里处的陇海铁路北边，北依渭北高原，南临渭水。此地共发现西周遗址两处，均为县级文物保护单位，窖藏即位于遗址区内。13 件器物，总重量 340 公斤，其中带铭文的 4 件。埋葬时间简报推断为西周晚期。出土地点可能是西周王公大臣的采邑。出土的青铜乐器，为研究西周音乐史提供了实物。铭文对研究西周社会史、官制颇有价值。

1093.陇县梁甫出土西周早期青铜乐器

作　　者：胡百川

出　　处：《文博》1987 年第 3 期

1986 年 7 月 28 日至 29 日，陇县牙科乡梁甫村三组村民在靠近沟河第三层台地上的板板墙地区修整土地时，发现了 8 件西周青铜器。简报配以照片、手绘图予以介绍。

梁甫村位于县城东南 10 公里处。东西依山，中间有梁甫河穿过，直入千河。这里有新石器时期村落遗址、春秋古城遗址和古墓群，地下文化内涵比较丰富。此次计发现直棱纹簋 1 件、弦纹爵 1 件、饕餮纹鼎 1 件、弦纹鼎 1 件、涡纹罍 1 件、饕餮纹卣 1 件、蕉叶纹甗 1 件。有的有少许铭文。简报已录。

1094.陕西扶风强家一号西周墓

作　　者：周原扶风文管所　罗西章、王均显

出　　处：《文博》1987 年第 4 期

强家村，位于岐山山脉的南麓，现属扶风县黄堆乡。村西约 300 米处有 1 条南北向的小沟叫"强家沟"，沟的西崖上边，是 1 片呈三角形的塬地，西和岐山县的凤雏村隔沟相望，地势北高南低。考古人员曾经在这里发现过西周房屋基址的散水、

灰坑、墓葬和车马坑，是西周岐邑范围内的重要遗址区之一。1981年初，强家生产队在强家沟内打坝平地时，于西崖上发现了夯土层，经过考古人员钻探查明是1座西周墓葬。同年8月4日至14日，对此墓进行了抢救性发掘清理。编号为81扶强M1。简报分为：一、地层关系，二、墓葬形制，三、随葬器物，四、几点认识，共四个部分。有手绘图、照片。

据介绍，强家一号墓是1座长方形的土圹竖穴墓。墓口距现地表深0.9~1.5米。1棺1椁，已朽，骨架四周有7小堆细沙，7块小河卵石。墓主口中含贝20枚，为1个老年男性。强家一号墓未经盗扰，保存完整，共出土铜、陶、玉器及料珠管等珍贵文物600余件，同时还发现少量金箔。尤其是器物的放置，摆布严谨，井然有序，规律性强，应是按照一定的礼制放置的。该墓的时代，简报推断为西周中期的孝、夷之世。

1095.宝鸡西周墓出土的几件玉器

作　者：王桂枝
出　处：《文博》1987年第6期

1980年，宝鸡贾村乡农民在取土中发现1座残墓，出土西周玉器3件：玉璧、玉琮、玉璋。从现场看，墓形已破坏。该乡所在位置原属西周时期的墓葬区，屡出西周时期的遗物。简报配以照片予以介绍。

据介绍，不论璧、琮、璋这些玉器是用作赏赐或用作陪葬，一般下层人物是享受不到的。故这座墓葬应是一个奴隶主贵族墓。

1096.宝鸡纸坊头西周墓

作　者：胡智生、刘宝爱、李永泽
出　处：《文物》1988年第3期

1981年9月，由于连日大雨，陕西宝鸡市西关纸坊头村1座窑洞塌毁，发现一批青铜器。考古人员前往查看现场，经过抢救清理，证实是一座较大的西周墓葬。此墓已受到严重破坏。墓底距地表约7米，长宽及墓向均不明。

据窑洞主人回忆，1926年挖筑窑洞时，洞室穿过墓底，已出土过4件青铜器和大批玉器，这些文物被古玩商人收购，下落不明。在清理的同时，又在此墓周围的断崖上进行了调查，一些残墓清晰可见，形制均为土坑竖穴，有的墓底露出板灰、朱砂以及人骨。一些村民曾捡到不少海贝、玉器、铜曲柄斗形器等文物。村中路旁壕沟内多有绳纹夹砂陶片，估计这里是 1 处较大的西周墓地。这片墓地位于渭水北岸的第一台地上，距渭水仅 500 米左右，纸坊头村及部分城市企事业机关单位就坐落在这片墓地上。已暴露的上述西周残墓，左右紧邻村民住家窑洞，无法进行彻底清理。

这次除发现青铜器外，还在大量塌下的泥土中清理出一批陶器等遗物。简报分为"青铜器""陶器""原始在器"等几个部分予以介绍，有彩照、拓片、手绘图。

据介绍，出土的青铜器中，以礼器为主，计有鼎 4 件、甗 1 件、鬲 2 件、簋 5 件、罍 1 件、觯 1 件。在泥土中还清出夔龙铜饰 3 件、车器 2 件、佩饰 1 组，组合已不完整。此残墓的年代，简报推断为西周武王、成王之际。

简报指出，纸坊头墓虽是 1 座残墓，器物缺失很多，但是根据获得的部分器物，仍可以断定这是已发现强伯家族墓葬中时代最早的 1 座。纸坊头、竹园沟、茹家庄，是强伯家族从武王到穆王时期几处时代、地点不同的墓地。

简报说，纸坊头强伯墓的发现，为进一步提示强国文化面貌和推断强伯家族世系，增添了十分珍贵的实物资料。

1097.宝鸡林家村出土西周青铜器和陶器

作　者：宝鸡县博物馆　阎宏斌
出　处：《文物》1988 年第 6 期

1983 年 12 月，陕西宝鸡县侠石乡林家村一农民在西距渭河北岸约 200 米的台地上，发现 2 件铜器和 4 件陶器。经调查，器物出自 2 座残墓的壁龛内。简报配以拓片予以介绍。

铜簋 1 件。侈口，敛颈，深鼓腹，高圈足下连方座，圈足内挂一小铜铃，兽面鸟身，双耳下附长方形垂珥。腹部及方座饰以雷纹衬底的浮雕大兽面，圈足饰以雷纹衬底、两两相对的夔龙纹一周。

铜鼎 1 件。平沿外折，方唇，方拱形双耳立口沿之上，圆腹微垂，圈底，三实柱足内收。上腹部饰突弦纹一周。腹底有烟熏和修补的痕迹。

陶鬲 2 件。均为夹砂灰陶，1 件高领，侈沿，敛颈，口沿部位有 2 个鸡冠状横鋬，袋足丰满，尖锥足根，裆部较高。通体饰绳纹。

陶罐 2 件。仅修复 1 件。夹砂红陶。小口，卷沿，高颈，最大径在肩部，平底。通体素面磨光。

简报推断，林家村这座残墓的年代为西周早期。

1098.陕西麟游古遗址调查简报

作　者：王麟昌、尹申平
出　处：《文博》1988 年第 4 期

麟游县位于陕西宝鸡市东北部，1986 年春，考古人员对该县境内漆水流域的周文化和龙山文化遗址进行了调查。简报分为"史家原遗址""北疙瘩遗址""瑶庄遗址""槐树湾遗址""结语"五个部分予以介绍，有手绘图。

据介绍，史家原遗址位于麟游县西 1 公里，遗址面积约为 50000 平方米。该遗址发现于 1969 年农田基本建设中，此后不断出土铜器、陶器、骨器、石器以及白灰面等文化遗物。

北疙瘩遗址位于麟游县东北 10 公里的桑树坪北面的 1 个低矮的缓坡上，石器散见于地表，在梯田的断面上可见白灰地面出露。

瑶庄遗址位于北疙瘩遗址西南约 1 公里，比北疙瘩遗址低约 60 米。与北疙瘩遗址比较，文化遗存分布不太集中。

槐树湾遗址位于县北 3 公里北马坊河北岸山顶，高出河面 120 米。从断面上看，文化层厚约 2 米。

简报称，此 4 处遗址的调查，有利于我们对早周文化的探索。

1099.扶风近年征集的商周青铜器

作　者：高西省
出　处：《文博》1988 年第 6 期

扶风位于关中西部，是周人迁岐之后活动的中心地区，即史书谓"岐邑""岐周"所在的京畿之地。多年来这里出土了大量的商周青铜器，经调查仅扶风 1 县商周遗址即达 20 多处，保留着极为丰富的古代文化遗存。扶风县博物馆在这一带发现和征集了不少商周青铜礼器、车马器等。简报分为：一、青铜礼器，二、车马器，三、结语，共三个部分。有照片。

据介绍，这些青铜器绝大部分有明确出土地点，应为商代中晚期遗物。车马器尤为精美。花纹及造型别致，有些纹饰是青铜礼器所没有的。

今有王健先生《西周政治地理结构研究》（中州古籍出版社 2004 年版）一书，可参阅。

1100.扶风出土的青铜兵器与生产工具

作　　者：侯若冰
出　　处：《文博》1988 年第 6 期

近年来，在陕西省扶风县境内出土了一批商周青铜兵器及生产工具，它对于研究商周时期的兵器和生产工具的发展情况有一定的研究价值。简报配以手绘图予以介绍。

1985 年 12 月 30 日，天度乡村民强天龙交献给扶风博物馆青铜兵器 4 件，有戈、刀等。

1985 年 12 月揉谷乡白龙村村民罗东汉在村北西周遗址范围内的瓦窑旁挖土时，在距地表 1 米处发现 1 座古墓葬。考古人员赶到现场时，墓葬已被破坏得分辨不清，只发现有部分骨骸和 2 件铜戈及 1 面铜镜。该墓为西周中晚期之际墓葬。

1985 年 9 月，绛帐镇侯家村村民侯松柏交献给扶风博物馆小刀 1 件。此刀铸造工艺精致，小巧美观。这种刀多出土于陕西的宝鸡地区，他处较少，当为周族使用过的铜刀。

1101.宝鸡市纸坊头遗址试掘简报

作　　者：宝鸡市考古队　张天恩等
出　　处：《文物》1989 年第 5 期

陕西宝鸡市西关外的纸坊头村位于渭河北岸的二级台地上，玉涧河从村西断崖下南流入渭河，两河相夹的台地西南部为 1 处古遗址。玉涧河东岸断崖上暴露出不少灰坑和陶片，村南断崖上暴露出大量陶片堆积和几座西周墓葬，墓内小件铜车马器裸露在外，逢雨常常被冲刷而下。1981 年秋季，断崖下村民院内窑洞因雨而坍塌，发现强伯簋等 10 余件西周初期铜器。1985 年初，西关铆焊厂在遗址范围内进行基建工程。考古人员对施工现场及时进行钻探及试掘。简报分为：一、地层，二、遗物，三、结语，共三个部分。有照片、拓片、手绘图。

据介绍，出土有陶片、陶器、骨器等。年代从先周时期至西周时期不等，简报认为此处属强国遗存。

今有李峰先生《西周的政体》（三联书店 2010 年版）一书，利用金文等考古材料研究西周贵族政体，可参阅。

1102.陕西扶风益家堡商代遗址的调查

作　者：扶风县博物馆　高西省
出　处：《考古与文物》1989 年第 5 期

遗址于 1980 年在当地村民平地时发现，当年试掘。共清理墓葬 3 座、陶窑 2 个、灰坑若干。为商代早期偏晚遗存。对研究商文化与先周文化的关系有一定价值。

1103.岐山王家村出土青铜器

作　者：庞文龙、崔玫英
出　处：《文博》1989 年第 1 期

1974 年 12 月，陕西省岐山县麦禾营乡王家村出土铜鍑 1 件，内放置铜短剑 1 把，铜铲 1 件、海贝 5 枚。1975 年初由岐山县博物馆收藏。简报配以照片、手绘图予以介绍。

据介绍，铜鍑的时代当为西周晚期，铜剑的时代为西周中晚期，铜铲既可作工具，又可作兵器。自夏以来，就有戎狄部族在岐地活动。上述王家村出土的铜铲等器物，可能就是当年戎狄部族所遗留。这为研究我国先秦时期北方民族史提供了又一实物资料。

1104.岐山流龙咀村发现西周陶窑遗址

作　者：巨万仓
出　处：《文博》1989 年第 2 期

1979 年 12 月，岐山县流龙咀村村民在平整土地时，发现西周陶窑 2 座，考古人员随即清理。简报分为：一、地理位置，二、窑室结构，三、出土器物，四、几点认识，共四个部分。有手绘图。

据介绍，流龙咀村在周原遗址重点保护区域之内。北靠岐山南麓，东距凤雏村西周早期大型宫室建筑基址 2 公里。这里常有西周青铜器、陶器、石器以及卜骨等珍贵文物出土。两座陶窑位于村西南 100 米处土壕的断崖上，由于村民取土时已将窑室的南半部挖掉，仅剩余北半部。由西向东将遗址编为 1 号和 2 号。从遗物看，1 号是专门烧瓦的，2 号应是专门烧各类器皿的。此处应为西周大型宫室的制陶作坊区。

1105.周原出土的骨笄

作　者：罗西章

出　处：《文博》1989年第3期

笄，是古代人民日常生活中1件必不可少的用品，只要是已成年的男女，人人都要使用它。或用来安发，或用来固定帽子。因用量大，在西周笄的生产便成了手工业中的一种重要的独立生产部门。云塘制骨作坊是1个专门生产骨笄的作坊就是证明。为了加强对笄生产的管理，周王朝还设置了专门管理生产笄的官吏。简报分为：一、西周的发式，二、周原出土之骨笄，三、骨笄的加工，共三个部分。有手绘图。

简报称，骨笄加工制造和勘察骨器一样，先是选料：由于骨笄为细长体，故多选牛马长骨，从云塘制骨作坊出土的5000多公斤废骨料看，都是从牛马四肢骨上截锯下来的。但在齐家制卜骨作坊遗址内见到的废骨料，都是牛马肩胛骨。在制作生产工具的制骨作坊内见到的则是肋骨、上下腭骨等。贵族所用还镶嵌有绿松石等。简报指出，周原骨笄的出土，为我们研究西周手工业的生产情况、工艺美术和礼制提供了重要的实物资料。

1106.陕西省麟游县出土商周青铜器

作　者：麟游县博物馆　王麟昌、魏益年

出　处：《考古》1990年第10期

1988年7月20日，麟游县九成官镇后坪村农民武军民在村北四岭山犁地时，发现1组10件青铜器。翌日晨，其父武永喜来博物馆报告。博物馆立即派员前往清理，并对现场及周围环境作了钻探勘察。

后坪村东距麟游县城35公里，南北倚山，中为一川，杜水河由西向东流过。青铜器出土地向西约1000米处的二阶台地上，有1个商周文化遗址，内涵丰富。与此遗址隔河相望的马鞍山村附近，20世纪70年代曾出过7件西周青铜器。这次，除10件青铜器外，附近无其他伴随物和墓葬，证明为1处窖藏。简报配以照片、拓片予以介绍。

据介绍，10件青铜器为甗、鼎、爵、尊、斗、觯、盉各1件，卣3件，简报推断属商末周初之器。铜器从族徽看，竟然无一相同，说明这批器物是窖藏的主人通过馈赠、交换或征伐攻战而获得的。简报称，这批青铜器的出土，对探索周人在麟游地区的活动提供了重要依据。

1107.陕西岐山近年出土的青铜器

作　者：岐山县博物馆　庞文龙、崔玫英
出　处：《考古与文物》1990 年第 1 期

简报配以手绘图，介绍了多件岐山出土的青铜器。计有：1984 年北郭乡庙王村出土周代铜鼎 1 件。1984 年青化乡丁童村出土西周夨国铜器 2 件。1985 年曹家乡工桥村出土一批青铜工具、兵器。1987 年麦禾营原子头村出土西周铜斧、铜矛各 1 件。1987 年凤鸣镇谢家河村出土铜戈 1 件、车辖首 2 件。1987 年蒲村乡洗马庄张家村出土铜鼎 1 件等。有的上有铭文。

1108.宝鸡茹家庄新发现铜器窖藏

作　者：高次若、刘明科
出　处：《考古与文物》1990 年第 4 期

1988 年 11 月 7 日，凤翔县建筑队民工在宝鸡市南郊茹家庄西周遗址区内（铁道部宝鸡桥梁厂厂部斜对面）基建工地施工时，发现一批青铜器。考古人员即前往调查。这批铜器共计 6 件，有鸟形器盖、鲤鱼尊、青铜虎、青铜鹿、青铜犬、刖刑奴隶守门方鼎各 1 件。现藏宝鸡市博物馆。据现场调查以及民工提供的情况来看，除鸟形器盖外，其他 5 件器物出土于距地表 2.5 米处的 1 个圆形坑内（即窖藏）。简报分为：一、器物简述，二、造型艺术及文化特色，三、含金成份、含量及铸造工艺，四、几点认识，共四个方面。有拓片。

1974 年以来，考古工作者曾多次在茹家庄、竹园沟进行发掘，出土了大批西周时期的重要文物。此次发现的铜器窖藏，亦在茹家庄西周遗址区内，与 1976 年发掘的茹家庄西周中期的弓鱼国墓地相距约 300 百米，再往南 2 公里是西周早期竹园沟墓地。这次窖藏出土器物的时代当在西周中、晚期。

简报称，茹家庄西周遗址区位于陈仓故道上，这条故道是连结中原与巴蜀地区的重要通道。1974 年以来该地区出土的一些文物，多具有巴蜀文化特色。这次出土的器物窖藏，在一些地方也表现出蜀文化的特色。

1109.宝鸡灵陇出土西周早期青铜器

作　者：王文学、高次若、李新泰
出　处：《文博》1990 年第 2 期

1987 年，宝鸡县贾村镇灵陇村四组村民在村西挖土时，掘得青铜簋 1 件，送交宝鸡市博物馆，考古人员及时前往出土地点勘查。灵陇村位于宝鸡市东北约 12.5 公里处的千河下游西岸，西靠贾村塬，东面隔河与凤翔塬相望，千河由北而南自村前流过，背风向阳近水源，是古代先民理想的生活之地，历年来，屡有古代遗物出土。勘查之时，在当地村民家中又征集到青铜矛、铃各 1 件，采集到陶钵残片 1 块。简报配以照片、手绘图予以介绍。

据介绍，青铜器上未见铭文，简报推断为西周早期遗物。其中青铜矛上有镶嵌某种片状饰物痕迹。简报称，镶嵌工艺在我国出现较早，远在新石器时代的良渚文化墓葬中，就出土有极可能是镶嵌在某种器物表面的绿松石和玉石磨制而成的各种形状小饰片，到商周之际，那就更为发达。根据镶嵌物质料，可将其分为贴金箔、镶嵌绿松石、镶嵌蚌片、镶嵌蚌泡四大种类，而像这次出土的青铜矛上这样的镶嵌工艺尚属首次发现，为研究西周早期铜器铸型装配、焊补及镶嵌工艺，提供了颇为重要的实物资料。

1110.扶风齐家村西周墓清理简报

作　者： 罗西章

出　处：《文博》1990 年第 3 期

地处古周原中心地带的扶风县黄堆乡齐家村周围，都是堆积很厚、内涵十分丰富的西周遗址。这里的农民在生产用土中，往往会发现重要的西周遗迹和遗物。齐家村东北的土壕内，西周灰坑很多，人兽骨骼、西周陶片、骨器、骨料残片到处都是。西周早、中、晚各期墓葬分布密集，东西向和南北向的墓葬互相交错。1988 年冬和 1989 年春，该村农民在土壕的东北角挖土时，发现了不少西周陶器墓。考古人员对所发现的墓葬进行了抢救清理。共清理墓葬 10 多座，其中大部分已被先后盗扰破坏，墓内空空无物，仅有 4 座墓完好或墓本完好。简报分为：一、五号墓（89FQM5），二、四号墓（89FQM4），三、六号墓（89FQM6），四、九号墓（89FQM9），五、结语，共五个部分。有手绘图。

据介绍，这批墓均为长方形土圹竖穴墓。M5 为单棺，人骨已朽，出土陶器 11 件，为西周早期墓。M4 为单棺，墓主为男性，为西周中期墓。M6 为单棺，人骨已朽，出土陶器 9 件、玉石器 8 件、货贝 13 枚，为西周中期或稍晚墓。M9 曾被盗，葬具不存，仅有头骨，出土陶器 19 件、骨笄 1 件、货贝 1 枚、残玉、石片 15 件，为西周晚期墓。

这批西周墓中有些少见现象，如 M5 簋放的位置、M5 出土陶罐的小孔、M6 人骨口中含 4 块石块和 13 件货币、M4 中出土的石质半月形器等。这都为我们研究西周墓葬提供了新资料。

1111.陕西宝鸡戴家湾出土商周青铜器调查报告

作　者：王光永

出　处：《考古与文物》1991 年第 1 期

1927 年地方军阀在宝鸡戴家湾盗掘了一大批文物，仅铜器就有 1000 多件。王光永先生对此进行了深入的调查，此文即为其中商周青铜器部分，简报认为此批青铜器应出自姬姓贵族。

1112.陕西陇县出土周代青铜器

作　者：肖　琦

出　处：《考古与文物》1991 年第 5 期

陇县位于关中西部，东距周原约 100 多公里。商末到西周之时，这里为矢国封地。经过 3 次文物普查，县境内已发现的周代遗址有数十处，也出土过一些周代青铜器，其中一部分已见诸专业刊物，还有部分未与读者见面。这些青铜器有墓葬出土的，有零星征集的，还有一些是从废品收购站中拣选出来的。简报分为：一、墓葬出土的青铜器，二、零星征集的青铜器，三、拣选的青铜器，共三部分。有照片。

这些青铜器，大部分是西周早期的，特别是青铜礼器，除县公安局收缴的不知道出土地点的铜爵外（据说是从甘肃贩运而来），都属西周早期。除此而外，陇县境内出土的西周早期青铜器还有几批，如天成乡韦家庄村出土的"牧正尊"等 8 件礼器，曹家湾乡南坡村出土的矢器多件，牙科乡梁甫村出土西周早期青铜礼器 8 件，还有东风南村、城关北坡村等地都出土有西周早期青铜器。而出土的西周中晚期青铜器却很少，特别是青铜礼器，几乎没有。这与陇县在西周时期的历史地位的变化有关。

1113.眉县车圈村出土西周青铜器

作　者：王桂枝

出　处：《文博》1991 年第 2 期

眉县是我国出土青铜器的重要地区之一。近百年来，这里不断出土西周时的青铜器。1984 年 6 月间在眉县站乡车圈村，村民取土时发现西周铜鼎、铜簋、铜戈、蚌泡各 1 件，铜泡 2 件，后交宝鸡市博物馆。车圈村是新石器时代遗址，但历年来也屡出西周遗物。简报配图予以介绍。

据介绍，铜鼎等均未见铭文，推断为西周遗物，为我们研究西周史提供了实物资料。

1114.岐山县北郭乡樊村新出土青铜器等文物

作　　者：岐山县博物馆　庞文龙、刘少敏
出　　处：《文物》1992年第6期

1991年11月，岐山县北郭乡樊村农民在村北取土时，发现铜罍、戈各1件，后送交岐山县博物馆。考古人员前往出土地点勘察，发现现场已遭破坏。简报配以拓片予以介绍。

据发现者说，与这2件铜器同出土的还有2件陶鬲，惜已残为碎片。在调查时又征集到近年樊村出土的铜器5件、陶器8件，简报推断这批青铜器的时代应在商周之际，陶器的时代应为西周。

1115.陕西扶风案板遗址第五次发掘

作　　者：西北大学文博学院考古专业　王世和、王建新、钱跃鹏、李举刚等
出　　处：《文物》1992年第11期

案板遗址位于陕西省关中西部扶风县城东约4公里处，面积达70万平方米，文化堆积较厚。1984～1987年，考古人员先后在这里进行了4次发掘，以遗址中部的冲沟——杆杖沟为中心，将遗址分为沟东（GD）、沟南（GN）、沟西（GX）、沟北（CB）4个发掘区，在不同区域发现了案板Ⅰ期文化（仰韶中期）、案板Ⅱ期文化（仰韶晚期）、案板Ⅲ期文化（龙山早期）及周文化等遗存，为渭水流域新石器时代考古学文化发展序列的研究提供了重要资料。1991年9～12月，在遗址沟南区（GN）一高出周围地面4米左右、面积约3.7万平方米的台地中部，进行了第5次发掘。此外，在遗址的其他地方还进行了一些小规模的试掘。

简报分为：一、遗迹，二、遗物，三、结语，共三个部分。配照片。

据介绍，第5次发掘清理了案板Ⅰ、Ⅱ、Ⅲ期及周文化等时代的一批灰坑、灰沟、房址和墓葬。因遗址早期被破坏，各时代遗迹均开口于近代耕土层下。遗迹之间存在着较复杂的打破关系，既有不同期文化遗迹之间的打破关系，也有同期文化遗迹之间的打破关系。出土的遗物有青铜刀、骨镞、骨镰、卜骨、石锛、石斧等。这次清理的周文化遗存，简报推断多属西周前期或稍早。

1116.扶风齐家村西周石器作坊调查记

作　者：罗西章
出　处：《文博》1992 年第 5 期

　　1989 年夏季，考古人员经过调查，发现了 1 处规模较大的西周制作石器的作坊遗址。这个遗址位于扶风县黄堆乡齐家村西北方向，距村 450 米处的齐家沟东岸上。早在 20 世纪 70 年代，该村农民就将遗址内簸箕形脊梁部分的土地平整掉，现留下的最高处只有约 1.5 米的断崖三段。断崖上层为厚约 30 厘米的耕土层，下为西周文化层，内有不少灰坑和西周墓葬。西周文化层的上部，内涵比较丰富，有西周陶片、残石器等物。可辨认的陶片器形有鬲、罐、甗等，石器主要是斧、磬残片。下部则为石器作坊的废料堆积。经初步勘察，遗址东西长约 150 米，南北宽约 120 米，总面积 18000 平方米左右。遗址内到处有制作石器的石料、粗加工的坯料、半成品、废品、废料等，堆积极为丰富，俯拾皆是。尤其是在沟边一灰堆内，填满了废料、废品，可能是 1 个置放废物的专用坑。石器作坊的调查工作，先后进行过两次。第一次在 1989 年 8 月 15 日，第二次在同年 12 月 9 日。简报分为：一、主要采集文物，二、石块的加工过程，三、几点认识，共三个部分。有手绘图。

　　简报称，从大量的采集标本看，齐家石器作坊是 1 个专门制作石块的作坊。其用材低级，制作粗糙，可能是生产平民用品的作坊。从加工痕迹看，多系采用最原始的方法，打砸成形，再经磨制而成，所以废料特别多。该作坊只作石块、云塘骨器作坊只作骨笄、齐家骨器作坊专作卜骨卜甲、任家骨器作坊专作生产工具、齐家陶器作坊专作生活用陶器、齐正陶器作坊专作建筑用陶瓦等事实，说明西周的手工业作坊不但类多，而且分工细。作坊专业化程度高，显示了西周手工业之发达。齐家石器作坊专作石块一事表明，块在西周社会生活中是件离不了的用品，用量很大。石器作坊遗址的时代，简报推断应在西周早期，其上限由于未发掘，尚不清楚，下限可能早于昭穆之时。

1117.宝鸡石嘴头发现西周早期墓葬

作　者：高次若
出　处：《文物》1993 年第 7 期

　　1992 年 2 月，宝鸡市渭滨区石坝河乡石嘴头村农民在挖地基盖房时，发现一批古代铜器。考古人员闻讯后，多次到出土文物的地点勘查，判明这里是 1 处西周早期墓葬，并将出土文物征集收藏。简报配以拓片、照片予以介绍。

石嘴头村位于宝鸡市区渭河南岸，距宝鸡市区约10公里。据了解，这批文物出土于1座长方形竖穴土坑墓中，距地表约1.2米。填土经夯打。墓约长2米，宽1.2米。征集到出土器物有青铜鼎、觯、軎、銮、铃、当卢、泡、戈，玉璧、柄形器及蚌泡等。这批器物的时代除铜觯的时代为商代晚期，余均应为西周早期，墓葬的时代也在西周早期。此处可能是1处西周时期的墓葬区。

1118.陕西扶风县壹家堡遗址发掘简报

作　者：北京大学考古系　孙　华、刘　绪
出　处：《考古》1993年第1期

壹家堡遗址位于陕西省扶风县城西南3.5公里处的沣河左岸，其地属该县城关镇四家堡村壹家堡组及殷家源组。该遗址为1981年发现。1985年，考古人员对该遗址进行了调查，并于1986年春、夏对该遗址进行了小规模发掘。简报分为：一、典型层位及分期，二、文化遗物，三、年代及文化属性，共三个部分。

据介绍，该遗址有少量仰韶文化等遗存，但繁盛时期还是殷商时期，未发现有晚于殷商时期堆积。遗址堆积可分四期。第一期的年代应当最早不能早于商王盘庚，最晚也不会晚于商王武丁。第二期可以推定其相当于殷墟遗址第二期，即其年代上限不早于商王武丁下限不晚于商王祖甲。第三期相当殷墟遗址第三期左右，即商王廪辛至文丁时期。第四期可以推定为相当于殷墟第四期早段。殷墟第四期相当于商王帝乙、帝辛之时，第四期的年代下限应不晚于商王帝辛。此次发掘，丰富了我们对关中商文化的认识。

1119.扶风出土的几组商周青铜兵器

作　者：高西省
出　处：《考古与文物》1993年第3期

扶风地区近年又陆续征集到几组青铜兵器。简报分为四个部分予以介绍，有手绘图。

强家村位于扶风县北与永寿县交界处。这里是1处内涵十分丰富的商周遗址，过去曾出土过商周青铜器。1985年12月，在该遗址内又出土4件青铜器，计刀1件、戈2件、削1件。这批兵器应属商代。

揉谷白龙位于扶风县城南约20公里处，其村北约200米处为西周墓葬区。1986年元月，该村村民罗东汉在遗址内土场取土时发现青铜戈2件、镜1件。这批兵器

应属西周时期。

1983年3月，上宋乡东作村后沟出土戈1件及其他青铜器，此戈时代当在春秋时期。

简报指出，从出土物看，西周兵器与商人兵器的区别是很明显的。北方青铜文化中就有一组不同于商、周文化的兵器和工具，极富有地方特色。新干大墓中的兵器也极具地方特色。正如李学勤先生指出的："在青铜器有两种文化因素共存的情况下，中原文化的影响一般多表现于礼器，这是由于统治者来自中原，带来了他们所习用的礼制（当然也可能有当地人接受中原礼制的情形）。土著民族文化的影响多反映于兵器、实用器、有时也作为纹饰在礼器上表现出来。"上面介绍的北方文化特色的多穿长体卷锋刀、双环首削及具有商文化特色的有銎戈、夔龙纹直援戈及青铜戟，明显将北方、中原及南方文化连了起来，印证了李学勤先生的观点。

1120.陕西岐山双庵一具西周晚期人头骨

作　者：高　强
出　处：《文博》1993年第2期

双庵的西周晚期人头骨是1977～1978年由西安半坡博物馆考古队在陕西省歧山县双庵新石器时代遗址发掘时出土的。这具头骨标本出自第Ⅳ发掘区第6号探方中。据发掘报告，其葬具为1棺1椁，随葬品计有陶鬲、陶盂、石圭各1件，陶簋2件，穿孔贝35枚及兽骨数块。简报分为四个部分予以介绍。

据介绍，除下颌骨缺失外，这具头骨上部保存完整，男性特征显著。头骨的年龄为30岁左右。双庵M49号头骨属于1个壮年期的男性个体。这具头骨具有较多的现代蒙古人种头骨中常见的特征，如：简单的颅顶缝，不发达的眉脊，不突出的眉间，浅平的鼻根凹，圆钝的眶角，凹形鼻梁，弱小的鼻棘，鼻前窝型的梨状孔下缘，浅平的犬齿窝，发达的颧骨缘结节，扁平的上面部等。

这具头骨与凤翔西村墓具有大致相同的体征，但这具头骨更接近于蒙古人种南亚眶类型，低矮的和特阔的鼻等与赤道人种性状相近的特征。双庵M49号头骨颅容量为1448.78立方厘米。

1121.扶风巨良海家出土大型爬龙等青铜器

作　者：高西省
出　处：《文物》1994年第2期

巨良海家村位于陕西省扶风县城东北约20公里处，属扶风县召公乡所辖。1992

年 9 月，该村村民取土时发现西周时期青铜器 4 件。考古人员前往调查时，器物已全部被带离现场。据了解，出土器物原在距地面约 1 米处分两组埋藏。首先发现甬钟残块及爬龙，又在相距约 0.8 米处发现 2 件甬钟，小钟套在大钟内，其埋藏没有规律。

简报分为：一、出土器物，二、器物的时代特征，三、遗址调查，共三个部分。有照片、拓片。

据介绍，爬龙，首较大，聚睛圆目，双耳斜出，两角硕大，方形大口，上下唇翻卷。侧视，头部前伸，高鼻梁斜挺，双齿紧扣。弓身，颈部尤甚，腰部下垂，腹部微上收，尾上卷作爬行状。四足残，其中三足上明显留有铸接痕迹。长 60 厘米，重 19 公斤。此龙造型雄健，硕大状伟，是 1 件完美的大型青铜雕塑艺术品。根据铸接痕迹，此爬龙原应是 1 件大型铜鼎上的饰物。

师㝬钟，钲间及上部残存铭文 4 行 35 字。简报录有全文。

简报称，铜爬龙、甬钟应出自西周晚期的一处窖藏。

1122.陕西岐山赵家台遗址试掘简报

作　者：陕西省考古研究所宝鸡工作站　田仁孝、刘军社
出　处：《考古与文物》1994 年第 2 期

赵家台位于陕西省岐山县城东北 9 公里的孔头沟（河）东岸的台塘上，遗址位于村东，岐蒲公路从遗址北面穿过。现为土场，因长年取土之故，土场上留有大量的陶片、砖块，断崖上有陶窑、灰坑。

1998 年 1 月，考古人员在此调查时，发现了空心砖、条形砖以及鬲、罐、甗、盆、尊、豆、簋等残片。为了进一步弄清这一遗址以及空心砖与条形砖的确切时代，于 1989 年 4 月对该遗址进行了试掘，依据土场的地形开 5 米 ×5 米探方 3 个，实际发掘面积 40 余平方米。

简报分为：一、地层堆积，二、文化遗存，三、结语，共三部分。有手绘图、照片。

据介绍，从赵家台遗址内出土的大量砖及陶窑结构的特点推测，该遗址可能是 1 个专门烧制砖的制陶作坊，时代应属西周时期。

简报称，赵家台遗址出土的空心砖、条形砖，是我国目前发现最早的砖。它的发现为我国古代建筑史的研究，为进一步探讨岐山凤雏西周建筑基址、扶风召陈西周建筑群性质提供了新资料，对周原地区、丰镐地区乃至中原地区的商周考古工作，也会有积极的意义。

1123.扶风黄堆老堡三座西周残墓清理简报

作　者：罗红侠

出　处：《考古与文物》1994 年第 3 期。

1980 年，考古人员曾对扶风县黄堆乡黄堆村进行过钻探和试掘，发现有古墓地。该墓地东起法黄公路，西到村西初级小学，南到老堡涝池边，北到大街中心，面积约百亩以上。为了抢救残墓中的文物，1992 年春，对 11 座残墓和 1 座马坑进行了抢救性清理，虽然这些墓葬都在早年经过盗扰，但仍出土了 1000 余件文物。

简报分为：一、92FHM25，二、92FHM52，三、92FHM42，四、92FHK（一号马坑），五、几点认识，共五个部分。介绍其中 3 墓和 1 马坑，有手绘图。

据介绍，黄堆西周墓地，不同于其他墓地，其特点是整个墓地以中、大型墓为主，没有 1 座小型墓。这次在黄堆墓区的发掘中，多次发现在墓室夯土中于不同层位内堆放着大小不等的天然石块和礓石，布满墓穴的各个部位。这种在墓室填土中堆放顽石的现象，在周原地区还是首次发现。M25 中出土的瓷器，其数量之多、器形之大、造型之美、火候之高，是以前所没有的，堪称西周考古的又一重大发现。这批黄堆墓葬的年代，从出土文物看，简报推断属西周中晚期。

1124.岐山县博物馆藏商周青铜器录遗

作　者：庞文龙

出　处：《考古与文物》1994 年第 3 期

岐山县博物馆历年来征集入藏了一大批商周青铜器，多为墓葬、窖藏所出，少数拣自废品收购部门。

简报分为：一、成组出土的青铜器，二、零星出土的铜器，三、拣选的铜器，共三个部分。有拓片、照片。

简报介绍了京当乡、故郡乡、北郭乡等地出土的 10 组铜器，时代从商代至西周时期不等。另介绍了零星出土的无柱斝 1 件、鼎 1 件、鬲 1 件以及拣选的毌戉爵等。岐山屡屡出土青铜器，与这里是周室肇基之地有关。依简报之意，以上介绍的铜器，应为《陕西出土商周青铜器》（文物出版社 1979 年版）等书未收。

1125.扶风黄堆老堡西周残墓清理简报

作　者：罗红侠
出　处：《文博》1994 年第 5 期

地处古周原中心地带的扶风县黄堆乡黄堆村，有 1 片很大的西周墓地，东起法黄公路，西到村初级小学，南到老堡子涝池边，北到大街中心，占地面积 100 亩以上。老堡子涝池北的土壕现是一个低洼地带，一遇大雨，水便涌到这里，致使这里的许多残墓塌陷下去。为了抢救这些下陷残墓中的珍贵文物，1992 年春，考古人员对这些残墓进行了抢救性清理。虽然这些墓葬都在早年经过盗扰，但仍出了 1000 余件各类文物（有的已残），有一定考古价值。简报配以照片、手绘图、拓片介绍。

据介绍，黄堆的西周墓地，其特点是整个墓地都是中、大型墓，没有一座小型墓。其埋葬规格，也高于其他地方。就墓的深度而言，也较其他地方深，其中 M25 墓深达 22 米左右，这在周原是仅见的。另外，这个墓地多积石墓，这在西周考古中，也是第一次见到。不少专家早就推测，西周王陵可能就在黄堆一带，因为古代"黄""王"二字读音相同，故"黄堆"就是"王堆"，意即王陵。该墓的时代，简报推断上限不超过西周中期，即穆共之世，下限可到西周晚期。至于各个墓葬的年代，因盗扰出土器物太少，一时难以说准。

1126.试论周原遗址出土的西周玺印

作　者：罗红侠、周　晓
出　处：《文物》1995 年第 12 期

1980 年，陕西省扶风县黄堆乡云塘村农民向周原博物馆交献了 1 枚西周图象玺印。博物馆即派员到出土现场进行勘查，得知这枚玺印发现于云塘村南约百米处的一西周中晚期灰坑中。玺印为铜质，双联印，两个印面由一绞索状桥形纽连接。其上部为三角形印，底边 2.2 厘米，高 2.2 厘米。含两层图案，外层三角形线框，内层三角形镞形图案；下部为一圆角长方形印，长 2.7 厘米，宽 2.1 厘米。内饰"S"形云纹。印为铸造，印底较平。

20 世纪 80 年代初，周原博物馆馆长罗西章先生在扶风县法门乡庄白村的一西周中期灰坑中发现 1 枚图象玺印，现收藏于扶风县博物馆。这枚玺印为铜质，桥形纽，面近正方形，抹角。印面为凤鸟纹，勾睐，大眼，长远掠向后，翅、尾下卷。印为铸造，印底较平。

简报指出，云塘和庄白均处于周原遗址的中心，是西周时期政治、经济、文化活动的重要地区，自西汉起，这一带常有重要遗迹、遗物出土。这 2 枚玺印出土于西周中晚期灰坑，玺印上的云纹、凤鸟纹亦为西周时期的常见纹样，当为西周中晚期的遗物。这两枚玺印，为确定一批传世玺印的年代提供了依据。

1127.陕西陇县店子村四座周墓发掘简报

作　者：陕西省考古研究所宝中铁路考古队　杨亚长、田正岐
出　处：《考古与文物》1995 年第 1 期

汧水（今作千河）是渭水上游的一条支流，发源于今甘肃华亭县境内关山，东南流经今陕西宝鸡地区的陇县、千阳和宝鸡县，在宝鸡市卧龙寺以东流入渭水。商周之际，汧水河谷曾是周族和西北地区少数民族交往的通道，因而河谷台地上遗存有不少商周时期的遗址和墓地，陇县城关乡店子村西周墓葬便是其中之一。

店子村位于陇县县城西北约 2.5 公里处，这里地处温水河（属千河支流）西岸二级台地的前缘。1991 年，为了配合国家八五重点工程宝中铁路的建设施工，考古人员对该村西部的古墓葬进行了考古钻探和清理发掘，共发掘清理西周、东周、秦代以及汉、唐等时期墓葬 284 座。这里先将其中 4 座西周墓予以报道。这 4 座墓葬均位于店子村西 5 ~ 30 米处的黄土台塬的塬边，分布比较分散。简报分为：一、形制与葬式，二、随葬品，三、年代与国别，共三个部分。有手绘图。

据介绍，这 4 座墓葬均为南北向长方形土坑墓，其中 3 座口小底大，另 1 座则口底基本同大。4 座墓葬中有 2 座墓底挖有腰坑并有熟土二层台。4 座墓葬共出土随葬陶器 12 件。简报推断，店子周墓的年代约为西周初年至成康时期，系西周早期的矢国国人墓葬。

1128.扶风县海家村发现西周时期遗址

作　者：巩　文、姜宝莲
出　处：《考古与文物》1995 年第 6 期

海家村位于扶风县召公乡南侧、渭水支流漆水河西岸的黄土台塬上，东距漆水河约 4 公里。其南侧有一东西向黄土冲沟，名为"龙王沟"，遗址就位于龙王沟北岸上。该遗址是 1995 年 5 月对宝鸡地区几个县进行文物调查时发现的。遗址面积约 20000 平方米，文化层最厚处达 2.5 米，断崖上暴露有稀疏的灰坑。该遗址文化比较单纯。由于取土，遗址大部分已被破坏，采集的标本主要是陶片。简报配以图片予以介绍。

从采集的标本看，陶器主要是夹砂灰陶、夹砂红陶。采集陶片的特征与周原出土的西周陶器特征相一致。根据以上特征，简报确定此遗址为西周时期文化遗存。

简报称，海家遗址位于扶风县东与武功县交界处，在周原遗址的范围内处于周原遗址的东界。该遗址远离周原中心部位，采集陶片大部分制作粗糙，文化堆积不很丰富，从这些方面可以看出该遗址不是大型的贵族聚居地区，极可能是一普遍的平民居住区，因此更富有典型意义。

1129.宝鸡县阳平镇高庙村西周墓群

作　者：宝鸡市考古工作队、宝鸡县博物馆　刘明科
出　处：《考古与文物》1996 年第 3 期

阳平镇西距宝鸡县城虢镇 11 公里，西周时属西虢封邑范围。据史料记载，春秋时秦平阳宫就在宝鸡县附近。高庙阳平镇新秦村（秦家沟村）下的 1 个自然村民小组，地处镇政府东北 400 米的台地上，南临陇海铁路。原村子南边的断崖上布满仰韶时期的灰坑和龙山文化的房子遗存，1980 年文物普查时被定为县级保护单位（仰韶遗址）。根据当地政府的农村建设规划，确定高庙全村从现二级台地上搬迁至下一级台地上，搬迁后原村址拟作为取土场和砖厂开发用地。1992 年冬，一部分居民开始搬入新居，旧址随即开始用土。1993 年冬，村民在老城东半部挖出汉代铜鼎。考古人员立即前往现场进行查看，发现旧城址下是 1 个范围较大的古墓群，暴露的墓口已遭盗扰，从墓圹痕迹判断，似为周墓。为了及时采取补救措施，考古人员于 1994 年元月进入现场进行抢救发掘。由于其余地方村民尚未搬迁，当时只抢救清理了 1 座西周墓（GM1）。后来在搬迁过程中，于同年夏进行了铲探，陆续又发现十几座竖穴土坑墓。1995 年春，村民基本搬迁完毕，于 3 月进入工地，进行第 2 次发掘，历时 2 个多月，共清理西周墓葬 20 座。

简报分为：一、墓葬分布概况及葬式葬具，二、出土器物，三、结语，共三个部分。有手绘图、照片。

据介绍，高庙西周墓区出土的器物没有可判定年代的文字和标准器物，加之几座大中型墓早期遭盗扰，简报根据这批随葬品的特征，把该墓地中的大中型墓葬初步定在西周早期康王前后，小型墓葬定在西周中期穆王前后。虽无明确物证，但从历史地理以及整个墓群所反映的文化特色观察，高庙西周墓群属西虢墓地无疑。墓地是经过统一规划管理的，应该是一个以血缘为纽带的邦墓。这个"邦墓"，处在西虢势力范围内，别的族属是无法替代的。

1130.扶风县飞凤山西周墓发掘简报

作　　者：宝鸡市考古队、扶风县博物馆　刘明科
出　　处：《考古与文物》1996 年第 3 期

飞凤山位于扶风县城南约 300 米处，沣河从山区北侧脚下流过注七星河，山的东侧缓坡地上是城关镇千佛寺村。该村在规划庄基地时，决定将原半坡的村民迁至山下扶绛公路两侧较平缓的坡地上。1993 年 4 月，在取土平整地基时，挖出鼎簋。经县博物馆工作人员实际查看，判断这里是一处周墓群，5 月 1 日，考古人员赶到现场，发现有 5 座墓口已经暴露，打碎的陶器残片随处可见，于是决定对该墓地进行抢救性清理。经过 1 个多月的工作，清理出西周初墓葬 5 座、马坑 1 个，秦人墓葬 5 座。还有两座墓葬已暴露在断崖上，似春秋墓，因宅基地已划归个人，因此未作继续清理。简报分为：一、墓葬位置与分析，二、墓葬形制与葬式，三、出土器物，四、结语，共四个部分介绍了 5 座西周墓。有手绘图、拓片。

据介绍，墓葬均为土圹竖穴，东西向，无腰坑，无打破关系，皆 1 棺 1 椁，器物风格反映出墓葬时间前后差距不很大，简报认为可能是 1 处经规划的族墓地。M1 位置较高，且较大，在南侧二层台以上又有殉狗，西二层台北拐角处又置有动物骨骼和人头骨，显系有意安排，应属当时葬俗，表示墓主人身份较高。这批墓葬的时代简报推断为西周初期。

1131.宝鸡市郊出土的部分西周时期青铜器

作　　者：宝鸡市博物馆　王桂枝
出　　处：《文物》1997 年第 9 期

近年来，宝鸡地区的姜城堡、陵源出土了一批青铜器，其中有的器物与西周强国墓地出土器物相似，也有与巴蜀文化相近的器物，为我们研究西周时期这一地区的文化提供了资料。征集和出土的部分西周青铜器简报配以照片予以介绍。

简报介绍，青铜器为两类，一类为鼎、簋等礼器，另一类为戈、戟、剑等兵器。

1132.陕西宝鸡市高家村遗址发掘简报

作　　者：宝鸡市考古工作队　张天恩、田仁孝、王力军
出　　处：《考古》1998 年第 4 期

1990 年 8 月，宝鸡市高家村乡砖厂在取土时发现鬲、罐等文物，送交市博物馆。

考古人员前去查看，了解到砖厂取土的地点正在高家村遗址的范围内。该遗址位于市区西南郊的高家村以东约1公里处、渭河南岸的二级台地上，渭河支流塔稍河自遗址东侧北流入渭河。经现场查看，发现这是1个延续时间极长、文化内涵比较复杂的遗址，主要有老官台文化、仰韶文化的居址和刘家文化的墓地，另外也有少量龙山、西周、春秋战国和更晚一些时期的遗迹或遗物。许多刘家文化墓葬被历年取土时破坏。为了避免更多的文物被毁，考古人员进行了抢救性发掘。发掘工作自8月开始，断续工作2个月，发掘面积300余平方米，发现不同时期灰坑10余个，老官台文化房子1座，刘家文化及春秋时期墓葬23座。以老官台文化、仰韶文化、刘家文化等遗存的收获最为丰富，简报分为：一、地层堆积，二、文化遗存，三、结语，共三个部分。有手绘图。

据介绍，高家村墓地的墓葬形制主要有偏洞室和土圹竖穴带壁龛墓2大类，与刘家墓地仅见偏洞室墓的形制略有差别。陶器的器类略似刘家墓地，而形制却有一定的变化。依刘家文化典型器高领袋足鬲由扁锥足尖变为圆锥足尖的发展规律，高家村墓地的19座墓晚于刘家墓地大多数墓葬，而与宝鸡纸坊头遗址4B层以及晁峪墓地的年代相当或稍晚。据研究的结果，简报推断其应属于刘家文化第四期或稍晚，即相当殷墟文化的第三期偏晚至第四期偏早阶段。

简报称，高家村刘家文化墓葬为该文化的研究增添了一批新的资料，同时也将会促进对有关问题研究的深入。

1133.陕西扶风县案板遗址西周墓的发掘

作　者： 西北大学文博学院考古专业　王世和、张宏彦
出　处： 《考古与文物》1998年第6期

位于扶风县城东南4公里处的案板遗址，是1处有十分丰富的新石器时代、周代和汉代遗存的大型遗址。1991年的第5次发掘中，曾清理了1座周墓（M1）。1993年5～7月，对案板遗址进行了第6次发掘。除发现了1座仰韶时期的大型房屋基址外，还清理了26座西周时期的墓葬和1座单室汉墓，出土了一批随葬品。简报分为：一、地层堆积及墓葬分布，二、墓葬形制，三、随葬品，四、有关问题的分析讨论，共四个部分。介绍了1993年发掘的情况，有手绘图。

根据历次发掘与调查了解到的情况分析，案板遗址周墓主要分布在遗址中部的杆杖沟沟南台地上，特别是沟南台地的中、南部一带。此外，据村民们讲，过去在沣河北岸的傍龙寺附近，曾经出土过周代的铜器，考古人员也曾在村民们的挖土现场采集到了完整的周代陶鬲。因此，沟南台地至沣河北岸一带，应是周代的墓葬区所在。

1993 年的发掘，共清理周墓 26 座（M2～M22，M24～M28），"墓葬登记表"记录了每墓的形制、尺寸、人骨个数、性别、年龄及随葬品等基本信息。除 M12 平面略呈三角形外，其余均为长方形或近长方形竖穴土圹小型墓。有随葬品的仅 11 座，主要为陶器，另外有石、蚌、贝器等。已清理的 26 座周墓的年代，简报认为大体在西周中期穆王前后到西周末期宣王、幽王时期。

1134.陕西省宝鸡市峪泉周墓

作　者：陕西省考古研究所、宝鸡市考古队　曹　玮、孙周勇
出　处：《考古与文物》2000 年第 5 期

峪泉村位于宝鸡市渭滨区神农镇，南依秦岭山脉，北濒渭河，东临瓦峪河。峪泉墓地地处渭河南岸的二级台地之上，地势较高。墓地东距村落约 60 米，北部因早年取土形成深壕。1971 年和 1982 年，为配合基本建设，考古人员先后 2 次对该墓地进行了发掘清理，出土了一批西周铜器、陶器等文物。1998 年 10 月至 11 月，对该墓地再次进行了钻探发掘，钻探面积 2000 余平方米，共发现周代墓葬 4 座、唐墓 1 座。考古人员对其中的 2 座周墓进行了发掘，依 1982 年发掘编号顺次为 98BYM5、98BYM6。简报分为：一、M5，二、M6，三、墓葬的时代与性质，共三个部分。有手绘图、照片、拓片。

据介绍，峪泉墓地先后共发掘6 座墓葬，其中1971 年配合基建时清理1 座，1982 年发掘3 座。这次发掘的M5、M6，墓葬规模不大，均出1 鼎1 簋。根据出土的随葬礼器判断，其墓主人可能为士一级的小贵族，与前两次发掘的相同，位置亦相邻，表明这里曾是西周低级贵族墓地。从M5、M6 的出土物来看，二者时代相近而小有差异。简报推断，M5 的年代在商代晚期；M6 的年代应在西周早期，约相当于成王或稍晚。

1135.陕西麟游县蔡家河遗址商代遗存发掘报告

作　者：北京大学考古文博院、宝鸡市考古工作队　田仁孝、雷兴山、张天恩
出　处：《华夏考古》2000 年第 1 期

麟游县属陕西省宝鸡市辖区，西南距宝鸡市约 60 公里，北与甘肃省灵台县为邻。境内多山，山地之间河溪纵横，北部为泾河水系，南部为漆水河水系。考古人员于1991 年秋至 1992 年夏在麟游县进行了调查和试掘，重点发掘了蔡家河遗址。

蔡家河遗址位于麟游县城西约 4 公里的蔡家河村边漆水河和蔡家河交汇处的平缓黄土山坡塬头上，文化层堆积或被深埋，或被破坏殆尽。断崖上暴露着残破的灰

坑和墓葬，地表面散见自仰韶文化至西周时期的陶片。蔡家河遗址东隔蔡家河与后坪遗址相望。各期遗存中未见有商文化因素，根据层位关系和典型的器物分析，再参以其他遗址特别是壹家堡遗址的材料，简报把蔡家河遗址商代遗存分为三期四段。第一期约相当于殷墟三期偏早阶段，或许能再早一些。第二期的年代约相当于殷墟三期偏晚阶段。第三期约相当于殷墟第四期至商周之际，采集品的年代或可进入西周。简报认为蔡家河商代遗存与碾子坡同属一类文化遗存。这类遗存既不同于先周文化，又不同于刘家文化，暂把它命名为"碾子坡类遗存"。

简报称，此次发掘不仅丰富了碾子坡类遗存的资料，更为重要的是，使碾子坡类遗存的序列得以建立，可进一步探讨其文化性质等问题，这无疑将促进先周文化的深入研究。

1136.周原遗址出土"丹叔番"盂

作　者：宝鸡周原博物馆　张恩贤、魏兴兴
出　处：《考古与文物》2001年第5期

2000年7月25日，黄堆乡姚家村许家组砖厂文物通讯员许高智先生报告许家砖厂取土时出土了1件似盆形的青铜器。考古人员前往征集和考察青铜器出土现场。该砖厂取土地位于村西正北300米处，向西310米为许家河（现为干涸河）。许家河以西为周原遗址核心区。土场断崖上暴露有大小不等的西周时期灰坑，内含有陶片、杂骨、碎石等，陶片中可辨认的有绳纹平沿鬲、瓦片等。从器形、绳纹等分析，器物多具西周中、晚期特征。出土铜器现场因取土而毁，铜器出土时距地表约1.3米。从现场的地形、地势、土质等观察分析，应是青铜器窖藏，暂定为许家1号窖藏。另外，1999年在距本次出土铜器地点西南320米处曾出土西周中、晚期铜鼎1件（已被推土机推烂），并伴出有陶鬲、陶罐碎片，从整体观察分析，应属于墓葬。简报配以拓片、照片予以介绍。

该窖藏出土的这件盆形青铜器自铭为"盂"，有铭文2行6字。简报称，这件青铜盂的出土，为西周青铜器的研究又提供了极其重要的实物资料。

1137.陕西扶风县云塘、齐镇西周建筑基址1999～2000年度发掘简报

作　者：周原考古队　徐良高、刘　绪、孙秉君
出　处：《考古》2002年第9期

云塘西周建筑基址位于扶风县黄堆乡云塘村西南约300米，齐镇西北约200米处。

齐镇建筑基址位于齐镇村西北、云塘建筑基址群以东50米,两者彼此之间有一定关系。1999年9月开始在云塘西南一带调查,于10月开始在此进行发掘。1999年秋冬季主要发掘云塘建筑基址的F1。2000年春季在云塘发掘F2、F3、F5、F8及围墙等,同时在F1东侧齐镇村发掘F4、F6、F7等。2000年冬季在云塘F8南侧约40米处作小面积试掘,发现在F1一组建筑的南部仍有夯土基址分布,有待今后进一步的工作。在齐镇F4北侧开探沟1条,未见如云塘F1北侧的围墙和壕沟。

迄今,对云塘、齐镇建筑基址的发掘已历时1年半,发掘了3个季度,共开10米×10米的探方50个、探沟7条,发掘面积达5000余平方米。其中云塘建筑基址发掘区(编号为ZHA3区)开探方37个,发掘面积3700平方米,共清理F1、F2、F3、F8、F5五座建筑基址;齐镇发掘区(编号为ZIA3区)开探方13个、探沟5条,发掘面积1300平方米,共清理F4、F6、F7等四座建筑基址。此次共发掘西周夯土建筑基址9座,以及围墙、石片坑等。简报分为:一、前言,二、夯土建筑基址及相关遗迹,三、地层关系及相关单位,四、遗物,五、结语,共五个部分。有手绘图。

从地层堆积关系和出土遗物推断:H19~H21最早,时代应属西周早期;H9和H25时代约属西周中期偏晚或晚期偏早;主要建筑基槽所叠压的TG4地层、F6基槽夯土中均出土了典型的西周晚期偏早的大盘豆、盂、瓦纹簋、小口罐、联裆鬲等,其时代约相当于西周晚期偏早阶段。从该组建筑的位置和规模看,这无疑是一座重要建筑。

1138.陕西眉县杨家村西周青铜器窖藏发掘简报

作　者:陕西省考古研究所、宝鸡市考古工作队、眉县文化馆、杨家村联合考古队
　　　　刘怀君、刘军社等

出　处:《文物》2003年第6期

杨家村位于眉县县城西北约4公里的马家镇东北。2003年1月19日下午,眉县马家镇杨家村5位村民挖土时发现青铜器,并及时报告宝鸡市文物事业管理局。考古人员进行了抢救性发掘,从晚上8时开始清理,至晚10时左右结束。共出土青铜器27件。简报分为:一、窖藏情况,二、出土器物,三、结语,共三个部分。有拓片、手绘图。

据介绍,窖穴位于杨家村砖场北面的斜坡状半崖上,顶部略有塌陷,但仍能看出为穹隆形。窖穴的开挖痕迹仍清晰可见,痕迹呈斜状。从窖穴西壁北高南低、东壁南高北低的迹象判断,挖窖人应是用右手握工具。出土铜器27件,计鼎12件,鬲9件,方壶2件,盘、盉、臣、盂各1件。27件铜器均有铭文。经研究,简报认为这批青铜器属西周晚期单氏家族的遗物。简报对其中的四十二年逨鼎、四十三年

逨鼎、单五父方壶、逨盘、叔五父匜、逨盉、单叔鬲等作了介绍。四十二年、四十三年鼎属册命铭文，"年、月、月相、干支"四要素齐全，对研究西周历法极其重要，同时也为西周年代的进一步研究提供了新的资料。同刊同期有李学勤先生《眉县杨家村新出青铜器研究》一文，认为这批青铜器的时代为西周宣王后半期，可参阅。

这批青铜器的出土引起学界重视。还刊有李学勤、李伯谦等十几位专家的《陕西眉县出土窖藏青铜器笔谈》，也可参阅。另有裴锡圭、张培瑜、刘怀君等先生的研究文章。

1139.陕西眉县杨家村西周青铜器窖藏

作　者：陕西省考古研究所、宝鸡市考古工作队、眉县文化馆联合考古队
出　处：《考古与文物》2003 年第 3 期

杨家村位于眉县县城西北约 4 公里的马家镇东北、渭河北岸二级台塬上，东为李家村（杨家村的 1 个自然村），西为马家村，北靠"北塬"，南临陇海铁路。地势北高南低，原为缓坡状，现为梯状平地。2003 年 1 月 19 日下午 5 时 30 分，眉县马家镇杨家村农民挖土时发现 1 个西周铜器窖藏。考古人员迅速赶赴现场，进行了抢救性发掘，共出土铜器 27 件。简报分为：一、窖藏情况，二、出土器物，三、结语，共三个部分。有手绘图、拓片。

经过清理，杨家村窖藏共出土西周青铜器 27 件，计有鼎 12 件，鬲 9 件，方壶 2 件，盘、盉、匜、盉各 1 件。27 件铜器全部有铭文，并有若干重文符号。纹饰以环带纹、重环纹为主，窃曲纹次之，还有多种形式的龙纹。27 件铜器除盉较早（约当西周中期）以外，其他铜器从形制、花纹特别是铭文中可判断为同一时期之物，简报推断为西周晚期器物。

简报称，逨盘记述了单氏家族从皇高祖单公到逨八代人的历史，可以说是第一部完整的家族史。逨盘及四十二年鼎、四十三年鼎记述了单氏家族辅佐文王、武王兴周灭封，建立周邦；受命北伐戎狄、猃狁，南征楚荆；协助周王治理天下、管理山林，因功接受册封赏赐等重要历史活动和事迹。同时也是铜器铭文中所见到的第一部完整的西周诸王世系，从文王一直至宣王十二代周王。第一次从出土文物的角度证明了《史记》所载西周诸王世系的正确性，也从侧面说明《史记》中的其他记载是可信的。

另，1972 年 5 月 28 日，眉县杨家村出土旟鼎 1 件，旟鼎的出土说明杨家村一带在康王时期曾是旟这一族居住。单氏家族何时居住于此，单氏家族与旟的关系，就是一个值得探讨的问题。

1985 年出土的逨钟与本次出土的逨器是同一人所作。逨钟出土后，杨家村曾被认为是西周时期王公大臣的封邑之地，2003 年单氏家族铜器群出土以后，将眉县杨家村一带的铜器串联了起来，则更清楚地认识到这里是单氏家族的封邑所在地。杨家村地处周原南缘，单氏铜器群的出土，有助于对周原遗址的进一步认识。

本刊本期还发表有《宝鸡县杨家村窖藏单氏家族青铜器群座谈纪要》一文，可参阅。

1140.2002 年周原遗址（齐家村）发掘简报

作　　者：周原考古队　曹　玮、孙周勇、种建荣
出　　处：《考古与文物》2003 年第 4 期

齐家村位于扶风县黄堆乡，南距扶风县城 15 公里，北距岐山约 5 公里，西面隔沟与岐山县京当乡的礼村、贺家村相望，东临召陈、任家、李家，南接白家、刘家等村。在村北高地一带，地势北高南低，曾经多次发现大量西周时期的陶片、残碎石器等物。20 世纪 80 年代末，考古人员曾在此进行了考古调查，确定此处为西周时期的石器作坊遗址。

2002 年 9 月至 2003 年元月，考古人员在齐家村北一带进行了大面积钻探和调查，确定距村北约 500 米处为发掘地点。开探方 8 个，发掘总面积 800 余平方米。发现西周时期的灰坑 107 个（编号 02ZQIIA3H1 ～ H107），出土了大量西周时期的陶片、石制品的残次品、下脚料、石制品加工工具以及数以万计的石料，发掘墓葬 41 座（编号 02ZQIIA3M1 ～ M41），出土随葬器物 300 余件，计有铜器、陶器、玉器、石器、蚌器等。这些墓葬与遗址以及其他堆积互有打破或叠压现象，对了解周原地区西周时期早晚遗存之间的关系、特点有着重要的意义。简报分为：一、墓地概况，二、M4，三、M16，四、M17，五、M90，六、结语，共六个部分。介绍了齐家村发掘的主要收获 M4 和 H90 以及与 H90 有关系的 M16、M17 的情况，有手绘图、拓片。

据介绍，齐家村墓葬均为长方形竖穴土圹墓，结构简单，规模较小。墓向分南北、东西向两类，其中南北向墓葬居多，有 31 座；东西向墓 10 座。二者在分布上互相交错。墓室由墓圹、二层石、腰坑等部分组成。简报推断：齐家村 M4 的年代当在西周早期偏晚阶段，绝对年代相当于康王时期，也可能入昭王时期；M16 的年代上限当在西周中晚期之交，下限进入西周晚期；M90 的年代下限不会晚于西周中期晚段。

简报称，本次齐家村遗址的发掘，是近几年来周原考古中收获较大的 1 次。这次通过对齐家村制石工业作坊的发掘，不仅找到了与制石手工业不同程序相关的多个灰坑，同时发现了一批墓葬。

1141.陕西周原遗址发现西周墓葬与铸铜遗址

作　者：周原考古队　付仲杨、宋江宁、徐良高等
出　处：《考古》2004 年第 1 期

庄李村位于陕西省扶风县法门寺镇西北，属于周原遗址的中心区域。自 1999 年以来在庄李村西北先后发掘了云塘大型夯土基址群、齐家玉石器作坊遗址等。2003 年 3～5 月在庄李村西谷场进行了发掘。发掘面积约 350 平方米，分为东、西 2 区。发现 15 座墓葬和 23 个灰坑，出土铜器、陶器、骨器和玉器等遗物数百件。其中 M9、M10 和 M11 可能是同 1 组墓葬，而且 M9 的遗迹和遗物比较丰富。另外在 23 个灰坑中出土了大量铸铜遗物。简报分为：一、墓葬形制，二、随葬器物，三、铸铜遗物，四、结语，共四个部分。重点介绍了 M9、M10 和 M11 一组墓葬及铸铜遗物。

迄今为止，在周原遗址内发现了黄堆 25 号墓、齐家 19 号墓等大中型墓葬，但庄李村 M9、M10 是周原遗址内出土铜器最多、保存较为完整和器物组合齐全的一组墓葬。M9 出土的铜鼎、铜簋等器物，从纹饰、铭文和形制等方面看，都具有西周早期的特征。随葬的高领瘪裆鬲年代也属于西周早期。故 M9 的年代可定为西周早期。结合相关文献记载和研究，M9 这 3 鼎 2 簋的铜器组合及有 2 马 1 车陪葬的车马坑反映出墓主应具有士级的身份和地位。这些为研究西周早期的丧葬习俗、礼制形成都提供了重要资料。

简报指出，在本次发掘中，没有发现陶窑及相关的铸铜遗迹，但从遗址内出土大量的陶模、陶范等遗物来看，此处应是 1 处铸铜遗址。根据灰坑中伴出的陶鬲、陶簋及陶豆等陶器残片和陶范纹饰判断，其年代为西周中晚期。庄李铸铜遗址的发现无疑给我们探索西周青铜器产地和铸造工艺提供了重要的线索，同时也对研究周原遗址西周时期的聚落布局具有重要的意义。

1142.陕西麟游县史家塬遗址发掘报告

作　者：北京大学考古文博学院、宝鸡市考古工作队　雷兴山、张天恩、田仁孝
出　处：《华夏考古》2004 年第 4 期

考古人员在陕西省麟游县史家塬遗址进行了小面积发掘，所获遗存年代约相当于殷墟文化第二期偏早阶段。简报分为：一、遗址与工作概况，二、文化遗存，三、结语，共三个部分。有手绘图。

据介绍，史家塬位于陕西省宝鸡市麟游县县城西，1970 年、1986 年考古人员都曾在此进行过工作，1992 年进行了抢救性发掘，发现有陶器、青铜器。未见商文化因素。简报认为，此次发掘，对研究先周文化有着重要意义。

1143.1995 年扶风黄堆老堡子西周墓清理简报

作　者：周原博物馆　罗芳贤、魏兴兴等
出　处：《文物》2005 年第 4 期

陕西省扶风县法门镇黄堆村老堡子（原属黄堆乡）有 1 片很大的西周墓地。1980 年周原考古队曾对其进行过钻探和试掘。由钻探可知，该墓地东起法黄公路，西到村西小学，南到老堡子村涝池南岸，北到黄堆大街中心。墓地中的许多墓葬，被压在民宅之下。老堡子西涝池北边，原来为 1 处高地。多年来由于村民生产生活用土，把这里挖成了 1 个深 3～4 米的大壕沟。一遇大雨，街道的雨水便涌注到沟里，致使壕底的许多残墓暴露，并受到盗扰。考古人员于 1992、1995、1996 年 3 次进行抢救性清理发掘。其中 1995 年的清理发掘工作从 3 月至 5 月，共清理发掘墓葬 16 座、马坑 2 座。简报分为：一、墓葬，二、马坑，三、随葬器物，四、几点认识，共四个部分。有彩照、拓片、手绘图。先行选取 11 座墓葬、2 座马坑进行介绍。

据介绍，1995 年共发掘墓葬 16 座、马坑 2 座。出土有铜礼器、兵器、车马器，还有陶器、玉石器及骨蚌器等。根据黄堆墓地的发掘资料，简报认为这里应是 1 处西周王室成员的墓地。这个墓地的墓葬大多数没有腰坑，二层台均为熟土，这被视为是姬姓周人的墓地特征。这次发掘的 16 座墓葬中，有 2 座有腰坑，其墓葬与姬周墓有异，显然为异姓之墓。异姓人何以能埋在周人墓地，有待今后的进一步研究。M44 所出苋菜种子，说明当时仍盛行在墓底撒种的葬俗。此次发掘的墓葬，其年代上限应不超过穆王时期，下限可到西周晚期。

罗西章先生所著《周原寻宝记》（三秦出版社 2005 年版）一书收有《发掘难度极大的咒人车马坑》一文，如实介绍了 67 号、38 号车马坑的发掘情况，可参阅。

1144.1996 年扶风黄堆老堡子西周墓清理简报

作　者：周原博物馆　张思贤、罗芳贤等
出　处：《文物》2005 年第 4 期

1996 年周原博物馆继续对扶风黄堆老堡子西周墓进行抢救性发掘。此次清理发掘工作从 3 月至 9 月，共清理发掘墓葬 8 座、大型车马坑 2 座。简报分为：一、墓葬，二、车马坑，三、随葬器物，四、几点认识，共四个部分。有照片。

据介绍，此次所发掘的 8 座墓葬均遭盗掘，破坏严重。共出土劫余遗物铜器 158 件，陶器 5 件，玉、石器 52 件，骨、蚌器 153 件。年代简报推断上限为西周穆王时期，下限为西周中晚期。

简报指出，黄堆墓地的车马坑，马都为活埋，车则是拆卸后下葬，即所谓拆车葬。这与河南浚县辛村发掘的卫国（姬姓周人）贵族墓地的车马坑埋葬方法一样。何时采取拆车葬，何时马为死后埋葬，这都值得进一步研究。

1145.周公庙遗址甲骨坑 H1 发掘记

作　者：种建荣、雷兴山
出　处：《文博》2005 年第 1 期

2004 年 3 月 4 日，"浩善坑"的发现使得周公庙遗址考古梅开二度，再传佳讯。文物的安全形势着实令人担忧。另外，甲骨坑所处的自然环境，最易被农民整修田地时破坏。所以，尽快对甲骨坑实施抢救性发掘，以免珍贵资料遭受破坏，已成当务之急。简报分为：一、曲折的开工，二、特定的方法，三、难忘的历程，四、丰硕的成果，共四个部分。有彩照。

据介绍，经过 73 天仔细、认真的发掘，至 6 月 7 日，清理工作结束。在甲骨坑 H1、H2 以及现代水渠中共发现卜甲 700 余片，其中有刻辞者 83 片，初步辨认出文字近 400 个。周公庙遗址这批西周甲骨文的出土，无疑是西周考古中的一个重要发现。在此发现之前，西周甲骨文仅在周原等 7 处遗址发现，除周原外，其余各处均为零星发现。

简报称，通过初步整理，发现这批卜甲诸如钻凿形态、刻辞行款等特点与之前出的并不完全相符。此次出土的一些近乎完整的卜辞，对证经补史、解决一些重大学术问题皆具重要意义。

1146.陕西扶风五郡西村西周青铜器窖藏发掘简报

作　者：宝鸡市考古研究所、扶风县博物馆　刘军社、胡社生、辛怡华、汪玉堂、
　　　　　王　颢等
出　处：《文物》2007 年第 8 期

五郡西村位于陕西省扶风县城以西 5 公里的城关镇（原属新店乡）。2006 年 11 月，当地村民在村北台地修渠时，发现 1 座青铜器窖藏，共出土鼎、簋、尊、甬钟、斗、矛、马器、玉饰等器物 27 件。简报分为：一、发掘经过及窖穴形制，二、出土器物，三、窖藏铜器的年代及相关问题，共三个部分。有彩照、拓片、手绘图。

据介绍，出土器物中 5 件青铜器有铭文，其中 2 件大口尊铭文一致，可与传世的五年、六年琱生簋铭文连在一起，正好完整地反映了西周厉王时期一场旷日持久

的"仆庸土田多刺"官司，为研究西周时期的土地制度提供了更加具体的金文资料。

简报称，此窖年代当不晚于春秋时期，应为西周时期某一家族所埋藏。这批青铜器保存较好，类型较多，年代跨度大，从西周早期一直到西周晚期都有。据铭文，窖藏的主人应叫"珥生"，是召氏家族成员。由此，这次发掘对研究据称与周公是兄弟的召公家族，也有意义。

此村 20 世纪 70 年代也曾出土过西周末年青铜器，详见罗西章先生所著《周原寻宝记》（三秦出版社 2005 年版）一书。

1147.陕西宝鸡纸坊头西周早期墓葬清理简报

作　者：宝鸡市考古研究所　辛怡华、王　颢、张　涛、刘军社等
出　处：《文物》2007 年第 8 期

2003 年 9 月，宝鸡市金台区长青村纸坊头一住户窑洞塌陷，在断崖上暴露出数件青铜器。考古人员进行了抢救性清理，发掘出西周早期墓葬 2 座（2003BZFM2、2993BZFM3）。出土器物有青铜礼器、生活用具及装饰品等。其中有 4 件青铜器带有铭文，有的内容与弓鱼国有关。简报分为：一、墓葬形制及出土器物，二、结语，共两个部分。有彩照、手绘图。

据介绍，弓鱼国是距今 3000 年前宝鸡地区的一个小方国，其祖先为生活在长江流域的巴人。他们沿汉江而上，翻过秦岭，来到渭水流域，因参加周武王伐商立有战功而受封在今宝鸡地区。20 世纪 80 年代，在宝鸡茹家庄、竹园沟、纸坊头等地曾先后发现弓鱼国墓葬。这次发现无疑为弓鱼国研究又增添了新的考古资料。

1148.陕西扶风齐镇发现西周炼炉

作　者：魏兴兴、李亚龙
出　处：《考古与文物》2007 年第 1 期

齐镇村民小组隶属于陕西省扶风县法门镇云塘村，位于周原遗址保护范围之内。2004 年春，齐镇村农民在村东壕取土时发现 1 处炼炉的遗迹，考古人员随即进行了调查。由于炼炉面临农民继续取土被破坏的可能，于 2004 年 7 月 1 日～2 日对其进行了抢救性清理。简报分为：一、层位关系，二、形制结构，三、堆积与包含物，四、几点认识，共四个部分。有手绘图。

据介绍，结合发掘的平、剖面情况可以判断，炼炉的整体结构大致可分炼炉主体部分、出渣坑、操作坑 3 个部分。在炼炉内和附近，除了烧土块、烧流的炉壁碎

块和类似炼渣之类的物质之外，很少见其他诸如陶片之类的包含物。简报推断该地
点可能是1个铸铜作坊区的一小部分。由于不能肯定炼炉的具体年代，因此目前也
无法确定炼炉所在区域与以上建筑基址是否存在联系，这有待通过以后进一步的考
古工作来解决。

1149.凤翔县孙家南头周墓发掘简报

作　者：陕西省考古研究所、宝鸡市考古工作队、凤翔县博物馆　田亚岐、
　　　　景宏伟、王　颢、刘阳阳
出　处：《考古与文物》2007年第1期

2003年10月至2004年9月间，考古人员在位于凤翔县长青镇孙家南头村西一
带，对陕西东岭ISP重点建设工程项目占地约70万平方米范围内的古墓葬、古遗址
进行了抢救性发掘。此次共清理周、秦及汉代以后各时期墓葬和车马坑187座，其中
先周至早周墓葬2座、西周墓葬33座、秦墓和车马坑106座、汉代以后各时期墓葬46
座、时代不明的墓葬4座，另外还发掘出西汉时期大型汧河码头仓储遗址。简报先行
介绍其中的周墓（含先周墓）发掘情况。简报分为：一、地理位置及墓葬分布，二、
墓葬形制及葬具葬式，三、出土器物，四、结语，共四个部分。有手绘图。

据介绍，墓地位于凤翔县城西南约15公里处的长青镇孙家南头村，是关中平
原的最西端。在墓地东约300米的二级台地之上就是著名的省级重点文物保护单
位——"蕲年宫"秦汉建筑遗址。墓地中，所有35座周墓的形制全部为长方形竖
穴土圹墓，形制较小，墓圹窄长，个别有一端大一端小的现象。本次发掘的35座
周墓中有9座没有随葬器物，另外26座墓葬中出土有陶器、铜器、玉器、石器、漆
器（无法提取）、骨器及蛤蜊、货贝等100多件（组）。结合墓葬资料可以看出，
汧河东岸的这一区域在先周、西周时期就有先民生活居住，至春秋战国、秦汉时期
发展鼎盛。

1150.陕西扶风县新发现一批商周青铜器

作　者：扶风县博物馆　胡社生、汪玉堂、马林怀
出　处：《考古与文物》2007年第3期

2006年10月15日，扶风县上宋乡红卫村农民在村北砖厂取土时发现一批青铜器。
考古人员赶到现场进行清理，据清理结果看系一古墓葬，共出土青铜器18件（组）。
简报分为：一、地理位置与墓葬形制，二、出土器物，三、结论，共三个部分。有

手绘图、照片。

据介绍，红卫村位于扶风县上宋乡最西端，西邻眉县常兴镇，南距陇海铁路约2公里，是平原与中塬的连接部，东距北吕村（遗址）约1公里。墓葬已被村民挖毁，据现场清理和当事人描述应为竖穴土坑墓，墓内遗留板灰和人骨，墓葬共出土青铜器18件（组）及蚌器等。简报认为此墓为商周之际一座贵族墓。

简报称，20世纪70年代在红卫村就出土过先周饕餮纹鼎（编号0038）和青铜器多件。重要器物屡在此地出土，说明扶风、眉县沿塬底的这一东西呈带状地区从商末到西周中晚期一直有相当数量的方国贵族聚居，是当时政治、经济、文化比较重要的地区之一。

1151.陕西扶风云塘、齐镇建筑基址 2002 年度发掘简报

作　者：陕西省考古研究所　曹　玮等
出　处：《考古与文物》2007 年第 3 期

云塘、齐镇建筑基址位于扶风县黄堆乡云塘村西南、齐镇村西北。1999年调查发现。随后，考古人员进行了连续两年的考古发掘工作，发现西周夯土建筑基址9处及围墙、灰坑等重要迹象。2002～2003年又进行了发掘，发现建筑基址1座（F10）、灰坑24个、水井及大量成片分布的夯土遗迹。简报分为：一、地层关系，二、F10建筑基址，三、其他相关遗迹，四、遗物，五、小结，共五个部分。介绍了2002～2003年的发掘情况，有手绘图。

据介绍，F10建筑年代当在西周晚期或略早，与早先发现的F1等大型西周建筑遗址同时，其性质、功能尚不清楚。而发掘的水井J1，是周原遗址第一个经过正式考古发掘的水井。它的发现，为了解周代水井结构、水器形制及相关水文资料提供了难得的证据。

1152.陕西扶风县新发现一批西周青铜器

作　者：宝鸡市考古队、扶风县博物馆　汪玉堂、胡社生
出　处：《考古与文物》2007 年第 4 期

2006年11月8日，扶风县城关镇五郡村农民在村北台地修渠时，发现西周青铜器窖藏，随即向宝鸡市文物局报告。考古人员及时赶到现场进行清理。简报分为：一、地理位置和窖藏形制，二、出土器物，三、结语，共三个部分。有手绘图、照片、拓片。

据介绍，五郡村位于扶风县城关镇以西，原属辛店乡，东距扶风县城 5.5 公里，西南邻五郡沟水库 300 米，西邻岐山县益店镇 6.7 公里，北距西宝北线 24 公里。窖藏位于扶风县县级文物保护单位五郡遗址内，经过清理，共出土文物 27 件，其中有带铭文青铜器 6 件。窖藏形成年代应为西周晚期。

简报称，传世的两件召伯虎簋的出土地也应在今天的五郡西村一带，这里是西周时期召氏家族居地。20 世纪 70 年代在五郡西村曾发现两处西周青铜器窖藏，出土同形同铭的仲彤父盨等青铜器 4 件，值得重视。

1153.周原遗址刘家墓地西周墓葬的清理

作　　者：周原博物馆　李亚龙、杨水田
出　　处：《文博》2007 年第 4 期

2004 年 4 月 6 日，扶风县法门镇庄白村刘家组、岐山县贺家村农民在刘家村取土场取土时发现 1 座古墓。考古人员赶到现场查看，发现铜鼎、铜盆和几件陶器已暴露出来，为避免该墓继续遭受破坏，对该墓（编号 2004SFLM1）进行了抢救性清理。简报分为：一、位置及层位关系，二、墓葬形制，三、随葬器物，四、几点认识，共四个部分。有照片。

据介绍，该墓位于扶风县法门镇庄白村刘家组西南约 500 米的土壕内。墓葬西距刘家沟沿约 50 米，北距刘家姜戎墓地约 100 米。以往发掘的刘家一号墓、丰姬墓均在此墓以北数百米的范围内。此墓为长方形竖穴土圹墓，葬具为 1 棺 1 椁，墓主骨架 1 具，仰身直肢。随葬品有铜器、陶器、玉石器、漆器。M1 的年代约在西周中期偏晚阶段。

简报称，M1 是周原地区发现的小型墓葬中随葬器物较为丰富的一座，为进一步研究西周中晚期埋葬制度提供了宝贵的实物资料。

1154.陕西扶风县周原遗址庄李西周墓发掘简报

作　　者：周原考古队　付仲杨、宋江宁、徐良高等
出　　处：《考古》2008 年第 12 期

考古人员自 1999 年 9 月开始对周原遗址进行大规模发掘以来，先后发掘了多处遗址。2002 年底，在扶风庄李村至齐家村一带进行了详细的钻探，发现有陶范等遗存。2003 年 3 ~ 5 月，对庄李村西谷场进行了发掘。2003 年秋季和 2004 年春季，对庄李村西的铸铜遗址进行了 2 次发掘，在庄李遗址的 3 次发掘中，发现了一批西周时

期的灰坑和墓葬，出土了铜器、陶器、玉器和骨器等遗物数百件，另外还有大量陶范、铸铜工具等铸铜遗物。

简报分为：一、遗址概况，二、遗迹及出土遗物，三、结语，共三个部分。先行介绍了2003、2004年春季由中国社会科学院考古研究所主持发掘的庄李遗址的墓葬资料。有彩照、手绘图。

据介绍，2003～2004年，在周原遗址庄李村西周晚期铸铜遗址发掘西周墓及车马坑。墓葬均为长方形竖穴土圹，其中M9为中型墓，墓主很可能是管理铸铜作坊的官员，年代应在西周早期偏晚成、康时期，最迟不晚于昭王时期。其他为小型墓。M9出土有铜器、漆器、陶器、骨器及贝，小型墓随葬品以陶器为主。墓葬与铸铜作坊遗址的交叉分布，为研究墓主身份及当时周原地区土地制度等提供了重要信息。

1155.周原庄李西周铸铜遗址2003与2004年春季发掘报告

作　者：周原考古队　宋江宁、付仲杨、徐良高、牛世山等

出　处：《考古学报》2011年第2期

2002年底，考古人员在扶风庄李村至齐家村一带进行了详细的钻探勘查，在庄李村西发现陶范等遗存，遂于2003年3～5月进行发掘，2003年秋季和2004年春季，继续对庄李村西的铸铜遗址进行两次发掘。

简报分为：一、发掘概况和地层堆积，二、灰坑，三、遗物，四、结语，共四部分。专门介绍西周铸铜遗址的发掘情况，有彩照、手绘图。

周原庄李西周铸铜遗址，有以下特点和价值：

第一，作坊的年代可以从西周早期一直延续到晚期，主要集中在西周晚期。

第二，陶范种类以小件器物如车马器、装饰品、小工具为主，大型器物如礼器较少。

第三，根据目前的资料不能确定与作坊相关的遗迹，因为大部分遗物都出自灰坑而不是特定的遗迹之中，所以就铸铜作坊而言，目前资料尚严重不足。

第四，灰坑和墓葬的年代都从西周早期延续至西周晚期，两类遗存之间也存在相互打破关系。有的墓葬陶器也反映了与墓葬有关联的线索，但限于资料整理与整合正在进行，此类问题的深入探讨，需待相关工作的开展。

第五，这批资料上承商代晚期，与北窑遗址共同贯穿整个西周时期，下启春秋中期侯马遗址，为研究商周时期铸铜工艺的传承和创新以及西周时期铜器铸造工业的管理、分工等问题提供了重要资料。

1156.陕西省宝鸡市石鼓山西周墓

作　　者：石鼓山考古队　刘军社、王　颢、辛怡华、王占奎、郝明科、王小梅、
　　　　　丁　岩等
出　　处：《考古与文物》2013 年第 1 期

2012 年 6 月 22 日，陕西省宝鸡市渭滨区石鼓镇石嘴头村四组村民在开挖地基时发现铜器，立刻向文物部门报告。考古人员赶赴现场，经勘查为 1 处古墓葬，开展了抢救性发掘工作。简报分为三个部分予以介绍，配有拓片和手绘图。

据介绍，石鼓山 M1、M2 出土现场环境保护不好，层位关系、遗迹现象不清晰，墓葬形制不明。M3 为 1 座长方形竖穴土圹墓。葬具已腐，骨骸也已腐成粉状。

简报认为，M1、M2 的时代应为西周早期。M3 的时代有可能上至商末周初。至于墓主身份，从 M3 出土的铜礼器看，M3 应为 1 座规格很高的贵族墓葬。从铜礼器上的铭文看，M3 的主人应为户氏。

简报认为，石鼓山 M3 的发掘为西周考古学研究、商周青铜器研究以及西周埋葬制度的研究提供了极其重要的新资料，对西周历史、文化、礼制发展等方面的研究也具有重要意义。

1157.陕西宝鸡石鼓山西周墓葬发掘简报

作　　者：石鼓山考古队　刘军社、王　颢、辛怡华、王占奎、郝明科、王小梅、
　　　　　丁　岩等
出　　处：《文物》2013 年第 4 期

2012 年 6 月 22 日，陕西省宝鸡市渭滨区石鼓镇石嘴头村四组村民在开挖地基时发现铜器，随后立刻向文物部门报告。考古人员赶赴现场，经勘查为 1 座古代墓葬，开展了抢救性发掘工作。石嘴头村四组所在的石鼓山，南依秦岭，北临渭河，东濒茵香河，西有巨家河。地势高耸，位置优越。20 世纪 80 年代以来，在此发现了一批新石器时代和商周时期的重要遗存。2012 年 3 月 20 日、4 月 14 日曾两次出土西周铜器，6 月 22 日又发现 1 座出土铜器的墓葬，所以推测前两次出土的铜器应出自墓葬，故依次编号为 M1 ~ M3。简报分为三个部分对 M1、M2 出土器物和 M3 发掘情况进行介绍，配有彩照、手绘图。

M1 出土器物 18 件（组），分别为铜鼎、铜簋、铜尊、铜罍、铜卣、铜弓形器、铜当卢、铜銮铃、铜马镳、铜泡、铜矛、铜甲、铜斧、玉鹿、蚌泡、贝等。M2 出土铜礼器 3 件，分别为乳丁纹鼎、盆式簋、双耳簋。M3 出土器物 16 件（组），

分别为车马器、兵器、工具等。首先推断石鼓山M1、M2的时代均应为西周早期。M3的时代应为西周早期，上至商末周初的可能性也是存在的。石鼓山M3出土的大量铜礼器表明墓主身份的尊贵，M3应属一座高规格贵州墓葬。"户"族器物是首次发现。从随葬器物的摆设情况看，应为一个家族的器物，可以认为"户"就是墓主家族的族徽。可以推测，"户"族的地望应在今宝鸡石鼓山一带，这里应是户氏家族墓地。

简报最后指出，石鼓山M3的发现为西周考古学研究、商周铜器研究以及西周埋葬制度的研究提供了极其重要的新资料，对西周历史、文化、礼制发展等方面的研究也具有重要意义。

1158.陕西省宝鸡市石鼓山西周墓

作　者：石鼓山考古队　刘军社、王　颢、辛怡华、王占奎、郝明科、王小梅、
　　　　丁　岩

出　处：《考古与文物》2013年第1期

宝鸡石鼓山西周墓位于陕西省宝鸡市渭滨区石鼓镇石嘴头村四组。2012年6月22日，陕西省宝鸡市渭滨区石鼓镇石嘴头村四组村民在开挖地基时发现青铜器，经考古人员勘查为1座古墓葬。简报分为：一、墓葬形制，二、出土器物，三、结语，共三个部分。有手绘图。

这是一座长方形竖穴土圹墓，编号M3。墓葬下部四周有熟土二层台，墓葬的东、北、西壁有壁龛。葬具2椁1棺。出土器物有铜礼器、兵器、马器等，其中铜礼器共14类31件。墓葬时代简报推断可能为西周早期，可能上至商末周初。出土的铜礼器组合完整，造型精美，应为1座等级较高的贵族墓葬。简报称，该墓的发掘为商周青铜器以及西周埋葬制度的研究提供了极其重要的新资料，对西周历史、文化、礼制发展等方面的研究也具有重要意义。

1159.陕西周原遗址新出土的青铜器

作　者：宝鸡市周原博物馆　白晓银

出　处：《考古与文物》2014年第3期

周原遗址为周文化的发祥地和周人灭商之前的都城，两周建立后其地位仍很重要，故是学界公认的最重要西周遗址之一。近10年间，考古人员进行了科学的发掘，获取了大量考古资料外，另有几批青铜器分别出土于庄白、齐家、许家等地，被周

原博物馆先后征集收藏。鉴于这些器物的重要价值，简报配以拓片、照片予以介绍。

据介绍，庄白、许家、齐村、齐家出土的青铜器均为当地百姓在出土时发现，有出土地点，器物分别为铜罍、铜鼎、弓形器、伯簋等。

1160.凤翔西关新区西周墓葬考古发掘简报

作　　者：陕西省考古研究院、宝鸡市考古研究所、凤翔县博物馆　田亚岐等
出　　处：《文博》2014 年第 2 期

2011 年 8 月至 9 月间，为配合凤翔西关新区建设，对入驻该园区的宝鸡亚东工贸有限公司拟建西凤酒瓶盖厂占地约 17000 平方米范围进行了考古勘探，随后对勘探出的 10 座西周墓、1 座明代墓葬和 1 座清代墓葬进行了抢救性发掘。简报分为：一、墓地概况，二、地层堆积，三、墓葬形制，四、随葬器物，五、结语，共五个部分，介绍了其中的西周墓葬，有彩照、手绘图。

据介绍，凤翔西区此次发掘的 10 座西周时期墓葬，均为长方形竖穴土圹墓，葬具多为 1 棺 1 椁，葬式以仰身直肢为主。每座墓中基本都随葬有陶器，并随葬有较多的蚌饰，未见青铜器。从墓葬形制与埋葬习俗来看与西周时期周人的习俗相符，简报确定该区域为 1 处典型的西周平民墓地。这批墓葬的年代应处于西周晚期。

简报称，此次发掘是继凤翔南指挥西村周墓之后在该区域又发掘出的一批西周时期的重要遗存，这表明凤翔地区在先周至西周时期一直是周人固定的居住地区之一，为研究凤翔地区周人墓葬制度、埋葬习俗以及先周至西周的文化渊源演变提供了重要资料。

咸阳市

1161.陕西省永寿县、武功县出土西周铜器

作　　者：陕西省文物管理委员会
出　　处：《文物》1964 年第 7 期

1962 年 12 月 8 日，永寿县好畤河发现古铜器，上有铭文。考古人员实地作了调查了解。简报配以拓片予以介绍。

好畤河村在店头公社东北约 15 公里的一个平川地中，与乾县、武功、扶风、麟

游各县相毗连发现的铜器有盂、鼎、匕及残片等数种。在永寿县境内发现青铜器，这还是第 1 次。1959 年间，在其南约 25 公里的武功县游凤镇也曾出土有大批西周时期的铜器，其时代比永寿县出土铜器还要早些。由这批铜器的形式花纹以及铭文观察，它的制作时代应当属于西周中期以后。

1162.武功县出土的西周铜器

作　者：何汉南
出　处：《文物》1964 年第 7 期

1963 年 4 月 2 日，武功县南仁公社北坡村农民在挖土平地时发现铜器数件。考古人员经过调查后，又收集了一些材料，对现场也作了实地勘察。简报配以照片予以介绍。

该村在武功县普集镇东北 1.5 公里的渭惠渠西边。铜器出土于渭惠渠东岸 5 米多的地方，东北为一高不到 1 米的平地，西边是新挖的低凹地，器物即出土于低凹地东边，距地表不到 1 米。据发现人谈，初出土时，两个簋盖重叠仰置于 1 件铜鼎口上。另还出土铜鼎 1 件，出土时尚完好，壁较薄，即被挖成破块。经过检查，在出土地的周围都是生土，不见有人为的扰动痕迹。在附近田间发现有秦汉时代的瓦片和瓦当，估计这批铜器不是墓葬的随葬品。简报推断这批铜器铸于穆王以后的共王初年。

1163.泾阳高家堡早周墓葬发掘记

作　者：葛　今
出　处：《文物》1972 年第 7 期

高家堡在泾阳县城西北 30 公里冶谷河西岸的塬头上。1971 年 10 月 25 日，该村村民打窑时发现铜器 11 件，将其中完整的 8 件送交县文化馆。考古人员于 12 月 15 日进行了发掘，在发掘中又发现铜器 3 件和玉器 5 件。另外，还从当地有关单位取回出土时已经破碎的属于这群文物的铜鼎 2 件。发掘证明，这批文物是 1 座墓葬的随葬品。该墓为土圹竖穴，墓底距现在地表 6.5 米。尸骨已朽坏，但从残存的牙齿和上下颚骨、髀骨等的位置来看，尚能大体辨认是头北足南的仰身直肢葬。墓底正中有一腰坑，墓四周有明显的棺板痕迹，高 76 厘米。铜器放在死者头部周围，玉器放在胸、腹部位，显系佩带的装饰物。简报配以照片、手绘图予以介绍。

据介绍，这群铜器的器质厚重，铭文简约，造型古朴，纹饰庄重，这些都是西周早期铜器的特征。又如方座簋、尊、盘等器，都具有西周初期风格，而卣、爵等器更具商代作风。因此，简报认为这群铜器的年代应为西周初期。同时出土的麻布片十分珍贵，为研究 3000 年前的纺织技术提供了实物。

1164.陕西长武县"文化大革命"以来出土的几件西周铜器

作　　者：长武县文化馆　田学祥、张振华
出　　处：《文物》1975 年第 5 期

长武县自"文化大革命"以来，征集了出土文物 100 多件，其中有西周早期铜器 10 余件。简报配以照片选择其中几件予以介绍。

据介绍，方鼎 1 件。该器是 1969 年 10 月我县丁家公社刘主河大队农民在平整土地中发现的。同时出土的还有簋，腹底有族徽及铜刀 1 件。由收购站收集而来。簋有铭文 3 字，长武县枣元公社张家沟大队于 1972 年 11 月平整土地时发现。同时出土的还有鼎、觚、刀各 1 件。这批铜器简报推断应是西周早期遗物。

1165.陕西淳化史家塬出土西周大鼎

作　　者：淳化县文化馆
出　　处：《考古与文物》1980 年第 2 期

1979 年 12 月 10 日，陕西省淳化县石桥公社史家塬农民许文芳在院内打窑洞时，发现 3 件西周青铜器，其中有 1 件罕见的大鼎。考古人员前往现场进行了调查，并于 1980 年 1 月 4 日至 14 日进行了钻探和清理，证明这些青铜器是 1 座墓葬的随葬品。简报分为：一、遗址，二、墓葬，三、结语，共三个部分。有照片。

据介绍，史家塬位于淳化县东南 10 公里冶峪河北岸的塬头上。村前（即塬的南部）是 1 片内涵丰富的西周居住遗址。有灰坑、居住面、灶坑和路土等遗迹，其中 1 个半地穴式房址直径 5.1 米，中部有灶坑，深 0.2 米，直径 0.75 米。居住面均经火烤，呈红褐色，表面坚硬平整。从采集到的遗物标本看，陶器分夹砂灰陶、夹砂红陶和泥质灰陶 3 种，纹饰以绳纹为大宗，亦有篮纹、划纹、斜方格纹和附加堆纹等。器类中鬲、罐最多，其次是甗、瓮、簋、豆等。史家塬村中，东部是西周墓葬区，断崖上暴露着墓葬 10 余座，车马坑 1 座。墓均为长方形土圹竖穴，出土大鼎的墓，位于墓葬区中央位置，墓主人应为诸侯或大夫级。惜已被盗。简报认为这批青铜器的年代应为西周早期，下限不晚于康王。简报又称，居住区未见西周晚期遗物，此地似在西周中期已被放弃，不再有人居住。

1166.咸阳地区出土西周青铜器

作　者：咸阳地区文管会、陕西省考古研究所　曹发展、陈国英
出　处：《考古与文物》1981 年第 1 期

陕西咸阳地区长武、周至、三原、永寿、乾县等文化馆对当地的出土文物作了大量的征集和收藏工作。简报配以拓片、照片，介绍了一批收藏的西周青铜器。

1972 年 11 月，长武县枣园公社张家沟出土铜器四件，计簋 2 件、鼎 1 件、刀 1 件。

1975 年，长武县彭公公社方庄出土 1 件叔皇父鬲（咸甲 014），同年 3 月 7 日入藏长武县文化馆。

1973 年至 1974 年，周至县出土铜器 5 件，计簋 3 件、鼎 1 件、爵 1 件。

永寿县西南店关公社好畤河出土国钟 4 件。这是 1 套西周晚期编钟中的 4 只，造型、纹饰相同。上有铭文，从铭文未完看，这套编钟应在 6 件以上。这套编钟的纪年有年、月、月相、干支四项，对于研究周历法颇有参考价值。

1978 年 10 月，乾县石牛公社周家河大队出土 1 件西周甬钟（咸甲 063），当即交乾陵博物馆，同年 12 月 15 日入藏咸阳地区文管会。

1167.陕西武功郑家坡先周遗址发掘简报

作　者：宝鸡市考古工作队　任周芳、刘军社
出　处：《文物》1984 年第 7 期

郑家坡位于武功县武功镇（武功老县城）以东 500 米的漆水河东岸原上，1981 年 3 月发现了这处遗址。自 1981 年 10 月至 1983 年 8 月，对遗址作了发掘，取得了重要收获。

简报分为：一、遗址分布和地层，二、遗迹，三、遗物，四、结语，共四个部分。

据介绍，共发现先周时期的房基 17 座、灰坑 15 个、窖穴 3 个、陶窑 2 个。遗迹可分为早、中、晚三期。出土陶盆、罐、瓮、尊、簋、盂、豆、甗、甑、钵、杯、盘以及甑箅、陶纺轮、陶轮、陶拍等、石器有石铲、石斧、石锛、石矛、石凿、石刀、石镰、石砧垫、石纺轮等，骨器有骨镞、骨铲、骨锥、骨匕、骨针、骨笄等，还发现铜镞、卜骨、陶人头像等遗物。遗物也可分为三期。

简报称，郑家坡遗址早、中、晚三期为同一文化的不同发展阶段。晚期约为文王作丰时。中期为太王迁岐前后。早期距今约 3700 ～ 3500 年。此处遗址的发现，为先周文化研究提供了实物。

1168.陕西淳化县出土的商周青铜器

作　者：淳化县文化馆　姚生民
出　处：《考古与文物》1986 年第 5 期

淳化县在农田修整和基本建设等项工程中，陆续出土了一些商周青铜器。全县有 9 个乡 20 处出土商周青铜器共达 160 余件。这些青铜器，多数出于墓葬，少量为零星出土或从收购单位的废铜中拣选而来。简报分为：一、墓葬中出土的青铜器，二、零星出土和拣选的青铜器，共两个部分。有手绘图。

这批青铜器计有 1982 年夕照乡黑豆嘴村古墓葬中出土的 100 多件青铜器及石桥乡史家塬村等 11 处零散出土的青铜器，均为商至西周遗物。

1169.武功县出土商周青铜器

作　者：康　乐
出　处：《文博》1986 年第 1 期

1982 年 1 月 18 日，武功县文化馆在本县游凤乡黄南窑村征集到一批青铜器。这批青铜器是村民在村南取土时发现的，计有鼎、簋、罍、戈等。调查时，现场已被破坏，仅留一残土圹，圹底距地表深 2 米，长宽无可辨测。据在场百姓反映说，还出有骨架、朱砂和灰烬，由此可知这批青铜器为一墓葬殉品。简报配以照片择其 5 件予以介绍。

5 件青铜器中，饕餮纹鼎、有字簋各 1 件，涡纹罍 3 件。简报推断鼎的时代应为西周早期，簋器为西周早期作品，3 罍为晚商作品。故简报推断武功县这次新出土的青铜器墓葬年代为西周早期。

按史料记载，武功县古称"邰"，是西周民族的发祥地。这次青铜器的出土为研究西周文化提供了又一实物资料。

1170.陕西淳化县新发现的商周青铜器

作　者：姚生民
出　处：《考古与文物》1990 年第 1 期

1985 年之后，淳化县又新发现了一些商周青铜器。有的上有铭文和纹饰。简报配以照片予以介绍。

据介绍，计有润镇乡西梁家村出土青铜器、铜鼎、铜钺和铜斧各 1 件。

1987年4月，夕阳乡田家村村民在该村沟畔掘土时，发现文物10余件，有铜鼎、銮铃、小铜泡和骨、贝等。

1985年春，铁王乡小沟畔村村民取土中发现铜戈1件。

1985年7月，铁王乡红崖村村民掘窑洞时发现铜鬲1件。

1985年9月，夕阳乡陈宜咀村村民在村西农田约30厘米深处发现铜戈1件。

1986年7月，南村乡辛庄村村民在农田中发现铜锛1件。

1984年，官庄乡火石梁村村民交送铜斧1件。据说这件铜斧是在官庄乡邢家沟水库发现的。

1987年7月，石桥乡史家塬村村民交铜刀1件，为农耕时发现。

1171.淳化县发现西周易卦符号文字陶罐

作　者：姚生民

出　处：《文博》1990年第3期

西周符号文字陶罐是1987年9月淳化县石桥乡石桥村民吴飞在镇北掘土时发现的。陶罐发现于地表下3米深处，出处土质混杂，土内偶见细绳纹泥质灰陶器残片和交叉细绳纹夹砂灰陶器片。据挖掘者谈，陶罐出土时口朝上，略向西偏斜，罐内容黄色泥土。罐的附近发现铜钱1枚（已散失），圜钱圆孔，直径约3.5厘米，钱肉上有2个符号，这种钱过去未曾见过。简报配以照片、手绘图予以介绍。

这种奇字，也有人认为是商周占筮的专用符号，即周易的卦象。长安沣西、扶风周原和河南安阳等地有过这类符号文字的甲骨和陶片出土。淳化石桥这只文字陶罐的发现，使这类文物的分布范围又增添了一个新地域。石桥符号文字陶罐的出土，说明淳化是西周民族一个重要的活动地区，它对周文化研究经提供了很重要的实物资料。

简报称，陶罐上的符号文字，分析可认识的有乾、巽、离、兑四卦，重卦与周易相符的有小畜、大有与乾三卦，其他不可识。简报附有"陶文释义对照表"。

1172.陕西武功岸底先周遗址发掘简报

作　者：陕西省考古研究所　刘军社、宋远茹

出　处：《考古与文物》1993年第3期

岸底村位于武功县游凤乡的北部，南距武功镇（原武功县城）15公里。1991年10月至1992年的12月，考古人员对岸底遗址进行了发掘。简报分为：一、遗址分

布与地层堆积，二、遗迹，三、遗物，四、结语，共四个部分、有照片、拓片、手绘图。

据介绍，岸底遗址沿漆水河东岸台地分布，北至徐家崖村，南至岸底村北崖边，东至塬下，东西长约600米，南北宽约200米。发现有房址、灰坑、陶窑、墓葬等遗迹。遗物有陶器、石器、骨器及个别铜器、卜骨等。简报认为此遗址可分为早、中、晚三期。这三期之间的关系比较密切，前后是衔接的，早、中期之间的衔接可能不如中、晚期紧密，但也不会有大的缺环。三期文化面貌一脉相承，是同一文化不同历史阶段。早期大致相当于殷墟文化二、三期或更早。晚期相当于殷墟文化四期，下限可至商周之际的西周初期。

简报称，在约当殷墟文化二期的陶罐上发现的刻划符号像是"周"字，如是，当是目前发现的最早的"周"字。这既为确定岸底遗址文化性质提供了一个依据，又为确定"周"的地望、解决周族起源地等问题提供了新的重要的线索。

1173.陕西彬县断泾遗址发掘报告

作　者：中国社会科学院考古研究所泾渭工作队　梁星彭等
出　处：《考古学报》1999年第1期

断泾村位于彬县县城东南9公里，隶属陕西省彬县新堡子乡。遗址处在海拔约800米的泾河右岸丘陵状塬梁上，泾河从它的北、西、南三面蜿蜒流过。商周遗存广泛分布于断泾村中、村北、村东和村南。在当地居民窑洞的墙壁上以及水渠、水壕的断面上，往往有古代遗迹、墓葬以及遗物暴露出来。1992年，为了探索居岐以前周族的活动中心，考古人员曾对这个遗址进行过考察。1995年秋，考古人员对这个遗址进行了局部钻探和发掘，发现商代灰沟1条、灰坑22个、墓葬4座。简报分为：一、发掘分区和地层堆积，二、遗迹，三、墓葬，四、遗物，五、结语，共五个部分。先行介绍商代遗存，仰韶文化遗存从略。有照片、手绘图。

简报认定断泾遗址商代遗存可分两期：第一期的年代估定在殷墟一期左右；第二期的年代估定为迁岐以后的先周时期，个别器物或晚至先周末年甚至西周初年。

据史籍记载，周族先祖公刘所都之豳邑在今陕西彬县、旬邑县一带。断泾遗址位于彬县东南、旬邑县西南，正处在这个范围以内。断泾一期遗存在年代与地望方面皆符合公刘居豳以后某个时期先周文化遗存的条件，因此它应即居豳时期的先周文化。断泾二期的一些器物，具有浓厚的北方戎狄遗存的风格。据《吕氏春秋·审为》《史记·周本纪》等书记载，先周族之所以迁岐是由于戎狄族的追逐。迁岐后，戎狄族即据有豳地，成为该地的统治者。这很可能就是断泾二期遗存存在戎狄文化因素的历史原因。

简报认为，断泾遗址商代一、二期遗存的发现，可与先周族居豳的历史记载相互印证，从而为进一步探寻豳邑所在提供了重要线索。这是断泾遗址发掘的意义所在。

1174.陕西礼泉朱马嘴商代遗址试掘简报

作　　者：北京大学考古系商周组、陕西省考古研究所　张天恩、王占奎
出　　处：《考古与文物》2000 年第 5 期

朱马嘴遗址位于陕西礼泉县北牌乡马家嘴村北、泾河南岸的黄土台塬顶部，高出河床约百米，东西两侧有红石崖沟和孙家沟相夹，是一突出的塬头。遗址分布遍及塬顶，在东西约 600 百米、南北约 500 米的范围内，地表都能见到商代的文化遗物。陶片、石器俯拾皆是，并能采到骨器及卜骨等。塬边及梯田的崖坎上，可见灰坑、房址、陶窑等遗迹。20 世纪 70 年代此地曾出土过青铜器多件，后西安半坡博物馆作过试掘，但资料未发表。1985 年北京大学考古系曾作过调查，认为这是 1 处重要的商代遗址。1995 年 9 ~ 10 月，考古人员在陕西咸阳市所辖的十多个县区进行文物调查时，再一次对朱马嘴遗址做了重点复查，确认该遗址的文化内涵比较丰富，包括多种文化因素，文化面貌颇有特色，最后决定在此进行发掘。1995 年 11 月，对朱马嘴遗址进行了小规模试掘，揭露清理面积共 90 多平方米，朱马嘴遗址第一期约相当于二里岗上层或稍晚；第二期约相当于殷墟文化第一期，下限或可略晚一些；第三期的年代估计相当殷墟文化第二期略晚。

简报称，朱马嘴遗址的文化遗存，从二里岗上层连续发展到殷墟二期或更晚，文化序列清楚，年代明确，为判定中西部相关的文化遗存的年代奠定了比较坚实的基础，并将对学术界颇为关注的先周文化的研究起到推动作用。

1175.陕西彬县、淳化等县商时期遗址调查

作　　者：北京大学考古文博院　张天恩
出　　处：《考古》2001 年第 9 期

为了解泾渭地区殷商时期古文化遗存的特征，1995 年 9 月和 10 月，考古人员对陕西省咸阳市辖的长武、彬县、永寿、淳化、三原、泾阳、礼泉等 10 县区的古文化遗址，作了有侧重点的调查，发现数十处含有相当于商时期的文化遗存。各地的文化面貌不尽相同，一部分与原来所见的先周文化或关中西部以壹家堡下层为代表的商文化相似，但另一部分则别具特色，还存在一些差别。这里拟撮其要者予以简单

报道，希望能为有关方面的研究提供一些资料。简报分为：一、彬县，二、淳化县，三、其他县区概况，四、小结，共四个部分。有手绘图。

简报介绍，这次文物调查的时间短、范围窄，收效不算很大，但对泾渭地区商时期文化类型的多样性、复杂性的认识和了解还是非常有意义的。特别是彬县、淳化等县所见的一些具有显著特点的文化遗存，值得更进一步去研究和探索它们与先周文化及相关文化之间的种种关系。

1176.淳化古窑洞遗址

作　者：姚晓平

出　处：《文博》2004年第3期

2000年，淳化县石桥乡引安村村民在村西1公里泥河沟东坡田埂发现古窑洞，考古人员先后多次调查。这处古窑洞暴露迹象明显，从出土器物分析，为距今4000年上下的窑洞式房屋遗迹，是迄今考古发现窑洞最多的重要遗址。简报分为"位置与地貌""遗迹""采集遗物""结语"四个部分予以介绍，有拓片、手绘图。

据介绍，引安村位于石桥乡石桥镇以北5公里，西距淳化县城13公里，道宽路畅，交通方便。已发现12个窑洞，采集到的遗物有陶器、石锛、石镰、石斧及玉璋1件。《诗经·大雅》中曾提到窑洞。此次发现，为《诗经》的记载提供了实物例证。

1177.陕西旬邑下魏洛西周早期墓发掘简报

作　者：咸阳市文物考古研究所、旬邑县博物馆　谢高文、张永超、赵旭阳等

出　处：《文物》2006年第8期

陕西旬邑县地处黄土高原南部边缘的塬梁沟壑区，与关中平原相接，泾河的支流三水河横穿全境。下魏洛村位于旬邑县西塬赤道乡，处于三水河支流的源地。村庄所在三面是平整的耕地，其东西两面有深沟在其南部相交汇，形成扇状台地，当地人称"王来店（奠）"。地势为北高南低的缓坡形，后因平整土地形成梯田。20世纪90年代，扇状台地被辟为砖厂，对原地貌破坏严重。2003年8月初，砖厂在推土时发现并破坏1座古墓葬，当地农民破坏了该墓东北角并将11件铜器哄抢，后在旬邑县博物馆、当地派出所和公安干警的耐心说服教育下，被抢文物全部被追回。考古人员于2003年8月中旬对该墓进行了抢救性发掘。简报分为：一、墓葬形制，二、随葬器物，三、结语，共三个部分。有彩照、手绘图。

据介绍，这座墓葬为竖穴土坑，葬具2椁1棺。发掘清理中，在内椁上发现覆有白色麻织物痕迹，棺上则有竹席、帷帐痕迹。随葬器物主要是青铜器，有礼器和兵器等。

从墓葬形制和出土器物看，简报认为墓葬的年代应为西周初期，墓主人可能是周初的殷代遗民。

1178.枣树沟脑遗址 F14 及其相关问题分析

作　者：西北大学文化遗产与考古学研究中心、陕西省考古研究院　钱耀鹏、
　　　　李　成、韩　辉、马明志
出　处：《考古与文物》2009 年第 2 期

枣树沟脑遗址位于陕西省淳化县润镇乡梁家行政村辖区。2006 年 4 ～ 7 月首次发掘，获得了一批重要的考古资料，其中先周时期的文化遗存极富特色。简报分为：一、F14 分布位置与结构特点，二、F14 出土器物种类与特点，三、F14 的废弃原因与功能，四、相关问题及其学术意义，共四个部分。有手绘图。

据介绍，F14 为一南北长 274 厘米、东西宽 206 厘米的房址遗址，但不是居住用房。F14 是因失火而放弃的，出土有陶器、石器、骨器等。具体用途尚待研究。时代为先周时期。

1179.杨凌南庄村西周遗址 2009 年发掘简报

作　者：陕西省考古研究院、杨凌区博物馆　田亚岐、罗汝鹏、耿庆刚
出　处：《文博》2011 年第 5 期

为配合电厂建设，2008 ～ 2009 年，考古人员对杨凌电厂二期工程内古墓葬和古遗址进行了 2 次抢救性考古发掘。该遗址位于杨凌镇南庄村南 200 米。简报分为：一、居址区，二、墓葬区，三、遗物，四、小结，共四个部分。主要介绍 2009 年发掘所获成果。

据介绍，2009 年发掘工作，基本弄清了遗址内的遗迹保存情况。此次共清理墓葬 12 座，其中西周墓葬 8 座、明清墓葬 4 座。8 座西周墓葬，编号为 M1、M3、M4、M7、M8、M9、M10、M11，皆为长方形竖穴土坑墓，以东西向墓葬为主，已发掘墓葬区内未有发现同时期的居址遗存，应为 1 处专门的墓地。出土遗物有陶器、玉石器、海贝、蚌饰、铜带饰等。简报推断，遗址中居住区、墓葬区的年代大约相同，均为西周中期。

1180.陕西淳化县枣树沟脑遗址先周时期遗存

作　者：西北大学文化遗产与考古学研究中心、陕西省考古研究院、淳化县博
　　　　物馆　李　成、钱耀鹏、魏　女

出　处：《考古》2012 年第 3 期

枣树沟脑遗址位于陕西淳化县润镇乡梁家行政村辖区。2006 年 4 ~ 7 月，考古人员对枣树沟脑遗址进行了首次较大规模的考古发掘，发现各时期房址、墓葬、灰坑等遗迹，出土大量陶器、石器、骨器等遗物，其中尤以丰富的先周时期文化遗存最具代表性。简报分为：一、遗址概况，二、地层堆积，三、先周时期遗迹，四、先周时期遗物，五、结语，共五个部分。有彩照、手绘图。

据介绍，枣树沟脑遗址发现大量先周时期的灰坑、房址、墓葬等遗迹，出土了大量陶器、石器、骨器等遗物。该遗址的文化内涵丰富，特征明显，为研究先周文化提供了一批新资料，对探索古豳地考古学文化的发展也具有非常重要的意义。

1181.陕西淳化枣树沟脑遗址 2007 年发掘简报

作　者：西北大学文化遗产学院、陕西省考古研究院、淳化县博物馆　王　振、
　　　　钱耀鹏、刘瑞俊等

出　处：《文物》2013 年第 2 期

枣树沟脑遗址位于陕西省淳化县润镇乡梁家村，处在泾河支流通神沟河东侧的坡地及台塬上。枣树沟脑遗址发现于 2005 年，并于 2006 年进行了正式发掘，发现了大量新石器时代至隋唐时期遗存，尤以先周时期遗存最为丰富。2007 年 4 ~ 7 月，为了进一步搞清先周时期遗存的分布与年代诸问题，对该遗址进行了第二次发掘，清理出大量先周时期的窑址、灰坑、灰沟、墓葬，出土了大量陶器、骨器和石器，同时也出土了少量西周和战国时期遗存。简报分为：一、地层堆积，二、遗迹，三、遗物，四、结语，共四个部分。配有手绘图等。

据介绍，墓葬有 4 座，均为长方形竖穴土坑墓，其中 2 座有木棺痕迹，随葬器物很少。人骨周围有的撒有朱砂。遗物有陶、石骨器。陶器种类有鬲、甗、盆、罐、瓮、豆、尊、器盖等。石器种类有刀、锤斧、纺轮等。骨器种类有锥、铲、镞、卜骨等。卜骨均为动物肩胛骨，多数仅有钻孔，无灼痕及兆纹。

枣树沟脑遗址 2007 年发掘所获遗存除一座战国时期灰坑外，均属先周和西周时期，且以先周时期遗存为主。从地层关系看，不同时期的遗存之间有较复杂的打破关系，说明当时人们曾在此定居了较长时间。

渭南市

1182.记陕西华县一处西周遗址

作　者：戴忠贤

出　处：《考古》1965 年第 3 期

遗址位于华县城西南约 5 ～ 6 公里的良侯太兴村以及川城村之北。长时期以来，由于深耕土地及取土，在遗址所在地地面上散有很多泥质灰陶和夹粗砂灰陶片。简报配以手绘图予以介绍。

据介绍，遗址东西长约 200 米，南北宽约 80 米。遗址大部分已被破坏，现存部分都被压在城墙和房屋之下。1956 年冬，太兴村村民曾发现陶鬲 2 件及陶盂 1 件（现存西北大学历史系文物陈列室）。1962 ～ 1963 年冬，又发现陶鬲、陶盂、铜凿及铜锛各一件。据发现者说，这些器物都是在取土时偶然发现的，同时出土的还有碎陶片及碎骨块等，可能是墓葬中的随葬物。简报认为，由两次发现的陶鬲及陶盂等看，此处遗址当属西周晚期。

1183.渭南县南堡村发现三件商代铜器

作　者：渭南县图书馆　左忠诚

出　处：《考古与文物》1980 年第 2 期

1975 年春，陕西省渭南县阳郭公社南堡村村民在平整村东坡地的过程中，平掉了古墓葬 1 座。在墓北 10 米左右处又平掉了 1 个车马坑。共出土铜器 52 件、玉器 3 件、骨蚌器 40 多件，其中有文字的文物 3 件，系商代铜器。简报配以照片、拓片予以介绍。

据介绍，这 3 件文物计父己鼎 1 件、父乙尊 1 件、辛邑陕矛 1 件。上有"父己""父乙""辛邑陕"等简单铭文。简报推断为商代遗物。

1184.渭南市又出土一批商代青铜器

作　者：左忠诚

出　处：《考古与文物》1987 年第 4 期

1984 年春，渭南市阳郭乡姜河村村民在清洗窑洞塌土时，在窑头距地表 1 米深处发现一批商代青铜器。这批器物出土时曾有散失，现已全部追回。简报配以照片予以介绍。

据介绍，姜河村北距渭南市 17.5 公里，村里随处可见商代陶片。这次出土青铜器系塌土所致，无法判断墓圹范围或窖藏边缘。出土青铜器共计 17 件，有鼎 1 件、爵 1 件、钺 1 件、戈 2 件、斝 1 件、刀 1 件、锛 1 件、镞 9 件。这批青铜器，为研究商人活动范围提供了实物依据。

1185.陕西韩城梁带村遗址 M26 发掘简报

作　　者：陕西省考古研究所、渭南市文物保护考古研究所、韩城市文物旅游局
出　　处：《文物》2008 年第 1 期

韩城市位于陕西省东部，地处关中平原与陕北黄土高原过渡地带，在黄河中游之西。2005 年 4 月，考古人员对梁带村遗址进行考古勘探，发现了大量两周时期的墓葬和车马坑，其中有 7 座大型墓葬。考古人员对 3 座带墓道的大型墓葬（M19、M27、M26）进行了抢救性发掘，其中 M26 是继 M19 和 M27 之后发掘的第 3 座大墓，发掘工作自 2005 年 10 月开始，至 2006 年 5 月结束。简报分为：一、墓葬位置及层位关系，二、墓葬概况，三、随葬器物，四、结语，共四个部分。先行介绍 M26 的发掘情况，有彩照、手绘图。

据介绍，M26 为单墓道长方形竖穴土圹墓，出土了大量的铜器、玉器和料器。年代为春秋早期。根据铜器所铸铭文推测，M26 可能为芮国遗存，墓主可能是一代芮公的夫人——芮姜。M26 出土的玉器数量大、种类多、等级高，在近年来的商周考古发现中较为罕见，为研究古代玉器的年代、功能和制作工艺提供了珍贵的实物资料。

1186.陕西韩城梁带村墓地北区 2007 年发掘简报

作　　者：陕西省考古研究院、渭南市文物保护考古研究所、韩城市文物旅游局
　　　　　张天恩、吕智荣、程蕊萍、马金磊、张　伟等
出　　处：《文物》2010 年第 6 期

梁带村墓地位于陕西省韩城市东北约 7 公里处，已勘探出两周之际的墓葬 1000 多座。2005、2006 年发掘了 3 座带墓道的大墓和 1 座车马坑，出土了大量的铜器、玉器等随葬器物，部分铜器有"芮公""芮太子"等铭文，说明这里是 1 处周代的芮国墓地。2007 年 3 ~ 11 月再次对梁带村墓地进行了考古发掘，发掘工作分别在南、北、西三个区域进行。简报分为：一、墓葬位置与层次关系，二、墓葬举例，三、

随葬器物，四、马坑，五、结语，共五个部分。有彩照、手绘图。

据介绍，在北区共清理 22 座墓葬和 1 座马坑，出土的随葬器物有铜器、玉器、陶器等，丰富了我们对该墓地以及周代芮国文化的认识。M502 出土铜鼎的铭文对于研究与芮国国君关系密切的毕公家族世系等具有重要价值。M502 出土的木俑及 M502、M586 的棺架痕迹在西周考古中为首次发现。这批墓葬的年代，简报认为是宣王早期。详情可参见同刊同期发表的《芮国史事与考古发现的局部整合》一文。

延安市

1187.延安市发现的古代玉器

作　者：姬乃军
出　处：《文物》1984 年第 2 期

1981 年考古人员征集到一批玉器，均出土于碾庄公社芦山峁村。简报配以照片予以介绍。

据介绍，芦山峁村南距延安市区 9 公里，东距碾庄公社所在地 3 公里。这些玉器都是 1965、1967 年前后在该村的垴畔山和与之相连的小峁、马家坬的向阳山坡上出土的。出土地点位置较高，大都位于山巅附近，离耕地表层很浅，有些是在耕地、取土和刨柴时发现的。据当地人讲，1949 年前后这里已经出土过一些玉器。这批玉器的年代，简报暂且推断为西周时期。

1188.陕西延川县文化馆收藏的几件商代青铜器

作　者：阎晨飞、吕智荣
出　处：《考古与文物》1988 年第 4 期

延川县文化馆收藏了 9 件商代时期的青铜器。这些青铜器是本县百姓修田取土或犁地时发现的。简报配以照片予以介绍。

张家河乡刘塬村出土青铜器 6 件，计铜钺、戈、凿、斧、锛各 1 件，未见铭文。稍道河乡去头村出土长銎斧 1 件、铃首剑 1 件。土岗乡土岗村出土铜钺 1 件。

简报称，陕北地区的清涧、绥德等地曾多次出土商代时期的青铜器，而延川县还是首次，这就为我们研究陕晋北部黄河两岸地区出土的商代时期青铜器及其分布范围增添了新资料。

1189.陕西延川出土一批商代青铜器

作　　者：姬乃军

出　　处：《考古与文物》1992 年第 4 期

1987 年 8 月中旬，陕西省延川县马家河乡用斗村村民在本村整修麦地时，发现一批青铜器。简报分为：一、出土地点，二、出土器物，三、几点认识，共三个部分。有照片。

据介绍，青铜器出土地用斗村位于黄河支流清涧河东岸，处于冯家崔沟和店则河沟两条小河之间的小塬面上，西北距延川县城直线距离 8 公里。青铜器出土于 1个小冲蚀沟的沟掌，距地表约 4 米。据发现者讲，器物出土时伴有尸骨，可能是 1处墓葬，尸骨已被该村民抛弃。收回青铜器有鼎、觚、斝等，未见铭文。其中 1 把长达 16.4 厘米的羊首匕以往未见。削、锛、凿、匕等器物出土时均置于瓿内。另外，还有 1 件贯耳垂腹铜壶，目前尚未征集回。

年代简报推断为商代晚期。

1190.陕西延长出土一批西周青铜器

作　　者：姬乃军、陈明德

出　　处：《考古与文物》1993 年第 5 期

1988 年 9 月，陕西省延长县安沟乡岔口村村民在该村寨子山以南的下坪山峁耕地时，挖出一批青铜器。考古人员征集回文管会收藏，并到出土地点进行了调查。据了解，器物出土时未见伴有尸骨，可能系窖藏。

简报分为：一、出土地点，二、出土器物，三、结语，共三个部分。有照片、拓片。

安沟乡岔口村位于延河支流安沟河源头，距延长县城 30 公里。1988 年 6 月份的文物普查中，曾在村寨子山发现过 1 处新石器时代龙山文化遗址。据村民讲，在遗址内进行农田基建过程中，还发现过汉代的龙首柄镶斗、陶罐等。可见这里是 1 处延续时间较长的古文化遗址。此次发现的青铜器出土于寨子山以南的下坪山峁上。山峁地势平缓，现为耕地。出土遗物共计青铜器 14 件、金器 2 件。其中 5 件青铜器上有铭文，时代从西周早期至西周晚期不等。金器为西周中期遗物，这次出土的青铜器多属于中原文化体系，说明这一带在西周早中期已属于西周版图，或属于中央王朝势力所及之区域。唯有环首柄釜系首见，似属于北方草原文化遗物。可能是这些家族参加西周王朝讨伐犬戎或猃狁的俘获之物。

1191.陕西延长出土一批晚商青铜器

作　者：姬乃军

出　处：《考古与文物》1994年第2期

1983年8月，陕西省延长县黑家堡乡张兰沟村农民常本亮，在挖土窑时发现一批青铜器。器物出土时并伴有人骨，当属墓葬。同年10月，这批青铜器由延安地区文管会办公室征集收藏。同年12月，考古人员一起对铜器出土地点进行了调查。简报分为：一、出土地点，二、出土器物，三、几点认识，共三个部分。有照片。

据介绍，这批青铜器出土点位于张兰沟村前张兰沟村内，地处延河支流张兰沟水和一东西向的小毛沟水汇流之处，枕山面水。出土点距现地表深约3米。出土器物共7件。这批青铜器中，仅有兵器和生产工具，未见容器。器物的时代简报推断为商代晚期。

1192.陕西甘泉县出土晚商青铜器

作　者：甘泉县博物馆　王永刚、崔风光、李延丽

出　处：《考古与文物》2007年第3期

2005年6月14日，陕西省甘泉县下寺湾石油钻采公司在下寺湾镇阎家沟村修建加油站时，发现了一批青铜器。收到文物后，考古人员赶赴现场调查，并采取了紧急保护措施。由于文物是在机械施工中发现的，残损非常严重，出土地点的原始状态也已完全被破坏。考古人员对现场的积土进行过筛，又陆续发现了青铜钺、戈、泡饰、金箔片、绿松石和许多青铜器残片。本次共出土文物70件，其中青铜器57件、其他13件。目前，这批青铜器已委托上海博物馆进行修复。简报分为：一、出土地点，二、出土器物，三、结语，共三个部分。有手绘图、照片。

下寺湾镇阎家沟村位于该县西北部，距县城36公里。该村坐落在一座古城遗址上，又名"西县城"。据明嘉靖本《延安府志》，此城为北魏孝文帝太和元年（477年）所治的因城县故城。城址位于洛河的二三级台地上，平面呈圭首形，北依三槌山，南临洛河，甘志公路自东向西从城中部穿过。发现青铜器地点就位于古城正中北距甘志公路20多米的地方。从采集遗物判断，这里是1处从新石器时代仰韶文化时期一直延续到唐宋的古文化遗址。简报推断出土器物为商代晚期。

简报称，阎家沟商墓以多件食器为主的组合，尚属该地区首次发现。它与中原地区商文化重酒器的传统存在较大差异，反映出食器在当时该地区礼制文化中占据的重要地位。

1193.陕西安塞县西瓜渠村遗址试掘简报

作　者：陕西省考古研究所　吕智荣

出　处：《华夏考古》2007 年第 2 期

西瓜渠村位于陕西省安塞县坪桥乡，西距乡政府约 10 公里。遗址位于该村东边的 1 座称为"祖师圪塔"的山顶上。祖师圪塔是该村附近最高的一座土山，山顶上比较平坦，曾有一座古庙，称为"祖师庙"，该山以庙得名。该遗址是 1987 年文物普查中发现的。2002 年 8 月，考古人员又进行了复查，9 月进行了试掘。简报分为：一、文化遗迹，二、文化遗物，三、结语，共三个部分。有手绘图、照片。

据介绍，发现有半地穴式房子两座，平面呈"凸"字形，未见柱洞；窖穴 3 座。遗物有陶器、石器、骨器。该遗址遗存的时代上限大约不早于殷墟商文化分期的第二期，其下限不晚于殷墟商文化分期的第四期。文化面貌接近所谓"朱开沟文化"。

汉中市

1194.陕西省城固县出土殷商铜器整理简报

作　者：唐金裕、王寿芝、郭长江

出　处：《考古》1980 年第 3 期

城固县位于汉中东部，自 1955 年后，考古人员再次发现并清理了一批殷商铜器。这批铜器数量多，造型精致，保存也较完好。简报分为：一、发现和清理经过，二、结语，共两个部分。有手绘图。

据介绍，城固县位于汉中盆地中部，境内有湑水河，沿河两岸是无边的稻田，土地肥沃，产量很高，是汉中地区的粮仓之一。湑水河是汉江在汉中地区较大的支流，两岸分布着较多的新石器时代遗址，而殷商铜器出土地点，却均在下游两岸。计有苏村、莲花、五郎、吕村等。共出土殷商铜器 12 起，计铜器 486 件、陶器 1 件。铜器有鼎、罐、簋、瓿、罍、钺、戣、矛、戈、镞、斧等，以兵器居多，大多出自窖藏。时代简报推断可分两期，早期为殷商早期，晚期为殷商晚期武丁时。

从历年来的考古发掘资料来看，殷商遗址不仅分布在黄河流域的中、下游，而且已达长江以南，如安徽、江苏、江西、湖北、湖南、四川等地。在陕西，殷商遗址多发现于关中东部地区。城固铜器的出土，说明殷商期的疆域已达陕南地区的西部。

城固属汉中地区，春秋时，汉中为蜀地，战国属楚，秦时始建汉中郡。但殷商时汉中情况，史书却无记载。似可作如下推断：殷商时，殷人疆域已达陕南地区。当时，汉中应属羌地，是羌方一个部族，是殷代异族方国之一。

1195.勉县出土西周师韹父鼎

作　者：汉中市博物馆　刘长源

出　处：《考古与文物》1982 年第 1 期

1967 年 7 月，陕西南部的勉县老道寺公社出土了 1 件西周铜鼎，现藏汉中博物馆。简报配以照片、拓片予以介绍。

据介绍，鼎已残破，经修复后测得高 21 厘米，口径 19 厘米，足高 8 厘米，腹深 10.2 厘米。鼎内壁铸铭文。该鼎的造型极似岐山县董家村出土的裘卫鼎，所饰的鸟纹也和裘卫盉相同，铭文字体具有西周穆、共时期的特点。

简报推断，此鼎是西周中期共王前后的遗物。该鼎在褒城附近发现，或对研究西周历史和古褒国有参考价值。

1196.陕西城固出土的商代青铜器

作　者：王寿芝

出　处：《文博》1988 年第 6 期

城固县龙头镇上街南侧有一土包。1980 年和 1991 年，农民在土包上挖土，发现 2 批商代青铜器，共计圆罍 3 件、尊 2 件、簋 1 件、提梁卣 2 件、壶 1 件、瓬 5 件、爵 1 件、瓰 1 件、矛 7 件、戈 2 件、镰形器 46 件、宽刃钺 4 件，共 13 种 75 件。

简报分为：一、地理环境与铜器发现的经过，二、出土器物，三、几点认识，共三个部分。有手绘图、照片。

据介绍，龙头镇，在县城西北 8 公里处，是区、乡所在地的集镇，东约 4 公里有湑水河从北往南流过，南约 4 公里有汉江从西往东直流。出土铜器的地点，在镇南 30 米的土包上。这个土包当地人称为"火疙瘩"。简报推断城固商时应属巴方。城固出土的商代青铜器证明，商王为了保持宗主国地位，在属国巴方城固驻有重兵，以应付西南西北多变的局势。镰形器就应是一种武器。

简报指出，这次出土的铜器，在汉江北岸第二台地上，从出土的情况来看，不是墓葬，也不是窖藏。商人和巴人崇拜鬼神，盛行祭祀，这可能是一处祭礼台遗址的遗物。

1197.洋县出土殷商铜器简报

作　者：李　烨、张历文
出　处：《文博》1996 年第 6 期

洋县位于汉中盆地东端，1964 年来，洋县先后有 3 批铜器群出土，这些器物数量多，质量好，为进一步研究汉中地区商代社会面貌提供了可贵的实物依据。简报分为：一、安冢铜器群，二、张村铜器群，三、范坝铜器群，共三个部分。有照片。

安冢在洋县西 20 公里之马畅镇，西距湑水河约 3 公里。1990 年 2 月，村民景成德平整洋芋地时，在距地表深约 30 厘米处发现铜器，随即交洋县博物馆。张村在洋县西南约 7 公里处的汉江南岸，属小江乡张村。1964 年和 1981 年，生产队在修筑汉江河堤时，在距地表深 0.8 米处发现铜器。据当时村支书张有新谈，这批铜器埋藏在黄沙之中。范坝村位于洋县西 8 公里处的溢水河西岸，属洋县谢村镇范坝村。出土地点在村西的台地上，当地称为"十里塬"，高出地面 4 ~ 5 米。1979 年，村民刘景裕在打土坯取土时，在距地表深约 1 ~ 1.2 米处发现铜器。以上铜器未见有铭文。简报推断为殷商遗物。

1198.陕西城固县新出土商代青铜器

作　者：柴福林、何滔滔、龚　春
出　处：《考古与文物》2005 年第 6 期

2004 年 11 月，陕西省城固县龙头镇、宝山镇分别在街道改造和挖鱼塘时，发现了 4 件青铜器。县文物部门干部闻讯赶到现场，收回了这 4 件青铜器并妥善保管。这 4 件青铜器分别为鬲 1 件、鼎 2 件、瓿 1 件。其中编号为 04.1 鬲、04.2 鼎、04.3 瓿以及 2 片瓿肩腹部残片出在龙头镇火疙瘩西北方，与前两次青铜器出土地点仅距 80 米左右。04.1 鬲与 04.2 鼎并排紧挨竖置，04.3 瓿放置情况不详。编号 04.4 鼎是在宝山镇柳家寨村河边挖鱼塘时发现的。简报配以照片予以介绍。

简报称，此次出土的 4 件青铜器属殷墟一、二期。其中 04.1 鬲器型之大、保存之完整，在同类青铜器中是少有的；04.3 瓿铸造精细，在出土的二里岗上层的瓿中时代是最早的。它们的出土进一步丰富了城固青铜器的种类。说明早在商中、早期，这里的人们已经掌握了较高的青铜冶炼铸造技术，对进一步研究城固商时青铜文化的内涵及文化性质具有重要价值。

榆林市

1199.陕西绥德墕头村发现一批窖藏商代铜器

作　者：陕西省博物馆　黑　光、朱捷元
出　处：《文物》1975 年第 2 期

1965 年春，陕西绥德义合公社墕头村农民在该村对面的山坡平整土地时，发现 1 处窖藏青铜器。简报配以照片予以介绍。

据介绍，墕头村位于绥德县城 30 公里处，东南距黄河约有 10 公里，铜器出土于该村对面的山坡上。藏铜器的窖穴是 1 个长方形的竖坑，窖内放置着青铜器 22 件。除铜器外，别无其他器物。据出土情况判断，这批铜器可能为当时有意识埋藏的。这批造型精致、纹饰优美的商代青铜器，是陕北地区发现商代铜器数量最多的一次，具有较为重要的历史价值。

据介绍，陕北绥德一带发现商代铜器已有几次，尤以铜戈、铜钺为多，蛇头铜匕也有发现，均为零星出土，像墕头村出土的这一批窖藏铜器数量之多，还属首次。

1200.清涧县又出土商代青铜器

作　者：清涧县文化馆　高　雪、王纪武
出　处：《考古与文物》1983 年第 3 期

陕西清涧县继 1964、1977 年于二郎山公社张家坬大队、解家沟公社解家沟大队出土商代青铜器以来，1982 年 3 月又在解家沟公社寺墕大队出土了一批商代青铜器。简报配以照片予以介绍。

据介绍，这些青铜器是该队惠金珠在村东后湾枣林坪发现的。据勘察得知，这些青铜器出自墓葬，现均藏在清涧县文化馆。其中有龟鱼纹盘 1 件，戈、戚、锛和蛇头剑各 1 把，镞 6 枚。寺墕出土的龟鱼纹盘是清涧出土的第 3 件同时又是最大的 1 件龟鱼纹盘，重 9 公斤，造型美观，工艺精湛，是陕西出土的商代青铜器精品之一。

今有曹玮先生《陕西出土青铜器》（巴蜀书社 2009 年版）一书，可参阅。

1201.陕西清涧县又发现商代青铜器

作　者：高　雪

出　处：《考古》1984 年第 8 期

清涧县曾于 1964 年和 1977 年先后两次发现商代青铜器。第一次是在二郎山公社张家圪大队发现的，有尊、簋、罍、盘、瓶、罍 6 件容器，现藏清涧县文化馆。第二次是在解家沟公社解家沟大队发现的，有鼎、簋、瓶、甗、壶、盘、罍、勺等 13 件容器。这批铜器现藏绥德县博物馆。1982 年 3 月，陕西清涧县解家沟公社寺墕大队出土了一批商代青铜器。这批青铜器是该队农民在村东侧后湾坪枣林的自留地里发现的。铜器附近有人骨，应是墓葬的随葬品。铜器计有龟鱼纹铜盘 1 件，蛇首匕、戈、戚、锛各 1 件，镞 6 件，此外还有 6 件金耳饰。铜器现藏清涧县文化馆。

这次发现的青铜器中只有 1 件盘是容器。这类龟鱼纹铜盘在清涧前两次出土的青铜器中都有发现，这次是第三次发现。这 3 件盘器形相同，纹饰格局相同，只是鱼纹的形状略有不同。这次发现的盘是 3 者中最大的，工艺精致，是商代青铜器中的一件精品。简报配以照片予以介绍。

清涧又一次发现商代青铜器为进一步探讨晋西、陕北地区的商文化提供了新的资料。简报还介绍了两件征集的商代鼎和战国时期楚鼎，均有出土地点。

1202.绥德发现两件青铜器

作　者：绥德县尊物馆　马润臻

出　处：《考古与文物》1984 年第 2 期

1984 年 5 月，绥德县义合公社薛家渠大队农民郭世章在本大队石磊山修梯田时，发现铜戈、铜锛 2 件。青铜器现存绥德县尊物馆。

据介绍，2 件青铜器未见铭文，考古人员对出土地点进行了调查，发现这里有新石器时代居住遗址和灶灰，各种陶片很多，说明该处早就有人类居住。

1203.陕西绥德薛家渠遗址的试掘

作　者：北京大学考古系商周考古实习组、陕西省考古研究所商周研究室　徐
　　　　天进等

出　处：《文物》1988 年第 6 期

薛家渠位于陕西绥德县城东北约 35 公里处，属义合乡。1984 年 4 月，考古人员

在此进行了考古调查，并于同年 6、7 月对该遗址进行了小规模的试掘。发现灰坑 1 座（84SXH1），另外清理墓葬 1 座（84SXM1）、灰坑 1 个（84SXH2），发掘面共计面积 110 余平方米。

简报分为：一、地层堆积，二、遗迹，三、遗物，四、小结，共四个部分。有照片、拓片、手绘图。

据介绍，计发现灰坑 2 个、墓葬 1 座。出土大量陶片、兽骨以及少量的石器、骨器和卜骨。

该遗址的年代相当于商代晚期。简报认为，这一地区当时不属于商文化控制范围。

1204.陕北发现商周青铜器

作　者：吴　兰、宗　宇
出　处：《考古》1988 年第 10 期

1981 年秋，考古人员在绥德县河底乡沟口村进行文物普查的时候了解到，是年春天，有农民在面对黄河的月牙渠坡地上，用推土机平整土地时，发现 1 座土圹古墓，方向头东南足西北，内有 1 具人骨架，仰身直肢，脚骨左右两旁各置铜鼎一件，脚右的铜鼎内有铜削 1 把。据当地农民反映，此墓以北 300 米处，近期发现翠绿玉铲 1 件，考古人员查看了出土地点，并征回了这几件实物。2 件铜鼎形状大小都相同，高 20.5 厘米，口径 16.3 厘米，腹深 10.5 厘米，重 2.28 公斤。底部三足间有三角形多合范的铸造痕迹，并留有烟炱。简报推断为商中期遗物。

1983 年 4 月，义合镇莆家渠村农民在村北石楞墹山顶上平整土地时，在距地表约 50 厘米深处，发现灰土和人骨，继而发现 2 件青铜器。1 件是弦纹銎内戈和青铜镞，简报推断应属商代晚期遗物。

1984 年 4 月，莆家峁乡周家沟农民在本村大圪达挖粪坑时，距地表 1 米深处发现有灰土、人骨和 1 件铜镞，铜镞重 0.55 公斤。

1985 年 6 月，征回中角乡杨家峁出土铜钺 1 件，重 0.39 公斤。简报推断应为商晚期遗物。

1985 年秋，满堂川乡高家川村农民在柏树岔修建窑洞时，发现古墓葬 1 座，有人骨 1 具，脚底放置饕餮纹铜方鼎 1 件，重 0.63 公斤。简报推断应为西周早期遗物。

1205.陕西米脂张坪墓地试掘简报

作　者：北京大学考古系商周实习组、陕西省考古所商周研究室

出　处：《考古与文物》1989 年第 1 期

墓地位于米脂县沙店乡张坪村西，共试掘墓葬 4 座，应为两周之际的周文化系统墓葬。

1206.陕西清涧县李家崖古城址发掘简报

作　者：张映文、吕智荣

出　处：《考古与文物》1998 年第 1 期

李家崖古城址位于清涧县高杰乡李家崖村西。古城址东距黄河 4.5 公里、李家崖村 1 公里，西距清涧县 45 公里，北距高杰乡 7.5 公里。1982 年 9 月下旬，考古人员对李家崖古城址进行了复查和普探工作，次年进行了发掘工作。简报分为：一、地层，二、遗迹，三、遗物，四、结语，共四个部分。先行介绍了 1983 年发掘的部分收获。

据介绍，古城南、西、北三面环水，东西筑有城墙，为土石结构。南北是利用了深至百米的无定河河道的悬崖峭壁为防御屏障。现尚残存部分城墙。遗物有石雕人像、陶器等。从遗物看，该文化的农业生产在整个社会经济生产中占有极为重要的地位；出土的马、牛、猪、狗、鹿等骨骼，说明了该古文化先民不但有发达的畜牧业，而且狩猎在经济生产中占有一定比例。李家崖古城址出土的骷髅石雕人像，在我国还是首次发现。它的发现说明李家崖文化的先民们有其独特的祭祀方式，而且反映出早在距今 3000 年商周之时，我们的祖先对人体骨骼结构已有了一定的了解。

1207.陕西神木新华遗址 1999 年发掘简报

作　者：陕西省考古研究所　孙周勇、邢福来、李　明

出　处：《考古与文物》2002 年第 1 期

新华遗址位于陕西省神木县西南大保当镇新华村附近 1 个名叫"彭素圪垯"的土丘之上，当地老百姓又称之为"油房梁"。遗址中心分布于彭素圪垯南坡上，长约 250 米，宽约 120 米，总面积近 30000 平方米。

1996 年和 1999 年，陕西省考古研究所与榆林市文管会先后两次对新华遗址进行了大规模发掘。简报分为：一、地层堆积，二、文化遗迹，三、文化遗物，四、结语，

共四个部分。有手绘图。

据介绍，1999年新华遗址共发掘灰坑155个、墓葬72座（包括竖穴坑墓68座、瓮棺4座）、房址33座、窑址5处、玉器坑1座。出土的文化遗物种类丰富，包含陶器、石器、骨器、卜骨、玉石器等种类。简报推断，从其相对年代来讲，新华遗存要晚于游邀早期、寨峁二期、永兴店遗存，而大致与朱开沟一、二段，大口二期文化相当。

简报称，新华遗址的发掘不仅弥补了陕北乃至河套地区史前考古学文化编年序列的一个缺环，而且为进一步认识广泛分布于这一地域相对独立的龙山时代晚期至夏代考古学文化提供了极为重要的信息。

安康市

1208.紫阳马家营石棺墓发掘简报

作　者：陕西安康水电站库区考古队　王炜林、孙秉君
出　处：《考古与文物》1994年第1期

马家营遗址是1983年安康地区进行文物普查时发现的1处内涵较为丰富的新石器时代遗址，位于紫阳县汉城乡马家营村南。遗址南依汉江，北靠凤凰山，东距汉王城约5公里。为了配合安康水电站工程，考古人员于1986年10月始至1987年10月止，对该遗址进行了发掘。

1987年5月，对该遗址进行发掘的同时，为了进一步摸清其遗存分布情况，在遗址西部靠汉江断崖处开挖了1条2米×10米的探沟（编号为TG2），结果发现2座以石板材为葬具的墓葬，随后对其周围进行钻探，又发现2座同类型墓葬。这4座墓葬的清理发掘情况，简报分为墓葬、遗物、结语三部分予以介绍，有手绘图。

据介绍，马家营石棺墓的发掘，是汉水上游地区近年来考古工作的一次重要收获，为研究我国从东北到西南的边地半月形文化传播带上广泛分布的以石棺为葬具的古代民族文化提供了新资料。

从发掘情况看，这4座墓均被TG2第三层（或相当于第三层的文化堆积）所叠压，墓口距地表深约1.6米，且墓葬的方向一致，排列有序，形制相一，随葬陶器也有一定联系。所以，应视它们为同期遗存。

这批墓葬的年代简报推断与水观音晚期墓葬相近，大约在商周之际或略早于这个年代。

商洛市

1209.商县紫荆遗址发现二里头文化陶文

作　者：西安半坡博物馆　王宜涛
出　处：《考古与文物》1983年第4期

1977年秋至1978年夏，考古人员对紫荆遗址进行考古发掘时，于窖穴H24的出土遗物中，发现1块具有人工刻划痕迹的细泥磨光灰陶片。根据与此同时出土的其他遗物断定，H24系1处客省庄二期文化的窖穴堆积。因而，这块陶片的刻划符号可能属于陕西龙山文化时期的古文字。后又在此处发现多块带有陶文的陶片。简报配以照片、手绘图予以介绍。

据介绍，这批陶文的时代，据测定为距今4000年左右。简报认为紫荆陶刻符，可能是接近早商时期的古文字，或者确切一点说，有可能是我国夏代文字残存下来的一点印痕。

据《考古与文物》2010年第4期报道，1997～2002年，考古人员在商洛市商州区（原商县）大赵峪街道办事处，还发现了61个灰坑、墓葬4座，当时定为二里头文化。专家的意见是：二里头文化一、二期可推定为夏代早期，二里头文化三、四期可推定为夏代晚期。

甘肃省

兰州市

嘉峪关市

金昌市

白银市

天水市

1210.甘肃张家川县原始文化遗址调查

作　者：张家川县文化局、张家川县文化馆　崔峻峰
出　处：《考古》1991 年第 12 期

张家川回族自治县位于甘肃东南部，陇山之西麓。境内 5 条主要河流（即马鹿河、樊河、南川河、北川河、清水河），均发源于陇山，属渭河北岸支流。地势由东北向西南倾斜，山峦起伏，沟壑纵横。为了摸清这一带古文化遗存的面貌和保存情况，考古人员于 1987 年开始对此进行了田野考古调查，先后发现并调查了古文化遗址 120 处。这些遗址多数包括两个时代以上的文化遗存。就其文化类型分有仰韶文化、齐家文化、周代文化及战国、秦汉时期的文化遗存。简报分为：一、仰韶文化遗址，二、齐家文化遗址，三、结语，共三个部分。有手绘图。

据介绍，仰韶文化遗址共发现 25 处，分布于县城西部地区的清水河（即龙山北河）

上游和县城中部的南川河、北川河流域，其他小流域亦有发现。比较典型的有苗圃园遗址、圪垯川遗址、店子村遗址、坪洮塬遗址和堡山遗址。齐家文化遗址数量少，面积小，遗物不丰富。但有部分陶器具有本地区的明显特点，如大口深腹罐、鋬手罐和高领罐等。这些遗址的发现将为研究齐家文化在甘肃东南部的异同有一定的意义。

今有朱雪菲先生《仰韶时代彩陶的考古学研究》（文物出版社 2017 年版）一书，可参阅。

1211. 甘肃天水市出土西周青铜器

作　者：天水市博物馆　汪保全
出　处：《考古与文物》1998 年第 3 期

1993 年 12 月，天水市广播电视局在基建施工时，发现古墓葬 1 座，出土一批珍贵文物。天水市公安局东关派出所迅速收缴 6 件青铜器，并移交给天水市博物馆收藏。墓葬已毁坏，形制不清，周围有陶片散落。简报配以照片、拓片予以介绍。

据介绍，这批青铜器计有鼎 4 件、盘 1 件、匜 1 件，均未见铭文，有使用痕迹。简报推断为西周晚期或春秋早期遗物。天水是秦人及秦国的最早发祥地，这批珍贵文物的出土为研究天水地区周文化的发展及探索秦文化的起源，增添了新的实物资料。

武威市

1212. 武威齐家文化遗址中发现卜骨

作　者：怡　如
出　处：《文物》1959 年第 9 期

甘肃省博物馆文物工作组，最近在武威县黄娘娘台齐家文化遗址中，发现了卜骨 14 块。这些卜骨大部分出土于遗址的灰坑，少部分出土于墓葬，上面均无文字。卜骨大都保存完整，简报配以照片予以介绍。

过去除在商代及龙山文化中发现过卜骨，齐家文化发现卜骨还是初次，这说明齐家文化是较晚的一种文化，在时间上可能与龙山文化相当。这一发现为研究我国远古文化提供了重要的新资料。

张掖市

1213.甘肃民乐县东灰山遗址发掘纪要

作　者：甘肃省文物考古研究所、吉林大学考古学系　许永杰、张　　珑

出　处：《考古》1995 年第 12 期

民乐县位于河西走廊的中部，东灰山遗址属民乐县六坝乡，东南距县城约 27 公里。遗址坐落在六坝乡东北约 2.5 公里处的荒漠沙滩中，是由灰土与沙土堆积而成的 1 座沙土丘。当地人称为"东灰山"，与六坝乡西北约 10 公里处的另 1 座沙土丘"西灰山"遗址遥遥相对。1958 年 9 月，文物普查中，于六坝乡同时发现东灰山与西灰山两处古代文化遗址。1987 年 4 月至 5 月，考古人员对东灰山遗址进行了保护性发掘。清理墓葬 249 座，发现夯土墙 1 段。简报分为三个部分予以介绍，有手绘图、照片。

据介绍，本次发掘的主要收获是在遗址北部的墓葬区清理 249 座墓葬。其中有 219 座呈东北西南向，26 座呈西北东南向，3 座呈东西向，1 座是南北向。东北西南向墓葬和西北东南向墓葬，在分布上没有各自成群的倾向。东灰山墓地的墓葬分布密集，在实际揭露的 360 平方米范围内，即有墓葬 249 座，平均不足 1.5 平方米就有墓葬 1 座。墓葬之间的叠压打破关系丰富。249 座墓均为圆角长方形土坑竖穴墓。出土有陶器、石器、骨器、铜器等。年代经测定，为距今 3770±145 年，约相当于中原地区夏代晚期。此次所获铜器 16 件，经测定多为砷铜，表明中国与世界各国一样，铜器大抵是沿红铜—砷铜—青铜的路径发展。

东灰山遗址出土的贝壳，经兰州大学生物系鉴定，其中闪蚬的产地为辽宁、陕西、湖北、湖南、广东、贵州；环纹货贝的产地为台湾、海南岛、西沙群岛。鉴定结果显示出当时贸易的存在。

东灰山墓地所出完整人头骨标本，经吉林大学考古学系鉴定，其结果是在主要的种系特征方面与甘青地区的古代居民一致，即接近现代华北类型的东亚蒙古人种。但其较大的面部扁平度则表现出与东亚蒙古人种相分离的倾向，而与某些北亚蒙古人种接近。

1214.甘肃张掖市西城驿遗址

作　者：甘肃省文物考古研究所、北京科技大学冶金与材料史研究所、中国社
会科学院考古研究所、西北大学文化遗产学院　陈国科、王　辉、李
延祥等

出　处：《考古》2014 年第 7 期

2010 ～ 2013 年，在河西走廊早期冶金遗址调查项目的基础上，考古人员对西城
驿遗址进行考古发掘，目前已连续开展了 4 个年度的发掘工作。2010 ～ 2013 年发掘
总面积 1350 平方米，发现遗迹 531 处，其中房址 90 座、独立墙体 19 段、灰坑 357 处、
灶坑 12 个、灰沟 19 条、墓葬 19 座。出土陶器、石器、骨器、铜器、玉器、炭农作物、
冶金遗物等 2000 余件（份）。简报分为：一、遗址概况，二、一期遗存，三、二期遗存，
四、三期遗存，五、学术意义，共五个部分。有照片。

据介绍，西城驿遗址文化层堆积连续完整，从层位关系及遗迹、遗物特征来
看，西城驿遗址遗存可以划分为三个时期，一期为马厂晚期遗存，年代为距今约
4100 ～ 4000 年；二期文化内涵丰富，暂可称之为“西城驿二期遗存”，其中包含一
组由马厂晚期向四坝文化过渡的遗存，年代为距今约 4000 ～ 3700 年；三期为四坝
文化遗存，年代为距今 3700 ～ 3600 年，下限可至距今 3500 年前后。

简报称，通过对西城驿遗址的发掘，明确了马厂晚期—西城驿二期遗存—四坝
文化这一完整的地层序列，其中明确了四坝文化的来源。

平凉市

1215.灵台白草坡西周墓

作　者：甘肃省博物馆文物组　魏怀珩、伍德煦
出　处：《文物》1960 年第 12 期

1967 年 9 月，甘肃省灵台县西屯公社白草坡大队发现了 1 座西周墓葬。考古人
员对该墓作了清理发掘，出土了一批重要文物。简报分为：一、出土器物，二、对“潶
伯”等问题的初步认识，共两个部分。有手绘图等。

据介绍，白草坡西周墓出土铜器、玉器等各类文物共 340 余件。铜器（包括饰件）
达 324 件，内有铭文的 12 件。其中铭文作“潶伯”的 3 件铜器，其花纹、风格与其
他铜器不同。简报认为“潶伯”为此墓墓主人，应是一个显赫的贵族奴隶主。

简报称，此墓还出土 1 件玉俑，发作螺髻形，穿耳，赤膊无衣，足下呈坡形铲状。此俑的螺形发饰，不同于古代戎族"被发"的风俗，表明是华夏人的形象。但玉俑形象十分粗陋，并且赤膊无衣。简报认为是奴隶形象，但是为什么要做这样 1 个形象的玉俑，是一个需要进一步研究的问题。

1216.甘肃泾川发现早周铜鬲

作　者： 泾川县文化馆　刘玉林
出　处： 《文物》1977 年第 9 期

1972 年 12 月，泾川县泾明公社蒜李大队庄底生产队社员在土崖上挖出铜鬲 1 件。考古人员赴现场进行了清理，发现铜鬲出自一长方形土坑竖穴墓内，墓壁除西部一部分挖去外，其他部分保存基本完好。简报配以拓片和照片予以介绍。

据介绍，人骨架已朽，仰身直肢，头东足西。头部有骨簪 1 枚，颈部有贝 6 枚，右侧子部有大贝 1 枚。近人骨架骨盆处有狗头骨和前肢骨。墓底中部有腰坑，坑内有黑灰、木炭、红陶片和一块猪骨。在人骨架头部有生土二层台，台上放置铜鬲。铜鬲三袋足分裆，直耳，颈饰饕餮纹。器体厚重，锈色深绿，腹内有铭文。

据文献记载，泾川在商及周初为阮、共之地，后被周文王所灭。泾川地区过去出土铜器甚少，这件铜鬲从花纹和形制上看，具有早周铜器作风，这样就为在泾川寻找早周铜器提供了重要线索。

1217.甘肃灵台白草坡西周墓

作　者： 甘肃省博物馆文物队　初仕宾等
出　处： 《考古学报》1977 年第 2 期

白草坡在甘肃灵台县城西北 15 公里。1967 年 9 月，西屯公社白草坡大队在平田整地时，发现一座崩塌了的西周墓（M1）。1972 年 10 月，考古人员在 M1 附近继续发掘西周墓 8 座（M2～M9），车马坑 1 座（G1）。简报分为："墓葬形制""车马坑和车马""随葬器物""铜器铭文考释""墓葬的年代""几个问题的探讨"等几个部分，将前后两次工作结果合并介绍，有照片、手绘图。

据介绍，发掘的 9 座墓、1 座车马坑，可分南、北二区，相距约 60 米。北区山坡开阔平缓，有 M3～M9 共 7 座墓葬，由南而北分三排：M3～M5 三墓并列，在南；M6、M7 在中；M8、M9 在北。M6、M9 二小墓分别在 M7、M8 二中型墓之旁，似为陪葬墓。南区地形陡峭，发掘 M1、M2 和车马坑一座，M1、M2 相距 17 米，车马坑居其中。除 M2、M9 保存完好外，余均遭早期盗掘（M3～M8）或自然破坏（M1、G1）。被早期盗掘的墓葬破坏严重，出土遗物很少。车马坑的西部亦被山水冲刷坍毁，但出土遗物仍相当丰富。这批墓葬都是长方形竖穴土坑墓。除 M6、M9 是小型墓外，余均为中型墓。中型墓底部都有腰坑，M2、M7 腰坑内有狗骨 1 具。均有木质葬具，已全部腐朽。M7 最大，M9 最小。M1 和 M2 二墓基本相同，结构较复杂，随葬器物最丰富。

简报称，随葬品中有几项值得注意：

一是 M2 出土的工具，为当时军队行军打仗时车辆必带的修车工具，可印证《管子·海王篇》所记不虚。

二是 M1、M2 腰坑上部各出 1 玉人，原来可能系于死者腰间，其制作似经有意的丑化。从形象看，M1 出土的玉人，具有南方炎热地区民族的特色。M2 出土的玉人，高冠华服，捆绑四肢，颇似洛阳东郊西周墓的玉奴隶俑。玉人当为战俘的象征。

这批墓的墓主，简报认为是"鬼方""猃狁"。这批墓葬，正值周王朝与鬼方发生战争之时。发掘发现此处遗址与河南浚县、洛阳的西周墓有相似之处，似乎与西周时被迁至甘肃的漂伯有关。

1218.甘肃灵台桥村齐家文化遗址试掘简报

作　者：甘肃省博物馆考古队　刘　唯
出　处：《考古与文物》1980 年第 3 期

灵台县位于甘肃省平凉地区，地处陇东黄土高原的南部。桥村遗址位于灵台县西北约 20 公里的西屯公社北庄大队，总面积 1 万平方米以上。1978 年秋，考古人员对该遗址进行了试掘。简报分为：一、地层情况，二、遗迹，三、遗物，四、结语，共四个部分。有手绘图。

据介绍，计发掘灰坑 7 个，发现有丰富的陶片、石器、卜骨等。时代简报推断为客省庄二期。甘肃陇东的齐家文化与陕西龙山文化的关系是密切的。简报指出，这次试掘为我们进一步探讨它们之间的相互关系，提供了新的资料。

1219.甘肃灵台两座西周墓

作　者：刘得祯
出　处：《考古》1981 年第 6 期

考古人于 1975、1976 年分别在百里公社寺沟大队和五星公社郑家洼大队清理了

2 座小型西周墓葬（M1、M2），出土了一批文物。简报配以照片、拓片、手绘图予以介绍。

据介绍，M1 是百里公社寺沟大队 1975 年 3 月耕地时发现的，已被盗，出土铜鼎、銮铃、陶鬲、玉斧、贝等 61 件。M2 是五星公社郑家山大队农民 1976 年挖出一件铜鼎出卖后，考古人员循线索赶赴现场发现的。此墓位于县城西南 15 公里一个叫"原垴洼"的地方。出土器物 16 件，有铜鼎、陶鬲等。M1 年代早不过于康王，下限至于穆王时代，定为西周中期为宜；M2 应定为西周早期，即武、成之世。

1220.甘肃庄浪县出土的寺洼陶器

作　者：庄浪县文化馆　丁广学
出　处：《考古与文物》1981 年第 1 期

庄浪县位于甘肃省东部渭河支流葫芦河流域。自 1958 年省文物普查队在川口柳家村发现寺洼文化遗存以来，近年又陆续发现了多处寺洼文化遗址。《考古》1963 年第 1 期，曾简要介绍了 1962 年对柳家村寺洼墓葬的发掘情况。此简报则介绍了 7 处遗址，兼及部分采集的文物，有照片。

据介绍，这批遗址计有川口柳家村遗址、朱家大湾遗址、水洛贺子沟遗址、盘安王宫遗址等。所出陶器可分甲、乙、丙三组。在年代上，似乎甲组早于乙组，乙组早于丙组。它们除了在年代上有早有晚以外，是否属于寺洼文化中的不同文化类型，有待进一步研究。

1221.甘肃庄浪县徐家碾寺洼文化墓葬发掘纪要

作　者：中国社会科学院考古研究所泾渭工作队　胡谦盈
出　处：《考古》1982 年第 6 期

徐家碾村位于渭河上游葫芦河支流水洛川的北岸，西南距庄浪县城约 3.5 公里。在水洛川沿岸的台地上，分布着许多寺洼文化遗址和葬地。1978 年 11 月，考古人员进行调查，在徐家碾村看到村民收集的很多寺洼文化陶器，其中两件陶器上有刻划符号。根据村民提供的地点，在村北狮子洼的断崖上发现数座残墓。发掘工作从 1980 年 5 月 12 日开始，至同年 7 月 15 日结束。简报分为四个部分予以介绍，有拓片、照片、手绘图。

据介绍，寺洼文化墓地位于徐家碾村西北狮子洼的台地上。墓葬都属竖穴土坑，大部分墓葬墓穴深度均为 2 ~ 4 米。个别墓葬竖穴深达 6 米左右。墓葬方向多为南北向。土坑墓穴构造异常整齐，凡属保存完整或大部完整的墓葬，其穴形往往具有以下 4

个特点：一是长方形土坑竖穴的底部略大于口部，若覆斗状；二是竖穴都是从坑口至坑底渐向外扩大的，穴四壁纵剖面近似斜直线（估计坑口原来可能有一段直壁"颈部"的）；三是竖穴平面的长宽尺寸，属于短宽形者即宽度等于长度二分之一或二分之一以上的墓，占了多数；属于窄长形者即宽度不及长度二分之一的墓，只占少数；四是竖穴两端的尺寸往往不尽相同，常常是人架头向一端略宽于另一端，例外者罕见。葬具为木棺或木椁，均已朽。葬式为单人仰身直肢葬和二次葬。

简报称，这次在徐家碾村发掘寺洼文化墓葬共 104 座，出土各类铜质、陶质、石质和蚌质的遗物 2000 多件，是迄今寺洼文化考古工作规模较大、收获较丰富的 1 次发掘。在发掘的 104 四座墓中，随葬青铜器的墓只占极少数，而且每座墓往往只出土 1 件，最多者也只有 5 件或 6 件。尤其值得注意的现象是，各墓所出青铜器都是兵器、用器和装饰品一类的器物；另外有的墓随葬马或牛，甚至有殉人现象，但墓内只出土数枚铜泡，无其他青铜器随葬。以上现象，似表明青铜器在当时尚属一种不易多得的贵重物品。约 6.7% 的墓葬有殉人，还有车马坑的存在，简报认为此处遗址应已处于寺洼文化晚期，似乎已进入奴隶制社会。寺洼文化属先周文化，应是周文化形成与发展的一种重要因素。

1222.甘肃崇信于家湾周墓发掘简报

作　者：甘肃省文物工作队　宋　涛、马建华
出　处：《考古与文物》1986 年第 1 期

于家湾西距崇信县城 5 公里，由于雨水的冲刷，墓地分割成东西两区，两区都有暴露的墓葬，发掘工作是在东区进行的。这次共发掘墓葬 16 座（M1 ～ M16），发现马坑 3 座，清理 2 座（K1、K2）。简报分为：一、墓葬形制，二、马坑，三、随葬器物，四、结语，共四个部分。有照片、手绘图。

据介绍，这批墓葬均为小型长方形竖穴土坑墓。墓底平直，无腰坑。除较大的 1 座墓 M9 外，其余都无二层台。墓内填土系五花土，未经夯打。在 16 座墓中，M6、M7、M8、M14 未见棺的痕迹。M1、M11、M13 有棺木朽迹，但腐朽严重，形制不详。M2、M3、M4、M5 据板灰可分辨出为 Ⅱ 形棺。M9、M10、M12、M15、M16 为长方形棺。大部分板灰上都附有红色漆皮。头向均朝北。骨架大部分保存完好，葬式为仰身直肢，其中只有 M12 为仰身屈肢。随葬品一般较简单，多为一陶鬲及其他一些小件器物。唯 M9 较为丰富，有铜礼器、兵器、陶器、装饰品及海贝等。马坑一埋马 5 匹，一埋马 10 匹，马显系被杀死后埋入的，应不是已发掘墓葬的陪葬坑。于家湾周墓的年代互相衔连而又有早晚之分，其上限在先周时代，下限则在西周初年。

简报称，上述发现为今后探讨西周初年以至先周时代周人的活动地域及文化面貌等提供了重要资料。

1223.甘肃灵台县又发现一座西周墓葬

作　者：史可晖
出　处：《考古与文物》1987 年第 5 期

1983 年 10 月 9 日，灵台县新集公社崖湾大队东庄生产队在该队饲养站挖土垫圈时，发现西周铜甗 1 件。考古人员进行了清理性挖掘。简报配以照片、拓片予以介绍。

据介绍，铜甗系出自 1 座墓葬。该墓为长方形竖穴土坑墓，早年被盗，填土全经翻动，从墓口至墓底发现有少数散乱的铜泡、蚌泡饰、兽骨、残陶两片和残玉器片等。葬具已朽且被扰乱，仅东面保存较好。据遗迹判断，为 1 棺 1 椁，周围有红色漆皮。简报推断此墓为西周早期康王时或稍晚时墓葬。当时这一带有一支强悍的民族鬼方，又称"猃狁"，对周王朝构成威胁。西周王朝在这一带派驻有重兵防范。

1224.甘肃平凉发现一件商代铜镜

作　者：高阿申
出　处：《文物》1991 年第 5 期

1983 年 3 月，考古人员在甘肃省平凉县的废品回收站拣选出 1 件铜镜。简报配以拓片予以介绍。

据介绍，这件铜镜保存完好，圆形，直径 6.8 厘米，厚 0.1～0.2 厘米。镜面微凸，有淡淡的水银光泽。桥形纽，纽高 0.54 厘米。纽外饰双凸弦纹两周，其间饰疏密有度的竖线纹，重 35 克。简报推断其应为商代晚期的遗物。

1225.甘肃崇信香山寺先周墓清理简报

作　者：崇信县博物馆　陶　荣
出　处：《考古与文物》2008 年第 2 期

香山寺墓地位于崇信县南部赤城乡，地处泾河支流的黑河上游北岸山坡上。1984 年，考古人员对崇信县九功乡于家湾周墓进行考古发掘时，到赤城乡考古调查，在香山寺路旁的断崖处抢救性清理了一座先周墓（编号 84CXM1）。出土器物由县文化馆收藏。简报分为"墓葬形制""出土器物""结语"三个部分予以介绍，有照片。

据介绍，香山寺墓地 84CXM1 未出土铜器。陶器的基本组合是鬲、罐。陶鬲为高领袋足，有无耳和双耳两种。陶罐依据形态特征可以分为圆肩罐、单耳罐、双耳罐，未发现腹耳罐。简报推断，香山寺墓地的年代上限在先周时期，下限则在西周初年。

简报称，高领袋足鬲被视为先周文化的典型器物之一，其分布以宝鸡地区为中心，范围已达陇东区，香山寺和于家湾墓地即为明证。因此，探索先周文化除关中地区的渭水流域外，陇东泾水流域是一个十分值得注意的地区。

酒泉市

庆阳市

1226.甘肃庆阳发现商代玉戈

作　　者：庆阳地区博物馆　许俊臣
出　　处：《文物》1979 年第 2 期

1977 年 11 月，庆阳县董志公社野林大队瓦畔生产队农民在挖窑时发现 1 件玉戈，当即送交庆阳地区博物馆收藏。

简报介绍，玉戈保存完好，援呈三角形，微下曲，前锋尖锐，直内，近栏处有一圆穿，内末有齿状小突起。栏的前方中部竖行阴刻"乍册吾"3 字。这件玉戈与殷墟妇好墓出土的玉戈，不论形制、大小、风格，都很相似。戈上字体接近殷墟卜辞第一期（武丁），简报推断它的时代也应与之相近。这件玉戈的出土，为探索殷商文化在西北地区的传播和发展情况，提供了重要资料。

1227.甘肃庆阳地区出土的商周青铜器

作　　者：庆阳地区博物馆　许俊臣
出　　处：《考古与文物》1983 年第 3 期

1973 年以来，甘肃省庆阳地区合水、环县、正宁、宁县、庆阳、镇原六个县，先后发现鼎、爵、觚、簋、甗、鬲、盘、盉、壶、戈等青铜器。简报配以照片、拓片，先行介绍有确切出土地点的铜器。

1981 年 8 月，庆阳县韩滩庙嘴农民挖窑时，发现 1 座土坑墓，出土觚、爵、鼎各 1 件。

现藏庆阳地区博物馆。有1件爵上有"鸟祖癸"三字铭文。这些铜器当属商代晚期遗物。

合水县西华池公社兔儿沟林场有1处西周墓葬区。1973年春，大队林场在平田整地时，发现3座相距不远的土坑墓。墓室已被破坏。出土器物悉数被收集，藏于合水县文化馆。1号墓出土夹砂绳纹灰陶鬲1件、素面灰陶壶1件；2号墓出土蚌饰12枚、贝饰3枚、单孔蚌刀3件；3号墓出土石刀、石斧、铜鼎、铜簋各1件，铜戈2件。1978年在另1墓中又出土铜鼎、夹砂绳纹灰陶鬲各1件。

宁县湘乐公社玉村生产队李德玉，1981年12月挖窑时，发现1座土坑墓，出土铜甑、铜鬲各1件。

镇原县太平公社捡边大队徐湾生产队农民李拴民，1980年10月25日牧羊时，在一沟边挖草时，发现1座土坑墓，墓室被破坏，出土铜器保存很差，锈蚀十分严重。

简报指出，庆阳地区是否为周人先祖居住地，是考古工作者在思考的一个问题。这一带寺洼文化遗址较多。有人认为寺洼文化应属羌族文化，但也有人认为寺洼文化就是土著的先周文化。

1228.甘肃庆阳韩家滩庙嘴发现一座西周墓

作　者：庆阳地区博物馆
出　处：《考古》1985年第9期

1981年8月，甘肃庆阳县温泉公社温泉大队西庄生产队韩家滩庙嘴的百姓在挖窑时，挖出了戈、爵、觚3件青铜器。考古人员到现场作了调查。1983年6月再到现场进行了详细调查，并清理了已被破坏的残墓。简报配以手绘图、照片、拓片予以介绍。

据介绍，这座墓葬位于200米×150米的一处寺洼和周代遗址内。墓为长方形土坑竖穴，东西向，明显看出有棺无椁。墓主骨架保存基本完整。直肢俯身葬，牙齿整齐有序，磨损不大，是一中年男性。双手曲于胸前，口内含贝31枚，双足下有贝6枚，胸前置小蛤蜊1枚，棺右侧二层台置爵、觚、戈、镞、胄泡等。埋葬时棺上下均铺苇席，板灰下席纹清晰可辨。骨架涂有朱砂，髋下有圆形腰坑，内葬一只小狗。出土器物共46件。此墓年代简报推断最晚应为西周早期，即武、成之世。

1229.甘肃合水、庆阳县出土早周陶器

作　者：许俊臣、刘得祯
出　处：《考古》1987年第7期

1984年，考古人员先后在合水县兔儿沟、庆阳县巴家咀两地发现早周残墓，并

进行了清理，出土几件有代表性的早周陶器。简报配以照片、手绘图予以介绍。

据介绍，兔儿沟残墓两座（M5、M4），出土有陶器3件。庆阳县巴家咀农场人员挖窑时，在距地表深2米多处，挖出了灰层、人骨架等，出土了一些陶器，可惜多被破坏。考古人员赴现场调查，并收回了3件陶鬲。这些文物的出土，为进一步研究早周部落在这一地区的活动及其文化提供了很好的实物依据。

1230.甘肃西峰市出土的西周陶贝

作　者：何　翔
出　处：《文博》1991年第3期

甘肃庆阳地区博物馆陈列钱币展览时，清理了该本馆收藏的1979年西峰市火巷殡葬馆工地发现的西周墓葬中出土的陶贝，并对其逐个进行了实测和对比，发现其与骨贝、石贝、蚌贝的形制、用途相类似。简报配以照片予以介绍。

据介绍，这批陶贝共为40余枚，为灰泥陶质，质地松软，均系手捏泥胎烧制而成。

简报称，西周末期到春秋战国，正是金属铸币兴起、贝币逐渐退出通货领域的时期。这时真贝的流通量已开始减少，出现了用各种材料制作的仿制贝。在一些西周、春秋战国墓葬中大量出土的骨贝、石贝、蚌贝正是这种反映。地处边陲的陇东，贝币的使用大致同中原一样，当无真贝传入时，则以泥烧之，代行真贝之货币意义。当然，这些陶贝也可能是随葬品或装饰品。

1231.甘肃镇原出土人头形陶盖纽

作　者：甘肃省镇原县博物馆　王博文
出　处：《考古与文物》2006年第6期

1987年，甘肃省镇原县博物馆文物普查时，在镇原县三岔高庄遗址出土人头形器盖盖纽1件，被国家文物局文物鉴定专家组定为国家一级文物。简报配以照片予以介绍。

据介绍，这件盖纽为细泥质红陶。人脸近圆形，额与眼眉间的分界线不明显。眼以两个扁圆孔表示，鼻呈三角形隆起，有两个小鼻孔。嘴为扁圆形洞，两耳捏塑而成，下端各穿1个小圆孔，用来垂耳饰之用。头稍上仰，凹面翘颌。制作方法运用了雕镂、捏塑、刻画等技法，兼写实、夸张于一体。简报推断，此人头形器盖纽为新石器时代齐家文化晚期的典型作品。

一般认为，齐家文化的时代，相当于中原地区的夏商时期。

定西市

1232.甘肃岷县杏林齐家文化遗址调查

作　者：甘肃省岷县文化馆　杨益民

出　处：《考古》1985 年第 11 期

齐家文化是洮河流域一种重要的文化遗存。1974 年 4 月，长江流域规划办公室考古队甘肃分队在岷县洮河流域调查时发现了杏林遗址，1982 年着重对杏林遗址作了 1 次较细致的调查。简报分为：一、概况，二、遗物，三、结语，共三个部分。有手绘图。

据介绍，杏林遗址在岷县境内，地处洮河以东 1 公里的二级台地上，北依山，东距杨家台村 2 公里，南逾杏林大队即洮河，西临公路。杏林齐家文化遗址出土的陶器占比重很大，陶器种类虽不多，但陶质陶色较复杂；折肩折腹器多，且折棱明显；双大耳罐及一般器物均低矮，虽多手制，但造型精细，个别器物表面打磨光滑；手制多见单耳罐、侈口罐、大口双耳罐等；纹饰仅施于高领罐和侈口罐的下部，均为粗细均匀的竖形细绳纹或刻划纹，遗址中除少量马家窑类型陶片有彩绘外，齐家文化遗物未见其他纹饰。通过对杏林遗址发现的石、骨、陶、铜器特点的研究分析，简报认为该遗址是洮河流域典型的齐家文化遗址。它虽同永靖秦魏家遗址的文化内涵相似，但又有其自身的特点。

1233.甘肃岷县发现四处寺洼文化遗址

作　者：杨益民

出　处：《考古》1991 年第 1 期

1983 年，考古人员在岷县搞考古调查时，沿县境内古遗址分布较集中的城北洮河一带调查了三十几处古文化遗址。其中，着重对 4 处典型的寺洼文化遗址作了详细的考古调查，收集了一些完整的器物标本。简报配以照片、手绘图予以介绍。

据介绍，此 4 处遗址为：中寨乡的红崖村遗址、白塔村遗址，茶埠乡石嘴村的姚庄遗址，西江乡的铁尺村王铁嘴遗址。有些陶器在其他寺洼遗址不多见或有很大区别。

1234.甘肃岷县占旗寺洼文化遗址发掘简报

作　者：甘肃岷文物考古研究所　马智全、韩翀飞、庞耀先、陈国科
出　处：《考古与文物》2012 年第 4 期

岷县占旗遗址是甘肃岷县讥河沿岸新发现的 1 处寺洼文化遗址，该遗址共发现各类墓葬 66 座，房址、灰坑、祭祀遗存等遗迹近 20 处。出土器物包括陶器、铜器、石器、骨器和装饰品等。岷县占旗遗址的发现，对于进一步认识寺洼文化有着重要意义。简报分为：一、地层堆积，二、墓葬举例，三、其他遗迹，四、出土器物，五、小结，共五个部分。有手绘图。

简报称，这次考古发掘出土的墓葬和居住、祭祀等遗迹，为我们进一步研究寺洼文化提供了新的材料。尤其需要说明的有以下几点：

一是占旗遗址所出陶器较多，类型多样。M48 中寺洼文化的陶器与辛店文化的陶器共同出现，说明了寺洼文化与辛店文化的某种程度上的共时存在。辛店文化重点在洮河下游传播，这次的考古发现使我们认识到辛店文化与寺洼文化的相互联系。

二是占旗遗址所出寺洼文化的铜器，制作精美，类型多样，说明了寺洼时期青铜文化的发达，其中尤以兵器见长，具有重要的研究价值。

三是关于寺洼文化的起源，有学者怀疑与齐家文化有关。而这次在占旗遗址早期地层 M61 中发现有齐家文化类型的腹耳壶，H3 中也有齐家文化的陶豆，说明了寺洼文化与齐家文化存在着传承关系。

四是出土器物上的牛头纹饰及相关青铜器物，表明寺洼文化应是一种游牧文化，很可能是羌文化的一个支系。

五是墓葬中出土的精美的石器、骨器和装饰品，说明寺洼文化社会生活的丰富多彩。对寺洼文化的葬俗研究，也很有价值。

陇南市

1235.甘肃西和栏桥寺洼文化墓葬

作　者：甘肃省文物工作队、北京大学考古学系、西和县文化馆　赵化成、柳春鸣
出　处：《考古》1987 年第 8 期

栏桥寺洼文化葬地位于甘肃省西和县红旗乡栏桥村，在西汉水东岸席家山向河谷延伸的缓坡上，葬地与河面高差约 50 米。1974 年进行文物普查时发现了栏桥葬地并搜集

10 余件器物，计有双马鞍口罐和石质、骨质生产工具。1986 年 10 月 25 日至 11 月 14 日进行了发掘。共发掘寺洼文化墓葬 9 座，出土陶、铜器二百余件。简报分为：一、墓葬概况，二、出土遗物，三、结语，共三个部分。有手绘图。

简报称，栏桥寺洼文化墓葬排列有序，应是 1 处氏族公共墓地。各墓随葬陶器的组合与形态基本相同，年代也应相近。关于这批墓葬的年代，经测定为公元前 1335±175 年，大体相当于商代中期前后。但简报认为这个数据似略偏早，推测栏桥寺洼文化墓葬的年代大体相当于商代晚期或西周早期。

临夏州

1236.甘肃永靖县张家咀遗址发掘简报

作　　者：黄河水库考古队甘肃分队　谢瑞琚
出　　处：《考古》1959 年第 4 期

1956 年，黄河水库考古队在刘家峡水库区进行调查时，即于永靖县河东乡张家咀村发现齐家和辛店文化遗址，1958 年进行了发掘。发掘工作从 1958 年 10 月 22 日开始，至 11 月 25 日结束，前后工作 39 天。简报分为：一、遗址地层，二、齐家文化，三、辛店文化，四、几点认识，共四个部分。有照片、手绘图。

据介绍，发现窖穴 92 座（其中辛店 86、齐家 6），灰沟 3 个，人骨架 1 具，还有陶器、石器、骨器、铜渣等遗物。铜渣的发现，似乎表明辛店文化时已会铸造铜器。

1237.甘肃临夏姬家川遗址发掘简报

作　　者：黄河水库考古队甘肃分队　谢端琚
出　　处：《考古》1962 年第 2 期

姬家川遗址原属甘肃永靖县白塔乡，现划归临夏市白塔公社三合生产队区域内。遗址位于黄河西岸的 1 个椭圆形台地上，东临羊圈沟，西面是 1 片广阔的耕地。这个遗址早在 1956 年黄河水库考古队调查刘家峡水库时即已发现。1960 年春又进行了一次复查，并于同年 6 ～ 7 月进行了发掘。简报分为：一、齐家文化，二、辛店文化，三、结语，共三个部分，有手绘图。

据介绍，共发现齐家文化房子 1 座、窖穴 1 个及石器、陶器，辛店文化房子 1

座及石器、陶器、骨笄等。可见姬家川遗址包含齐家文化和辛店文化的两种堆积，以辛店文化层为主。值得注意的是，辛店文化的房子和墓葬的发现，为研究当时居民的住屋建筑与埋葬习俗提供了新的资料。齐家文化的相对年代应早于辛店文化的。

1238.甘肃永靖大何庄遗址发掘报告

作　　者：中国科学院考古研究所甘肃工作队

出　　处：《考古学报》1974 年第 2 期

永靖县属甘肃省临夏回族自治州。莲花城为旧县治。大何庄在莲花城的西南约 1.5 公里处，遗址位于村南 500 米的 1 个台地上。北面有 1 条自唵歌集通往莲花城的公路。遗址的面积约 53000 平方米，在西边和南边的断崖上，都暴露有厚约 1.5 米的灰层，内含有齐家文化的陶片、白灰面、红烧土残块以及墓葬等。遗址的东部和北部灰层较薄，厚 0.5 米左右。这个遗址因为台地的面积较大而且周围都是断崖，灰层又很厚，所以当地百姓称它为"大台子"或"大灰台"。遗址前后发掘 2 次：第 1 次自 1959 年 5 月 8 日至 7 月 4 日，第 2 次自同年 8 月 20 日至 11 月 25 日。1960 年 10 月间，在遗址西部又发现一些遗迹（红烧土及白灰面残迹），考古人员作了简单的清理。整个遗址的堆积以及所发现的房屋、居住面、窖穴、"石圆圈"和墓葬等遗迹，除 9 座汉墓外，都属于齐家文化。

简报分为：一、遗迹与地层，二、建筑遗存，三、墓葬，四、文化遗物，五、自然遗物，六、结语，共六个部分。配以照片、手绘图，介绍了齐家文化遗址的全部发掘资料。

据介绍，此遗址辛店文化发现有房屋、居住面和储存东西的窖穴等建筑遗存，简报绘出了复原图，但对整个村落的情况仍不了解。墓地与住地相毗连，发掘墓葬 82 座，均为长方形土坑竖穴墓。出土遗物有石器、骨器、陶器、羊卜骨以及粟、兽骨等。年代简报推断与商代早期相近。

1239.甘肃永靖莲花台辛店文化遗址

作　　者：中国社会科学院考古研究所甘肃工作队　谢端琚

出　　处：《考古》1980 年第 4 期

莲花村位在永靖县旧城的东南部约 0.5 公里，北与张家咀村隔大夏河相望，原隶属永靖县莲花公社管辖。莲花台遗址即位于莲花村东南部的台地上，东临大夏河，西近蒋杨家，南有1条自南往北注入大夏河的旱水河。南北向的临永公路（自临夏市至永靖县莲花城）横穿过遗址的中部，遗址上公路所经过的地段都遭到了不同程度的破坏。遗址所在的台地略呈长方形，中间有一南北向干沟，把遗址分割成东西两个坪台：西边的坪台俗名"瓦渣咀"，东边的坪台俗名"黑头咀"。莲花台遗址是1956年黄河水库考古队在刘家峡水库区进行普查时发现的（RG1），1959年进行了1次发掘。简报分为六个部分予以介绍，有手绘图。

据介绍，莲花台是1处保存较好、规模较大的辛店文化遗址，包含有张家咀与姬家川两种类型的遗存。遗址西部瓦渣咀属于张家咀类型，遗址东部黑头咀属于姬家川类型。瓦渣咀与黑头咀在文化内涵上，既有其共同性，又存在着不少的独特性。两者的经济生活皆以农业为主，畜牧业为副。农业生产工具主要是石斧、石刀和骨铲，还有粮食加工工具石样与研磨器等。同时，都出现冶铜业，铜器经鉴定都是青铜器。在制陶业上，皆以夹砂红陶系为主，陶质都比较粗糙。瓦渣咀遗址的年代要比黑头咀的早些，应在公元前1000年左右，相当于商代。此遗址发现的青铜刀、骨哨、彩陶罐上光芒四射的太阳纹等，均引人注目。

瓦渣咀的墓葬也是这次发掘的收获之一，它在张家咀类型中算是第1次发现的。墓葬为长方形竖穴土坑墓，仰身直肢葬，头向东北，骨架保存较好。在黑头咀的窖穴中，值得注意的是在1个窖穴（H185）中埋有2具骨架：1为仰身直肢葬；1为侧身屈肢葬，头东脚西。这种葬式与齐家文化的成年男女合葬墓是极为类似的。这或许说明了辛店文化还受到了齐家文化的影响。

1240.甘肃东乡崖头辛店文化墓葬清理记

作　者：甘肃省博物馆文物工作队　周广济
出　处：《文物》1981年第4期

1977年9月，崖头生产队平田整地时，发现了辛店文化墓葬。考古人员进行了调查，并清理墓葬4座。崖面上暴露的灰土厚约2米，在下面发现半地下穴式房址。地面和穴壁用红黏土草拌泥铺抹，表面平整光滑。房址内堆积有木炭碎屑等，当是房屋被烧毁的遗迹。简报配以照片、手绘图予以介绍。

据介绍，辛店文化墓葬分布较广，在约10000平方米的范围内，到处都有发现，但比较稀疏，随葬器物也较少。墓圹多为长方形竖穴土坑。单人葬，仰身直肢，头南足北，随葬器物置于足侧，未见葬具。清理的4座墓葬，1座破坏较甚，3座保存完好。随葬品有陶器等。

1241.甘肃临夏莲花台发现辛店文化遗物

作　者：临夏回族自治州博物馆　石　龙、李成端
出　处：《文物》1984年第9期

1981年初，甘肃省永靖县图书馆征集到铜罐1件、陶罐5件、骨镞1件。据了解，这7件遗物是在邻近刘家峡水库的临夏县莲花公社莲花台上东沟老爷坟出土的。简报配以照片予以介绍。

简报认为此次发现遗物，为辛店文化遗物。辛店文化是黄河上游青铜器时代的文化，冶金技术比齐家文化进步。在多处辛店文化遗址中都曾有铜器出土。这次发现的双大耳铜罐为红铜质，完全承袭了辛店文化陶器的形制特征，反映了当时铜器制作工艺的发展水平。

1242.甘肃宁县宇村出土西周青铜器

作　者：许俊臣、刘得祯
出　处：《考古》1985年第4期

宇村属宁县湘乐公社，东南距湘乐镇13公里，西南距县城75公里。1981年12月，农民李德玉在宇村大队谢家队西边沟畔修半穴式庄基时在距地表不到2米处挖出西周铜器甗、鬲各1件。1983年9月，庆阳地区博物馆派员再次对其出土地点进行了详细调查。简报配以手绘图、照片予以介绍。

据介绍，这里是1处内涵相当丰富的西周文化遗址。从沟畔和4处半穴式庄基的断面上可看到的遗迹有袋状灰坑、住室、墓葬等。地表上散布不少陶片，可辨器类有：绳纹褐陶鬲、细泥灰陶罐、豆、簋等，均属周代的典型器物。出土铜器的地点确属1座墓葬，似为竖穴土坑墓，2具骨架，仰身直肢。共出土器物30件，其中铜器22件，骨、蚌器8件。此墓的时代简报推断为西周晚期。

简报称，此墓虽出土的大型器物不多，但出土了极为精美的禽兽柄匕，匕柄纹饰雕刻精湛，兽口中的人头形象真实，可见并非一般之物；铜虎和铜饰也是难得的周代珍品。3件虎饰纹饰简朴，形象逼真，均为右向，背口平齐，是否系周代的军用之物兵符，值得考虑。这些器物应是象征一定特权的信物。

1243.甘肃积石山县新庄坪齐家文化遗址调查

作　　者：甘肃省博物馆　贾建威
出　　处：《考古》1996 年第 11 期

新庄坪遗址于 1976 年公布为县级文物保单位。考古人员于 1989 年 10 月对其进行了全面的调查。简报分为：一、遗址概况，二、采集遗物，三、结语，共三个部分。有手绘图。

遗址位于甘肃省临夏回族自治州积石山县银川乡，大何庄和秦魏家两个齐家文化遗址距新庄坪遗址约 10 公里。遗址东西宽约 500 米，南北长约 600 米，东靠多多山，西至银川河，南到新庄上队西沟，北至尕寺根，面积较大，包括 1 个完整的齐家文化遗址和墓葬区。在马家沟断崖上，距地表深 1 米左右发现有大量灰层，厚约 3 ～ 4 米，内含许多人骨、石块和大量的泥质素陶片，从陶质看为齐家文化遗物。在崖头和尕寺根一带也发现大量灰层。而在庙地坎坡下发现有墓葬，但已被破坏，据反映，此地曾出土过人骨和陶器。在李家庄禾、后沟及多多山一带也发现有人骨，还出土过玉璧、石环、陶器等。

简报指出，新庄坪是 1 处规模较大的齐家文化遗址，文化内涵丰富，所采集到的文化遗物为我们研究齐家文化提供了新的资料。特别是这里也出现了青铜器，从而进一步证明齐家文化已迈入了青铜时代的门坎。新庄坪遗址的生产力应比大何庄遗址进步。

齐家文化遗址在临夏州永靖县大何庄、秦魏家也曾有发现。早在 1959 年即进行了发掘。随葬品、人骨架上遗留的红色染料痕迹及随葬品数量的悬殊等，值得引起重视。详见《考古》1960 年第 2 期文。

甘南州

1244.甘肃卓尼县纳浪乡考古调查简报

作　　者：甘南藏族自治州文化局　樊维华
出　　处：《考古》1994 年第 7 期

纳浪乡位于卓尼县东南部。东与定西地区岷县接壤，西、南与卓尼县木耳乡毗连，北隔洮河与临潭县总寨乡相望。遗址分布在临近洮河的黄土台地上。经 1981 年和 1987 年两次调查，共发现古文化遗址及墓地 5 处，它们分别是大族坪遗址（墓地）、石坡遗址、石嘴湾遗址、寺坪遗址和大坂子遗址。简报分为：一、大族坪遗址，二、石坡遗址，三、结语，共三个部分。介绍其中重要的大族坪遗址（墓地）和石坡遗址，有手绘图。

据介绍，2处遗址的齐家文化遗存，与齐家文化的大何庄—秦魏家属同一个文化类型，器物种类及其形态说明齐家文化在该遗址有过一段时间的发展。该类型的晚期遗存，产生了一些新的文化因素。除齐家文化遗存外，还有一种文化内涵特征鲜明、内涵统一的遗存。因其在陶质陶色、作风及某些器物形态上与寺洼文化存在着一定的共同因素，简报将其归入寺洼文化的范畴。但其与目前已知的寺洼文化诸类型之间，存在着十分明显的区别。

简报称，从整体上把握石坡和大族坪两遗址的整个遗存，不难发现齐家文化中孕育着的新因素，到 M1 的时期逐渐取得了主导地位，开始了新的文化阶段的发展。另外，此类遗存陶质陶色的繁杂、双耳罐形态的多样，具有初期发展阶段的特点。双耳罐数量上的优势特点，为尔后的寺洼文化诸类型所承袭，成为寺洼文化的一个显著特征，但更重要的是，它们为解决寺洼文化中最有代表性的器物——马鞍口双耳罐的起源，提供了早期的形态特征。

简报指出，大族坪 M1 和 M2 的发现，为解决寺洼文化的起源及其地望，提供了非常重要的线索。大族坪 M1 的年代上限简报推断可能在公元前 1900 年之后，约当夏代晚期或商代早期。

1245.甘肃卓尼县寺下川遗址发掘简报

作　者：甘肃省文物考古研究所　魏美丽、赵雪野
出　处：《考古与文物》2010 年第 2 期

卓尼县为甘南藏族自治州辖县，地处青藏高原东部，位于洮河上游。寺下川遗址位于卓尼县藏巴洼乡寺下川村西北约 200 米的洮河台地之上，周边分布有马家窑、齐家、寺洼文化遗址。2007 年，考古人员为配合九甸峡水电站的修建，对该遗址进行了发掘。简报分为：一、地层堆积，二、遗迹，三、出土遗物，四、结语，共四个部分，配以手绘图，先行介绍了遗址四区内 I 区的发掘情况。

据介绍，本次发掘的 1 组 3 座房址呈东南—西北向依次排列，相邻距离为 3～3.5 米，面积约 10 平方米，均为长方形半地穴式建筑，灶址居中，门道西南向。地面及墙壁涂抹白灰面，白灰面下铺均匀的草拌泥，草拌泥下的黄土层均经过夯打。据地层、房址形制及出土物推测，该组房址的年代和永靖大何庄遗址 F7 基本相同。遗物很少，仅为少量陶片、石器、兽骨。

1246.甘肃临潭磨沟墓地齐家文化墓葬 2009 年发掘简报

作　　者：甘肃省文物考古研究所、西北大学丝绸之路文化遗产保护与考古学研
　　　　　究中心　钱耀鹏、王　玥、毛瑞林、谢　焱
出　　处：《文物》2014 年第 6 期

磨沟墓地位于甘肃省临潭县东部的王旗乡磨沟村，地处洮河西南岸、磨沟河西岸。2008 ～ 2009 年，考古人员对磨沟齐家文化墓地进行了两次发掘，共发掘墓葬 600 多座。2009 年 8 ～ 11 月，继续对磨沟墓地进行第三次发掘，共发掘齐家文化墓葬 266 座、寺洼文化墓葬 21 座。简报分为：一、地层堆积，二、墓葬形制，三、出土器物，四、结语，共四个部分。有彩照、手绘图。

齐家文化墓葬 266 座，形制有竖穴土坑墓和竖穴偏室墓两大类，以竖穴偏室墓为主。出土了陶、铜、石、骨器等随葬器物，其中陶器数量最多。简报称，此次发掘所获得的一些新发现与收获，为进一步研究齐家文化的墓葬结构及葬俗提供了新的资料。

一般认为，寺洼文化晚于马家窑文化，年代大约在公元前 1000 年。

青海省

西宁市

1247.青海西宁发现卡约文化铜鬲

作　者：赵生琛

出　处：《考古》1985 年第 7 期

这件铜鬲是 1963 年秋天，在西宁市西郊区大堡子公社（现大堡子乡）鲍家寨西山根修建团结渠工程中出土的。简报配以照片予以介绍。

据介绍，青铜鬲保存完好，经调查，铜鬲出土处南距西宁朱家寨遗址的朱北村约 500 米，地当云谷川西岸的台地上。该台地背山面水，文物普查时曾发现卡约文化居住遗址，但平整土地时被破坏殆尽。铜鬲出土地南距朱家寨北山根卡约文化墓不远。这件铜鬲与河南省郑州市白家庄出土的商代铜鬲器形与花纹比较接近。因此，简报推断其年代与郑州白家庄出土的铜鬲相当。

简报称，出土这样完整的铜鬲，尚属首次发现，对研究卡约文化的内涵及其断代提供了新的、重要的实物例证。

1248.青海湟源县大华中庄卡约文化墓地发掘简报

作　者：青海省湟源县博物馆、青海省文物考古队、青海省社会科学院历史研究室

出　处：《考古与文物》1985 年第 5 期

湟源县地处湟水上游，平均海拔高度在 3000 米左右，湟水自西北蜿蜒向东横贯全县。大华中庄位于湟水上游唯一较开阔平整的川谷地区。1982 年文物普查时在大华中庄发现卡约文化遗址、墓地各 1 处，当时分别登记为大华中庄遗址和大沟口墓地。遗址被大华中庄村庄所压。考古人员只能选择空地进行发掘。自 1983 年 7 月中旬至10 月底，共清理发掘 118 座墓葬、两处祭祀坑，出土文物 1000 余件。墓葬中除 1 座（M103）外均属卡约文化。简报分为：一、墓地概况，二、墓葬形制，三、埋葬习俗，

四、文化遗物，五、墓葬分期，六、结语，共六个部分。有手绘图。

据介绍，大华中庄卡约文化的117座墓葬都是竖穴土坑墓，但平面形状与墓室结构形式多样。除因保存不好而形状不明者外，按平面形状将墓葬分为长方形、椭圆形、三角形三类。单人葬、多人葬、儿童、成人墓皆有。葬式有仰身直肢葬，也有侧身屈肢葬，个别的还施行坐卧伸肢式的折腰葬，而绝大多数为二次葬。这种二次葬，是在埋葬后经过一定时间待肉体腐烂后再有意挖出来将骨骼扰乱，就原坑再行埋葬的一种葬仪。117座墓中，有随葬品的10座。随葬器物按质料分有陶、铜、石、骨、角等。其中生产工具很少，生活用具数量也不多，数量最多、种类繁杂的是装饰品。约有三分之一的墓葬随葬有马、牛、羊、狗等的骨骼。墓葬时代可分早、中、晚三期。

简报指出，大华中庄卡约文化墓葬的埋葬习俗以及随葬器物都具有显著特征。这个墓地的发掘，为了解卡约文化的地域分布，研究卡约文化的内涵，探讨卡约文化的发展系列及其与其他文化的关系都提供了很重要的新资料。

一般认为，卡约文化的年代大致相当于商周之时，但也有人认为其上限、下限还要更宽泛一些。

1249.青海湟源县境内的卡约文化遗迹

作　者：青海省文物考古队、湟源县博物馆　高东陆
出　处：《考古》1986年第10期

湟源县地处青海省东部农业区的西端，越过日月山（赤岭）即是青海湖和辽阔的牧业区。湟源县境内主要是高山峡谷，几乎没有较开阔的地方，境内的湟水、药水两大河流的两岸也不宽阔，卡约文化遗存主要分布在这两条水系两岸。

药水古称"羌水"，发源于日月山南端东北麓的野牛沟，自西南流向东北至湟源县城南的沙岭子与湟水汇合，是湟水上游最大的支流。卡约文化遗址在药水流域主要分布于日月乡与和平乡境内。日月乡有北京台、碉楼圈两处。和平乡有俄博元山顶、达根、元菜口、白水、茶曲、龙勃勃、大湾口、麻尼湾、归寺、高陵口牙豁、马家湾、堂堂、察汗素、俄博台、蒙古道15处。

湟水发源于海晏县境内，经巴燕峡入湟源县，自西北向东南流经湟源县城南沙岭子处折向东，出湟源峡（西硖峡）进入湟中县。湟水上游即指此段而言。湟水上游较药水流域稍开阔，并有3条小支流，但两岸最宽处也不足2公里。卡约文化遗址主要分布在湟水及其支流的两岸和大山之间的沟叉地方，城关镇与波航、大华、申中、沸海、塔湾和寺寨等乡皆有发现。波航乡有上北崖、鸡窝、元台、吊地、水

草沟、纳隆西坡根、三家大地、北崖土场 8 处。大华乡有净房、大华中学、大华中庄 3 处。沸海乡有巴燕峡、巴燕峡场面、阳坡根、尕山山、桌子掌、窑洞咀、尕梁梁、元山 8 处。塔湾乡有下山根、什克莫合儿、元山寺、阳坡、寺台、窑洞沟、朱家湾 7 处。申中乡有庙台、卡路咀、蚂蚁咀、星泉、俊家庄、山梁、前沟、大地 8 处。寺寨乡只贡家台 1 处。

简报称，卡约文化墓葬的随葬品，除了陶器、铜器外，较大型的墓葬多随葬马、牛、狗、羊等动物骨骼，一般都是用四肢及头骨或尾骨，没有完整的牲畜骨架。一般地说，陶器及小件随葬品置于棺内，马、牛等家畜四肢放于棺坑两边，蹄向与人足向一致，头骨置于人架头向两侧，尾骨大多放在棺坑一端的二层台处，羊及狗往往也放在棺内。湟源县境内的卡约文化遗存，简报认为已接近这一文化的尾声了。一般认为，卡约文化相当于中原地区的夏商时期。

1250.青海湟源莫布拉卡约文化遗址发掘简报

作　者：高东陆、许淑珍
出　处：《考古》1990 年第 11 期

莫布拉遗址是在1986 年进行全省文物普查时发现的。这处遗址在明清之际曾被作为当地回民的墓地。1958 年，又被平整为梯田和作为取土垫圈的场所。因此，破坏情况相当严重。1986 年，莫布拉村生产队决定在此地建1 座砖瓦厂。这样，在半年时间中遗址又进一步遭到了破坏。1986 年底，对此遗址进行复查时，在梯田断崖上到处可见明清时代的残缺墓葬和卡约文化时期的堆积层。鉴于破坏严重，已无法保存，考古人员对遗址进行了抢救性发掘。发掘工作自1987 年5 月上旬开始，至6 月中旬结束。发掘出明清时期的墓葬15 座、卡约文化墓葬1 座，发现了卡约文化时期的房屋4 座、灰坑4 个，出土文物20 余件、陶片百余片。简报分为：一、遗址地层，二、卡约文化房屋及灰坑，三、墓葬，四、出土文物，五、结语，共五个方面。有手绘图。

据介绍，在莫布拉遗址中，除明清墓葬和少量的汉代陶片外，其余的陶器和石器均属于卡约文化遗物，与大华中庄类型基本相同。卡约文化的墓葬过去发掘的数以千计，但对卡约文化遗址的发掘这还是首次。简报推测，卡约文化时期的莫布拉人，是以家庭为单位，过着纯畜牧经济的生活。大华中庄的下限在汉末魏晋之际（碳十四测定结果为公元 115±80 年）。所以，在莫布拉遗址中出有铁刀不足为怪。

简报称，莫布拉遗址虽然破坏严重，但发现的房屋遗迹为我们了解卡约文化晚期的居住情况及探讨当时的经济生活提供了宝贵的资料。

1251.青海大通县黄家寨墓地发掘报告

作　者：青海省文物考古研究所、吉林大学考古学系　高东陆、许永杰、李伊萍、
　　　　吴　平

出　处：《考古》1994年第3期

墓地位于青海省大通回族自治县黄家寨乡村东。黄家寨南距西宁市约27公里，地处西宁盆地的北部边缘，湟水上游的北川河由西北向东南从墓地东部流过。1985年春，青海铝厂筹建工程在这里大规模取土，取土过程中时有人骨和陶罐等发现。自1985年4月下旬至5月中旬，考古人员共清理墓葬27座，出土并征集文物123件。简报分为：一、埋藏形式，二、随葬器物，三、几点认识，共三个部分。有手绘图。

据介绍，黄家寨墓地清理的26座青铜时代墓葬在埋葬形式和随葬器物的内容上，存在着明显的一致性。M5、M6等5座墓葬及征集到的16件青铜器，种类齐全，制造精致，表明这是1处青铜时代的墓地。同时，这26座墓葬在墓葬形制、随葬器物的数量以及殉牲习俗上，又存在着明显的差异。其中M5和M16两墓相邻，墓穴宽大，随葬器物众多，使用牛、马、犬、羊等牲畜殉葬，死者长骨上涂有紫红颜色，M5墓主使用木棺下葬，这些与其他24座墓葬明显不同。M5墓主者为成年男性，M16墓主为成年女性，这是1对夫妻异穴合葬墓，这对夫妻生前所拥有的社会财富以及与此相联系的社会地位都优于同墓地的其他死者。作为货币原始形式的海贝，本墓地共出8枚，其中7枚出在大墓M5中，反映出少数人掌握有较多的社会财富。说明黄家寨墓地的文化已步入了阶级社会。

由壶、罐、豆和碗等器物构成的黄家寨墓地的陶器群，在文化面貌上，有着既类于齐家文化，又同于卡约文化的双重性质。简报认为黄家寨遗存是齐家文化向卡约文化过渡时期的1种考古学文化遗存。这种过渡性质还可以在本墓地所出的4件堆纹口绳纹罐这一器物上得到证明。这种器物在齐家文化晚期遗存和卡约文化早期遗存中有比较广泛的发现。目前，类于黄家寨遗存这种过渡性的遗存在互助总寨和民和山家头两处墓地也有发现。

又，据《考古》1964年第9期报道，1963年9月，考古人员在大通县发现了6处卡约文化遗址，其中毛尔刺坡、玛尼台、莱子口、龙眼口、龙翼5处属东峡地区，山城1处属宝库地区，遗物主要为制作粗糙的石器、陶器。由此可知卡约文化不仅分布于农业生产地区，也分布于海拔2500米以上的半农半牧地区。

海东地区

1252.青海互助土族自治县总寨马厂、齐家、辛店文化墓葬

作　者：青海省文物考古队　许新国
出　处：《考古》1986 年第 4 期

1979 年 6 月至 10 月、1980 年 4 月，考古人员在互助土族自治县沙塘川公社总寨大队发掘了一批墓葬，其中除 21 座墓葬属汉代，其余为马厂、齐家、辛店文化墓葬。简报分为：一、马厂文化墓葬，二、齐家文化墓葬，三、辛店文化墓葬，四、结语，共四个部分。有手绘图。

据介绍，马厂文化墓葬共发掘 6 座，地点在总寨村东北的寺儿台山地上。这里被修路破坏，部分墓葬显露地表，一般墓葬残留开口较浅，但墓葬内部大多数保存完好。葬式以仰身直肢葬为主，也有二次葬，但未见俯身葬和屈肢葬。未见木棺，随葬陶器制作粗糙。简报认为属马厂早期遗存。

总寨齐家文化墓葬为竖穴土坑墓，墓葬中在人骨脚下放置 1 对羊角的情况较为特殊。墓葬中反映出来的男女分工现象较为明显，如随葬铜器的墓葬均为男性墓葬，随葬纺轮的均为女性墓葬，这说明了女子在生产中地位的削弱，妇女已降至从属男子的地位。随葬品类别、数量有较大差别，证明财富的增长与财富聚集的不平衡性较为显著。总寨齐家文化墓葬较重要，为研究齐家文化的不同类型和分期以及同卡约、辛店文化的关系，提供了一批新资料。

总寨辛店文化墓葬仅 1 座，为偏洞式墓，其时代应相当于大通上孙家寨辛店文化墓葬晚期。

1253.青海化隆、循化两县考古调查简报

作　者：青海省文物考古研究所　孙鸣生、王国道
出　处：《考古》1991 年第 4 期

1986 年考古人员在化隆、循化 2 县进行了考古调查，这次调查共发现古代文化遗址 482 处，其中化隆县新石器时代遗址 38 处，青铜时代遗址 167 处；循化县新石器时代遗址 52 处，青铜器时代遗址 225 处。简报分为：一、地理环境，二、新石器文化遗址，三、青铜器文化遗址，四、结语，共四个部分。有手绘图等。

化隆、循化两县位于青海省东部，黄河上游地区。两县隔河南北相望，东以积石峡与甘肃省相连，北以八宝、青沙等山与湟水流域诸县接壤，西、南两面与海南州、黄南州为邻。境内南北两面高山雄踞，中间为河谷低地，黄河东西横贯。

调查表明，遗址中新石器时代文化遗存以马家窑文化为主，包括石岭下类型、马家窑类型、半山类型、马厂类型。分布地区集中在黄河沿岸及其支流的中、下游地区。以循化县白庄乡红土坡嘴子遗址为代表的石岭下类型的发现，是这次考古调查的重要收获。过去的资料反映出该类型分布的最西地点在积石峡以东的民和三川地区，循化县的发现说明该类型文化遗存在积石峡以西也有存在，其分布地域又向西前进了一大步。

调查还表明，青铜时代早期的齐家文化，在化隆、循化地区分布也相当丰富。其经济形态与分布范围基本与新石器时代的文化遗存相类同。同属青铜时代的文化遗存，还有反映青海地方文化特色的卡约文化，其分布广泛而又密集，从黄河沿岸到其支流的上游地区，甚至大山之上有水源的地方，均有卡约文化的分布。相对于新石器时代来说，这一时期人类活动的地域更为扩大，分布也更为密集。根据发掘资料，初步提出了"卡约类型""上孙类型""阿哈特拉类型"等概念。在这次全面调查中，尚未见到辛店文化的典型遗存，说明辛店文化没有发展到这一地区，至少目前是可以作这样结论的。

1254.青海省民和县古文化遗存调查

作　者：青海省文物考古研究所　吴　平
出　处：《考古》1993 年第 3 期

民和县位于青海省东部，在民和县。1982 年至 1987 年的全县文物普查中，总计发现不同时期、不同文化类型的遗存 659 处，其中新石器、青铜时代的遗存 559 处。简报分为：一、新石器时代，二、青铜时代，三、结语，共三个部分。有手绘图，文后附有两表，分列新石器时代、青铜时代遗址名称、位置、遗物等。

据介绍，民和县遗址存有新石器时代文化遗存主要是马家窑文化，包括石岭下、马家窑、半山、马厂 4 个类型。青铜时代文化遗存主要有齐家文化、辛店文化、卡约文化遗存。齐家文化遗存铜器少见，彩陶亦少。辛店文化遗存至乐都以西逐渐消失，卡约文化遗存至民和县境逐渐减少，这种情况表明了辛店文化从东向西，卡约文化从西向东分别发展，到交错地区，相互影响渗透，而产生了上孙类型。简报认为，上孙类型应归属于卡约文化范畴，而不应划入辛店文化。

1255.青海民和核桃庄小旱地墓地发掘简报

作　者：青海省文物管理处　格桑本、陈洪海
出　处：《考古与文物》1995 年第 2 期

核桃庄位于民和县西南 7 公里处，小旱地墓地位于核桃庄东山坡的台地上。墓地是农民打墙时发现的。1978 年至 1980 年，考古人员进行了 3 次发掘，以竖穴土坑墓为主，有少量偏洞墓，头龛、头坛、足坛普遍存在。随葬品主要是陶器。

1256.青海化隆县半主洼卡约文化墓葬发掘简报

作　者：青海省文物考古研究所、西北大学历史系考古专业、化隆县文管所
　　　　许淑珍等
出　处：《考古》1996 年第 8 期

简报分为四个部分，介绍了位于化隆县半主洼的卡约文化墓葬发掘情况，有照片。
卡约文化为青海的土著文化，主要分布于青海省的黄河沿岸和湟水流域。半主洼墓地位于黄河沿岸，但所出遗物与湟水流域上孙家寨遗址颇为接近，彩陶极少。墓地出土有铜刀等青铜制品，应属青铜时代遗存。

1257.青海化隆县上半主洼卡约文化墓地第二次发掘

作　者：青海省文物考古研究所　刘宝山
出　处：《考古》1998 年第 1 期

"上半主洼"是藏语的音译，其行政区域属化隆县雄先乡。该墓地位于上半主洼村北的森岗拉卡台地上，该台地为黄河上游北岸的第三台阶。整个台地比较宽阔平坦，土质松软，农作物生长发育良好。为配合国家重点工程李家峡水电站的建设，1988 年 5 月至 7 月在上半主洼进行了第 1 次抢救性发掘，1990 年 6 月至 8 月进行了第 2 次发掘，共发掘出卡约文化墓葬 62 座，出土各类随葬品 749 件，简报分为：一、墓葬形制，二、埋葬习俗，二、出土遗物，四、墓葬的分期，五、结语，共五个部分。有手绘图。

据介绍，作为卡约文化遗存的一部分，上半主洼与阿哈特拉及大通县上孙家寨毫无疑问有着较多的共同点，但它们之间却也存在着明显的差异。简报认为先不能把它归入阿哈特拉类型或上孙家寨类型，这要等到以后资料进一步丰富、研究进一步深入时再作定论。但有一点可以肯定，即上半主洼遗存应该属于黄河流域卡约文化的一个类型。

1258.青海民和县喇家遗址 2000 年发掘简报

作　者：中国社会科学院考古研究所甘青工作队、青海省文物考古研究所　任晓燕、王国道、蔡林海、何克洲、叶茂林

出　处：《考古》2002 年第 12 期

喇家遗址隶属青海省民和县官亭镇下喇家村，地处黄河上游的民和县官亭盆地。官亭镇西距青海省西宁市约 190 公里，从民和至甘肃临夏的公路经过该地。遗址距官亭镇 1 公里，坐落在黄河北岸二级阶地前端。考古人员 1999 年秋对喇家遗址进行初次试掘，2000 年 5 ～ 9 月进行正式发掘。据初步钻探调查，获知遗址总面积约 20 万平方米。根据发掘地点不同，目前将遗址分为 7 个小区。2000 年集中发掘了第 Ⅱ 区，同时亦对第Ⅲ、Ⅳ和Ⅶ区进行了零星发掘，揭露面积 500 余平方米，清理房址 7 座、墓葬 2 座、灰坑 15 座，出土陶器、玉器、石器、骨器共计 255 件。此次发掘不仅探明本遗址是具有宽大环壕的大型聚落遗址、在聚落内分布有密集的白灰面房址，而且还通过对房址的发掘，发现人骨遗骸，揭示出前所未见的灾难遗迹。简报分为：一、房址出土情况，二、室内出土人骨，三、室内出土遗物，四、结语，共四个部分介绍本年度Ⅱ区内两处反映灾难遗迹现象的房址（F3 与 F4），有手绘图。

据介绍，两座房址建筑有可能属窑洞式。4 个个体应属同一家庭成员，居室内人骨遗骸间接地反映出 F3 和 F7 内的成员是由单个家庭所组成的。七里墩类型经碳十四测定年为代距今 3800 ～ 4000 年。

简报称，喇家遗址史前灾难遗存是一项具有重要学术意义的发现。

海北州

黄南州

1259.青海隆务河流域考古调查

作　者：青海省文物考古队　格桑本

出　处：《考古与文物》1982 年第 3 期

隆务河发源于麦秀山，是由麦秀河、扎毛河等小河汇合而成，全长约 100 里，自南向北注入黄河。1978 年 8 月 9 日至 20 日，考古人员在隆务河中上游两岸进行了

考古调查，地区范围包括黄南州同仁县的麻巴、保安、隆务、城镇、年都乎、牙浪、曲库乎、札毛8个公社。发现马家窑文化（马家窑类型、半山类型、马厂类型）、齐家文化、卡约文化、唐汪类型等古文化遗址20处，对其中具有代表性的10处遗址，简报配以手绘图予以介绍

据介绍，这次调查的20处遗址中除部分属马家窑文化、齐家文化等几种文化共存外，大部分属卡约文化。墓葬分布密集，随葬器物丰富，彩陶占有一定的比例。隆务河流域的卡约文化陶器器类、彩陶花纹等与1980年在循化县托隆都发掘的墓葬遗物基本相似。

海南州

果洛州

玉树州

海西州

宁夏回族自治区

银川市

石嘴山市

吴忠市

固原市

1260.宁夏西吉县兴隆镇的齐家文化遗址

作　者：钟　侃、张心智
出　处：《考古》1964 年第 5 期

该遗址位于西吉县兴隆镇西北约 1.5 公里，靠近河边的 1 处台地上。1960 年发现。共发掘出两座长方形竖穴土圹墓，葬式为仰身直肢葬。随葬陶器 3 件，地面采集有石器、陶片。简报认为是 1 处齐家文化遗址。

1261.宁夏固原海家湾齐家文化墓葬

作　者：宁夏回族自治区展览馆
出　处：《考古》1973 年第 5 期

1964 年 6 月下旬，考古人员在调查固原县东部地区的过程中，于固原县古城公社海家湾村清理了齐家文化的墓葬。简报分为：一、I 号墓，二、II 号墓，三、III 号墓，共三个部分。有手绘图。

据介绍，海家湾在固原县东南约 20 公里处，东距古城公社 2.5 公里。墓葬区在任山河的北面，位于海家湾村北山丘上（俗名瓦罐梁），高出河面约 40 米。地表暴露有墓葬和陶片。此次共清理墓葬 3 座，墓 1 为长方形土圹竖穴墓，仰身直肢葬，随葬陶器 3 件、石刀 1 件。墓 2 骨架为二次葬，随葬陶器 7 件。墓 3 葬具、葬式不明，随葬陶器 4 件。

1262.宁夏固原县西周墓清理简报

作　者： 固原县文物工作站　韩孔乐、武殿卿、杨　明
出　处：《考古》1983 年第 11 期

1981 年 4 月，在固原县中河公社孙家庄林场发现车轴饰 1 件。考古人员前往调查，在发现车轴饰处，清理出车马坑 1 座。车马坑所在地在固原县城西北约 7.5 公里处，西部约 1.5 公里处为六盘山脉，南部约 2 公里处为战国秦长城。车马坑距地表深仅 30 ~ 40 厘米。坑内有马骨架两具，在马骨架的腰部和尾部还出土了 7 枚带穿孔的蚌壳。坑的边沿不清，也未发现车轮痕迹。清理车马坑的同时，通过钻探，在车马坑的北面近 7 米处，又发现西周墓葬 1 座。简报分为：一、墓葬形制，二、随葬品，三、结语，共三个部分。

据介绍，这座属于中小型的西周墓，为长方形土圹竖穴墓。应有棺、椁，死者骨架已朽。应为仰身直肢葬，有一腰坑，内有殉狗。墓内共计出土陶器 1 件、铜器 234 件、骨器 12 件、玉器 4 件、蚌壳 515 枚、贝 195 枚。简报推断此墓应属于西周早期，相当于成王或康王时期。

简报称，西周墓在宁夏地区是首次发现，它填补了宁夏地区商、周考古的空白，但商、周之际，宁夏固原地区是周人和戎人等少数民族接触极为频繁的地区。因此，这座墓的主人是周人还是与西周文化有密切关系的少数民族，还有待进一步考证。

1263.宁夏固原店河齐家文化墓葬清理简报

作　者： 宁夏文物考古研究所　钟　侃
出　处：《考古》1987 年第 8 期

1965 年 5 月，考古人员于固原县河川乡店河村清理了 6 座齐家文化墓葬。这些墓都是当地农民在平田整地时发现的。墓地位于河川乡店河村西北约 0.5 公里的山坡地上。1 条名为店子河的小河，由西向东从坡地南面流过，坡地较陡，东面临沟，由于长时间水土流失，墓地高出现在河床约 120 米。6 座墓中 M1 ~ M3 保

存较好。简报分为：一、墓葬形制，二、随葬器物，三、小结，共三个部分。有手绘图、照片。

据介绍，3 墓均为单人屈肢葬，出土随葬品 52 件，大宗为陶器，另有石器、骨器。店河墓地比甘、青地区的齐家文化具有较多的半山类型因素，其年代可能比甘、青地区的齐家文化为早，这对探讨齐家文化的起源将有一定的启发意义。

中卫市

新疆维吾尔自治区

乌鲁木齐市

克拉玛依市

吐鲁番地区

1264.新疆托克逊县喀格恰克古墓群

作　者：吐鲁番地区文物保管所　柳洪亮、张永兵、徐新民
出　处：《考古》1987 年第 7 期

1983 年 4 月下旬，托克逊县托台区喀格恰克大队附近大大小小的墓葬群受到不同程度的破坏。遭受破坏最严重的是墓葬数量较多的英亚依拉克古墓群，打碎的红色彩陶器、毛织品和皮革制品残块等出土物被散乱地抛弃在墓地上。调查和收集文物工作结束后，考古人员于 5 月 24 日至 6 月 8 日对喀格恰克古墓群进行了清理。

简报分为：一、墓葬情况，二、出土遗物，三、结语，共三个部分。有手绘图。

据介绍，喀格恰克古墓群在喀格恰克大队五小队居民村内，西北距托克逊县城 17 公里。墓地所占戈壁滩上的小高岗，南北长 70 米，东西宽 40 米，高出周围地面约 1 米。高岗北面 30 米外就是黄土地带。整个墓群共有 18 座墓葬，3 座已被彻底破坏。清理的 15 座墓葬编号为 83TOHM1 ～ M15。其中除 M2、M15 经过扰乱外，其余 13 座墓基本完好，墓地表面已看不出明显的封土标志。墓葬形制均为竖穴土坑，平面大致呈长方形。人骨大多腐烂，葬式不明。出土遗物以彩陶的大量存在为特色。简报认为，喀格恰克古墓群的时代约当西周晚期到春秋时期，绝对年代为距今3000 ～ 2500 年。墓主人应为姑师人。

哈密地区

1265.新疆哈密拉甫乔克发现新石器时代晚期墓葬

作　者：新疆考古研究所东疆队　王炳华
出　处：《考古与文物》1984 年第 4 期

1983 年 4 月，考古人员在哈密县四堡拉甫乔克村进行调查时，发现了 1 处包含彩陶器的新石器时代晚期金石并用阶段古墓地，并清理了已经被破坏、暴露于地表的墓葬一座。简报配以手绘图予以介绍。

据介绍，墓葬距地表深不过 30 厘米，土室竖穴。宽只 40 厘米，长度因破坏不详。从残存遗址可以判明墓室南北向，骨架头向南，随葬品置于头侧。据遗骨观察，死者系 1 个少年。随葬器物彩陶小盆 1 件、彩陶罐 1 件、铜锥 1 件。其年代简报称为距今 3000 年，约相当于中原地区商代时期。

1266.新疆巴里坤县南湾 M95 号墓

作　者：贺　新
出　处：《考古与文物》1987 年第 5 期

1981 年 5 月，考古人员在东疆地区进行调查时，发现了巴里坤县南湾墓葬群，并作了试掘。1982 年 4 ~ 6 月，对该墓葬群作了进一步清理，根据探沟探查，该墓葬群有古墓近 300 座，已经编号的为 153 座，实际发掘清理的有 98 座。中有单身葬、合葬、婴幼儿葬等。在单身葬与合葬墓中又有殉葬墓。M95 墓是合葬墓中较为典型的殉葬墓。简报分为"位置与环境""形制与葬式""出土器物""结语"，共四个部分。有手绘图。

据介绍，M95 位于墓群中部，为土坑竖穴墓，由 1 个主墓室与 1 个殉葬浅室组成。主墓室发现有木质葬具，已朽。人骨 2 具，1 男 1 女，男 20 岁左右，女 16 ~ 18 岁。男性应为陪葬，2 人相向而卧。殉葬浅室有 1 个成年男性尸骨，30 岁左右，出土铜耳、铜饰、骨管、陶罐、石锄等少量随葬品，还有牛、羊、马骨。

年代据测定为距今约 3000 年，相当于中原地区商代时期。

1267.新疆哈密市艾斯克霞尔墓地的发掘

作　　者：新疆文物考古研究所、哈密地区文物管理所　周金玲、于建军、张成安、
周晓明

出　　处：《考古》2002 年第 6 期

艾斯克霞尔墓地位于哈密市五堡乡西南约 30 公里的南湖戈壁荒漠深处，1999 年
11 月中旬，考古人员对该墓地进行了抢救性发掘，共清理发掘墓葬 32 座，其中被盗
掘墓葬 27 座，出土、采集遗物共计 136 件。发掘情况简报分为：一、墓地的地理环
境及墓葬形制，二、出土遗物，三、结语，共三个部分。有手绘图。

据介绍，艾斯克霞尔墓地的墓葬形制均为竖穴土坑墓，个别墓有竖穴二层台；
多为单人葬，侧身屈肢，尸体以皮衣包裹，面盖皮制覆面。这批墓葬简报定为焉不
拉克文化的艾斯克霞尔类型。主要随葬品为陶器。艾斯克霞尔和五堡墓地都不见铁器，
应属同时期墓葬，其年代应为距今 3000 年前，属青铜时代。

简报称，这批发掘资料使人们更深入地认识了哈密地区青铜时期的考古学文化。
粟的发现，在研究粟作物的传播路线及有关文化的传入和影响上，有着深远的意义。

和田地区

1268.新疆民丰县尼雅遗址以北地区 1996 年考古调查

作　　者：新疆维吾尔自治区文物局、新疆文物考古研究所　岳　峰、于志勇

出　　处：《考古》1999 年第 4 期

尼雅遗址位于和田地区民丰县境尼雅河下游尾闾地带、塔克拉玛干大沙漠腹地。
遗址地处塔里木盆地南缘、丝绸之路西域南道，现基本上已被茫茫黄沙埋没。这一
被誉为丝路"庞贝"的古文化遗址由英国探险家 A · 斯坦因在 20 世纪初首次发现。
传统意义上的遗址区范围亦以此为限。1980 年我国水文地质和石油部门在尼雅遗址
以北数十公里的地区陆续发现并采集了一批文物标本。1993 年，考古人员进行了考
古调查，采集了一批重要遗物。1996 年，再次组织实施了北部地区考古踏查，取得
重大收获。简报分为：一、考察经过概况，二、北部地区发现的遗迹和遗物，三、
北部地区古遗存的年代分析，四、结语，共四个部分。有手绘图、照片。

据介绍，1996 年尼雅遗址以北地区的考古调查，首次发现了居住遗迹，采集了
大量典型遗物标本，为充实北部地区青铜时代考古文化遗存提供了宝贵的材料。由此，

简报提出并确定尼雅遗址以北地区存在青铜时代一个文化类型，暂称之为"尼雅北部类型"。目前，多样调查已经表明，在尼雅河河源昆仑山山前地带乌鲁克萨依地点，曾发现过年代较为久远的石器；在传统尼雅遗址区域内，发现有西汉时期、东汉至魏晋前凉时期的古文化遗存。北部地区古遗存的发现，将使尼雅河流域古文化编年序列得以建立（当然，相互间问题仍很复杂，缺环肯定存在）。简报推测，在距今3000年前后的青铜时代某个阶段，尼雅绿洲地区即与罗布淖尔地区、帕米尔以西塔吉克斯坦等地区存在文化上的联系。这一推论，还有待今后考古工作进行实证和检验。

1269.新疆于田县流水青铜时代墓地

作　者：中国社会科学院考古研究所新疆队　巫新华、艾　力等
出　处：《考古》2006年第7期

流水墓地位于新疆和田地区于田县阿羌乡的流水村（现名"喀什塔什"）附近，距于田县城约100公里，距315国道约85公里，距阿羌镇40公里。

流水墓地的发掘，是首次在新疆发现以单纯的刻划纹陶器为主要特点的古代文化遗存。昆仑山地区自古以来就是东、西方文化交流的通道，在中国古代文化的发展过程中具有极为重要和特殊的地位。但对昆仑山地区史前文化的考古学研究迄今还是空白，流水墓地位于昆仑山北部中段，正处于中西文化交流通道的关键点。因此流水墓地的发掘与研究将有可能填补昆仑山地区史前文化研究的一些空白。2002年，考古人员在昆仑山北麓考察古代玉石之路时发现该墓地，2003年、2004年、2005年都进行了发掘。

简报分为：一、地理环境及发掘经过，二、墓地概况，三、墓葬及出土遗物，四、结语，共四个部分。有彩照、手绘图。

据介绍，发现的52座墓葬均为竖穴土坑，上有石堆或石围，常见多人二次合葬，共出土人骨164具。随葬品包括刻划纹陶器、斯基泰样式的金属饰物以及风格独特的铜器、玉器、石器等。年代简报推测为公元前1000年左右。该墓地为探讨史前昆仑山地区的文化面貌提供了科学依据。

阿克苏地区

喀什地区

克孜勒苏柯尔克孜自治州

巴音郭楞蒙古自治州

1270.和硕县新塔拉和曲惠遗址调查

作　者：张　平、王　博
出　处：《考古与文物》1989 年第 2 期

1979 年考古人员赴新疆和硕县调查遭到破坏的古代遗址，1981、1984 年又进行了复查。此两处遗址应为新疆铜石并用时期遗址，发现有白色上绘紫褐色彩绘的陶器。其年代据测定为距今约 3500 年。

1271.新疆和静县莫呼查汗墓地发掘简报

作　者：新疆文物考古研究所　阿里甫江、阿米娜、张铁男、谈　宁
出　处：《考古与文物》2014 年第 5 期

莫呼查汗墓地位于新疆巴音郭楞蒙古自治州和静县县城西北，距县城直线距离58 公里，位于天山山脉的 1 条南北向的名叫"莫呼查汗乌孙"的沟内，四周环山，南距沟口约 9 公里，地处莫呼查汗乌孙河的东岸第三台地上。2011～2012 年为配合和静县莫呼查汗水库工程建设，考古人员对水库建设用地中所涉及的墓葬进行了抢救性发掘，共发掘墓葬 250 座，出土遗物 600 余件（套）。

简报分为：一、墓地概述，二、典型墓葬介绍，三、出土遗物，四、结语，共四个部分。有彩照、手绘图。

据介绍，青铜时代墓葬可分为用花岗岩砾石围就的圆形石围、熨斗形石围、马镫形石围和无石围四种。墓室结构主要为竖穴土坑石室。砾石或石板围砌的石室有两端不开口、一端开口、两端开口等 3 种，有的石室口棚盖石板或圆木。葬式均为屈肢葬，有侧身屈肢、仰身屈肢、俯身屈肢多种类型；大部分为单人葬，有少量的合葬。随葬品有陶器、铜器、石器、骨角、贝器、金器、木器等。其年代应属于青铜时代晚期，简报初步推断应在公元前 10 世纪左右。

昌吉回族自治州

1272.新疆木垒县发现古代游牧民族墓葬

作　者：黄小江、戴良佐
出　处：《考古》1986 年第 6 期

1983 年 7 月，考古人员在木垒县南郊清理了几座古墓葬。它是 1 处墓葬区，位于县城南唐朝破城子北门外十四号信箱基建工地。墓葬在 6 月底施工时发现，已被破坏数座。出土彩陶罐 1 件、铜扣饰和人骨等。据初步估计，此墓区至少有墓葬 10 座，共分 2 种类型：1 类是新疆天山北麓常见的石棺墓；另 1 类是竖穴积石墓。共清理了 6 座墓葬，只有二号墓、一号墓两座资料较全。简报配以照片予以介绍。

据介绍，二号墓为长方形竖穴积石墓，墓主人为壮年男性，约 35 ～ 45 岁。体长约 1.8 米，腿骨较长，达 57 厘米。随葬品有耳部 1 对铜耳环。胸前、腹背、上下肢和脚部有青铜饰件、串珠、海贝、铜锥形卷饰、玛瑙环形饰，共计 62 件，以铜扣饰居多。从随葬品的位置和尸骨上的朽痕等迹象推测：墓主身穿皮、毛类衣服，胸前挂海贝、串珠；背后、手臂服装上缝缀有扣形和锥形卷饰件；足穿高腰的皮或毡靴，上装饰铜扣，尤以脚面周围居多。另外在手腕处握有 1 节黄羊前腿骨；上有玛瑙环形饰，可能作为马鞭随葬。此墓没有发现陶器，也不见其他随葬品。年代经测定为距今 3100 ～ 2500 年，或许还要早些，约相当中原西周时期。一号墓有成年男、女各 1 及 1 小孩骨骸，随葬品仅为 1 小石串珠和碎陶片，应为二次葬。此墓区应为古代匈奴或突厥人墓葬区。

博尔塔拉蒙古自治州

伊犁哈萨克自治州

塔城地区

阿勒泰地区

1273.阿尔泰山崖画调查记

作　者：赵养锋
出　处：《考古与文物》1986 年第 5 期

阿尔泰山南麓水草丰盛的山地崖壁上，分布着丰富的古代崖画，分布颇广，这一"画廊"涉及 7 县市、32 个地点，考古人员进行了实地调查，简报配图予以介绍。

据介绍，阿尔泰山崖画的内容，多为狩猎场面和畜牧生活，狩猎图均为单人射猎，未见围猎场面。从作画手法看，可分为崖刻、崖绘两类，时代从距今 2500 年至 3500 年不等。至于作者，塞种人等游牧民族，都有可能是这些崖画的作者。

石河子市

阿拉尔市

图木舒克市

五家渠市

香港特别行政区、澳门特别行政区、台湾省

1274.香港大屿山白芒遗址发掘简报

作　者：邓　聪　商志醰　黄韵璋
出　处：《考古》1997 年第 6 期

20 世纪 90 年代初，为配合香港大屿山北部和赤鱲角岛屿兴建新机场及其附属建设，考古人员在北大屿山沿岸进行了考古调查。从 1991 年 4 月至 1992 年 8 月，在大屿山北部先后调查了 38 处地点，发现新石器时代至唐宋时代遗址 16 处，其中沙柳塘、沙螺湾——咸角、白芒和扒头鼓是重点发掘的地点。简报分为：一，地层堆积物，二、遗迹与遗物，三、结语，共三个部分。有手绘图。

据介绍，1991 年 6 月至 7 月，第 1 次调查白芒遗址时将遗址的西面阶地作为第 I 区，东面阶地为第 II 区。翌年的 1 月至 3 月间，正式开展白芒遗址的发掘工作，共发掘 300 多平方米，探明遗址面积约 5000～6000 平方米。简报推断：香港大屿山白芒遗址第一期文化遗存应属新石器时代晚期，第二期文化遗存为西周末年到春秋时期，第三期文化遗存应是西汉早期，第四期文化遗存应属晋时期。

另外，1996 年 3 月，考古人员在香港南丫岛大湾遗址发掘，在沙堤背后发现了两处约 5000 年前新石器时代中期的房子遗迹。这一发现使香港史前居民为"船上居住"的旧说不攻自破。

1275.香港元朗厦村乡陈家园沙丘遗址的发掘

作　者：香港考古学会　区家发　莫　稚等
出　处：《考古学报》2002 年第 3 期

元朗厦村乡白泥村陈家园沙丘遗址，是 1997 年 5 月文物普查时发现的。1999 年 1 月 16 日至 3 月 31 日发掘。简报分为：一、地理环境和地层堆积，二、文化遗迹，三、出土遗物，四、遗址年代，五、结语，共五个部分。有照片、拓片和手绘图。

据介绍，陈家园沙丘遗址当年应是 1 处生产加工玉石器和陶器的手工工场，发现有 3 座早期陶窑、长方形沙丘浅坑墓等。出土有打制石器、磨光石玉器，绳纹、

曲尺纹、方格纹夹砂陶、泥质陶器、磨光陶器等。其中，带云雷纹仿青铜器陶器、随葬用陶日、月形器等尤其值得注意。

简报认为此处遗址的时代相当于中原地区的夏商。简报指出，从屯门涌浪、龙鼓上滩、滩起，一直到后海湾至下白泥吴家园、浪濯村、白泥陈家园、沙岗庙万家园等，都已发现有人类活动遗址。说明这一线20多公里，当年居住着不少人口。他们在这里生息繁衍，过着以渔业、农业为主的生活，并已有了原始手工业、原始宗教。可以想见，当年这一带一定是炊烟袅袅、万家渔火的繁荣景象。

1276.介绍台湾新发现的芝山岩文化

作　者：香港中文大学中国考古艺术研究中心　游学华
出　处：《文物》1986年第2期

近几年来，台湾最重要的史前考古工作当推台东卑南遗址的发掘，但台北芝山岩遗址的发掘也不容忽视。芝山岩遗址发掘规模虽不大，发掘时间也短，但是发现了一种新文化——芝山岩文化。芝山岩出土的大量彩陶、黑皮陶、木器及草编、藤编、炭化带穗稻米等，大都是台湾地区以往甚少发现的史前遗物。在台湾找不到这种文化的祖型，证明它并非台湾土生土长，因此其来源问题也就引起学者的关注。简报分为：一、芝山岩遗址简介，二、芝山岩文化出土遗物，三、芝山岩文化年代，四、芝山岩文化探源，共四个部分。有手绘图、照片。

据介绍，芝山岩遗址位于台北盆地东北方、台北市士林区芝山岩一带。附近有两条小溪（双溪及其支流石角溪）流过，遗址即位于双溪北岸、石角溪岸边。最初由日本人于1896年发现，1981年进行了发掘。简报据测定，芝山岩文化年代约距今4000年至3000年，与台北圆山贝丘遗址早期同时。从出土的彩陶、黑皮陶、木器、稻米等看，与浙江、福建一带新石器文化有密切关系。先民从浙、闽一带浮海来到台湾的可能性很大。

参考文献

一、参考文献分为上编、中编、下编。

二、上编收录本书收录的考古核心刊物（以《北京大学中文核心期刊目录》2011 年版考古学科为准，略加调整）。中编系非核心刊物及以书代刊的连续出版物、某一地区考古成果汇编等举要。下编是面对非考古专业读者的相关书籍。

三、上编依《北京大学中文核心期刊目录》2011 年版给出顺序排列；中编依通行的省市自治区直辖市顺序排列。省市自治区下排列不分先后。

上 编

1.《文物》

创刊于 1950 年,国家文物局主管,文物出版社主办。初名《文物参考资料》,1959 年改为《文物》。1971 年曾停刊一年。现为月刊。

2.《考古》

创刊于 1955 年,由中国社会科学院考古研究所主办。1955 ~ 1959 年,用《考古通讯》的刊名,1955 ~ 1957 年为双月刊,此后改为月刊,1966 年 6 月至 1971 年 12 月停刊,1972 ~ 1982 年为双月刊,1983 年至今为月刊。有《考古(1955 ~ 1996 年)》《考古(1997 ~ 2003 年)》两张全文检索光盘出版。2007 年 3 月起,实行双向匿名审稿。

3.《考古学报》

创刊于 1936 年 8 月,由国立"中央研究院"历史语言研究所主办,刊名《田野考古报告》,列为专刊之十三。第二册(1947 年 3 月出版)更名为《中国考古学报》,至 1949 年共出版四册。第四册出版于 1949 年 12 月,由中国科学院历史语言研究所主办。1950 年 8 月 1 日,中国社会科学院考古研究所成立(当时为中国科学院所属研究机构),继续主办,于 1950 年 12 月出版第五册。自第六册(1953 年 12 月出版)更名为《考古学报》至今。1954 年变更为半年刊,1956 年变更为季刊,1960 年又变更为半年刊,1978 年起改为季刊,每年 1、4、7、10 月的 30 日出版。2007 年 3 月起,实行双向匿名审稿。

4.《考古与文物》

1980 年创刊,陕西省考古研究所主办,季刊。1982 年改为双月刊。该刊曾编有若干期《考古与文物》辑刊,多为研究性文章;还编有《考古与文物丛刊》,为不定期刊物,有少许发掘报告,但内容较宽泛,古文字学、古人类学等方面文章均收。

5.《中原文物》

河南省博物馆主办,1977 年创刊时名为《河南文博通讯》,1981 年改名《中原文物》,季刊。2000 年改为双月刊。有《〈中原文物〉十五年叙录(1977 ~ 1992)》一书。

6.《北方文物》

黑龙江省考古研究所、考古学会主办,1981 年创刊,初名《黑龙江文物丛刊》,季刊。

7.《华夏考古》

河南省考古研究所、河南省文物考古学会主办，创刊于 1987 年，季刊。

8.《四川文物》

四川省文物局主办。1984 年创刊，双月刊。出版有《〈四川文物〉二十年目录索引（1984 ～ 2003）》。

9.《江汉考古》

1980 年创刊，先以不定期形式共出了五期（至 1982 年底为止）。从 1983 年第 1 期（即总第 6 期）起改为季刊，向国内外公开发行。1989 年第 3 期起，由湖北省文物考古研究所主办。

10.《农业考古》

1981 年创刊，为国内外唯一的专门发表有关农业考古学研究成果的大型学术刊物。原主办单位为江西省博物馆、江西省中国农业考古研究中心。1985 年由江西省社会科学院历史研究所和江西省中国农业考古研究中心主办；1994 年起由江西省社会科学院和中国农业博物馆联合主办；2003 年起由江西省社会科学院主办。双月刊。

11.《文博》

1984 年 7 月创刊，陕西省考古研究所主办；陕西省博物馆、秦始皇陵兵马俑博物馆参办。双月刊。

《文博》虽未列入 2011 年版《北京大学中文核心期刊目录》，但考虑到该刊的质量及陕西省作为文物大省的地位，此次仍然予以收录。

中 编

1. 北京市

《考古学社社刊》

北京燕京大学考古学社编，1934 年创刊，1937 年停刊。

《考古学集刊》

中国社会科学院考古研究所主办，1981 年创刊，科学出版社出版，年刊。自第 16 期开始以专业论文为主。

《考古学研究》

北京大学考古文博学院、中国考古学研究中心编，16 开平装，科学出版社、北京大学出版社不定期出版。

《北京文物与考古》

1983 年创刊。

《北京文博》

北京市文物事业管理局主办，1995 年创刊，季刊。

《北京考古》

北京市文物研究所编，北京燕山出版社 2008 年始不定期出版。

《三代考古》

中国社会科学院考古研究所夏商周考古研究室编，16 开平装，科学出版社不定期出版。

《中国道教考古》

线装书局不定期出版。

《中国古陶瓷研究》

紫禁城出版社出版的连续出版物。

《石窟寺研究》

中国古迹遗址保护协会石窟专业委员会编，文物出版社不定期出版。

《中国大遗址保护调研》

中国社会科学院考古研究所文化遗产保护研究中心编，科学出版社 2011 年始不定期出版。

《文物研究》

科学出版社连续出版物。

《九州》

商务印书馆连续出版物。

《古脊椎动物学报》

中国科学院古脊椎动物与古人类研究所主办。1957 年创刊时为英文版，季刊，1959 年创刊中文版。1961 年英文、中文版合并，1966 年停刊，1973 年复刊。

《文物资料丛刊》

《文物》编辑委员会编，文物出版社不定期出版。

《古代文明》

北京大学中国考古学研究中心编，文物出版社不定期出版。

《古代文明研究》

中国社会科学院考古研究所、古代文明研究中心编，文物出版社不定期出版。

《中国盐业考古》

科学出版社不定期出版。

《科技考古》

中国社会科学院考古研究所编，科学出版社不定期出版。

《水下考古》

国家文物局水下文化遗产保护中心编，上海古籍出版社 2018 年出版第 1 辑。

《中国国家博物馆馆刊》

创刊于 1979 年，初名《中国历史博物馆馆刊》。原为半年刊，一年两本。1999 年改名《中国历史文物》，2002 年改为双月刊，2011 年改为《中国国家博物馆馆刊》，并改为月刊。

《首都博物馆丛刊》

首都博物馆主办，北京燕山出版社 2007 年始不定期出版。

《中国文物报内部通讯》

1991 年 7 月创刊，不定期出版。

《陶瓷考古通讯》

《玉器考古通讯》

《古代文明考古通讯》

以上三种"通讯"，均由北京大学文博学院主办。

《青年考古学家》

北京大学文物爱好者协会会刊，1988 年创刊。科学出版社出版。每年一册。

《故宫博物院院刊》

故宫博物院主办，1958 年创刊，双月刊。

《中国文物科学研究》

国家文物学会、故宫博物院主办，2006 年创刊。

《中国历史文物》

国家博物馆主办，双月刊。

2. 天津市

《天津博物馆集刊》

天津博物馆编，天津人民出版社出版，1998 年第一辑出版。

《天津考古》

天津市文化遗产保护中心编，16 开精装，科学出版社不定期出版。

《天津博物馆论丛》

科学出版社不定期出版。

《天津文博》

天津市文物博物馆学会编，1986 年创刊。

3. 河北省

《文物春秋》

河北省文物局主办，创刊于 1989 年，双月刊。

《河北省考古文集》

河北省文物研究所编，科学出版社不定期出版。

4. 山西省

《三晋考古》

山西省考古学会、山西省考古研究所主办，1994 年创刊。年刊，现由上海古籍出版社出版。

《山西博物馆学术文集》

山西人民出版社不定期出版。

《晋中考古》

文物出版社不定期出版。

《运城地区博物馆馆刊》

运城地区博物馆主办。

《北朝研究》

中国魏晋南北朝史学会、大同平城北朝研究会编，16 开平装，科学出版社不定期出版。

《文物世界》

山西省文物局主管，1987 年创刊，双月刊。

5. 内蒙古自治区

《内蒙古文物考古》

内蒙古文化厅、内蒙古考古博物馆学会主办，1981 年创刊，半年刊。

《草原文物》

内蒙古自治区文化厅、内蒙古考古博物馆学会主办，1984 年创刊，1997 年由年刊改为半年刊。

《鄂尔多斯考古文集》

伊克昭盟文物工作站 1981 年创刊。

《内蒙古包头博物馆馆刊》

内蒙古包头博物馆主办，2000 年创刊。

6. 辽宁省

《辽宁文物》

辽宁省博物馆主办，1980 年创刊。

《辽海文物学刊》

1986 年创刊，辽宁省博物馆、文物考古研究所主办，半月刊。

《辽宁考古文集》

辽宁省文物考古研究所编，16 开平装，科学出版社不定期出版。

《辽宁省博物馆馆刊》

辽海出版社不定期出版。

《沈阳故宫博物院院刊》

沈阳故宫博物院主办，1995 年创刊，半年刊。

《沈阳考古文集》

沈阳市文物考古研究所编，科学出版社 2007 年始不定期出版。

《大连文物》

科学出版社不定期出版。

7. 吉林省

《东北史地》

吉林省社会科学院吉林省高句丽研究中心主办，2004 年 1 月创刊。

《博物馆研究》

吉林省博物馆学会、吉林省考古学会主办，季刊。

《边疆考古研究》

吉林大学连续考古研究中心编，科学出版社不定期出版。

《亚洲考古》

吉林大学边疆考古研究中心编，科学出版社出版。该刊为英文版。

8. 黑龙江省

《黑龙江文物丛刊》

1985 年创刊，季刊，现已改名为《北方文物》。

《昂昂溪考古文集》

科学出版社 2013 年版。

9. 上海市

《上海博物馆馆刊》

创刊于 1981 年，上海人民出版社出版。后改名《上海博物馆集刊》，年刊。

《上海文博论丛》

上海博物馆主办。2002 年创办，季刊。

《文物保护与考古科学》

上海博物馆主办，1989 年创刊，现为双月刊。

《出土文献》

清华大学出土文献研究与保护中心编，2010 年创办，每年一辑。

10. 江苏省

《东南文化》

南京博物院、江苏省考古学会主办，1975 年创刊时名为《文博通讯》，1985 年改为《东南文化》。

《南京博物院集刊》

南京博物院主办，文物出版社出版。

《无锡文博》

1990 年创刊，季刊，原名《无锡博物馆通讯》。

《扬州文博》

扬州市博物馆主办，1990 年创刊，1992 年停刊。

《江淮文化论丛》

扬州市博物馆编，文物出版社不定期出版。

《徐州文物考古文集》

徐州市博物馆编，科学出版社不定期出版。

《苏州文博论丛》

苏州市博物馆编，文物出版社不定期出版。

《文博通讯》

江苏省考古学会编。1975 年创刊，1985 年改名为《东南文化》。

《江阴文博》

江阴市文物管理委员会编，半年刊。

《常州文博》

常州市博物馆编，1993年创刊，半年刊。

11．浙江省

《东方博物》

浙江省博物馆主管，创刊于1997年，季刊。

《杭州文博》

杭州出版社不定期出版。

《浙江省文物考古所学刊》

科学、文物出版社不定期出版。

《宁波文物考古研究文集》

宁波市文物考古研究所、文物保护管理所编，科学出版社不定期出版。

《东方建筑遗产》

宁波报国寺古建筑博物馆编，科学出版社的连续出版物。

《绍兴市考古学会会刊》

绍兴市考古学会编，不定期出版。

12．安徽省

《安徽省考古学会会刊》

安徽省文物考古研究所、考古学会编，16开平装，1985年创刊，为科学出版社出版的连续出版物。

《安徽文博》

安徽博物院、安徽省博物馆协会主办，1980年创刊。年刊。

《徽州文博》

黄山市博物馆协会主办。

《文物研究》

安徽省文物考古研究所编，科学出版社不定期出版。

13．福建省

《福建文博》

福建省博物馆主办，1979年创刊，半年刊。

《东南考古研究》

厦门大学出版社不定期出版，涉及东南亚国家考古成果。

14. 江西省

《南方文物》

江西省文化厅主办，江西省博物馆、江西省考古研究所编辑出版。原名《江西文物》，1992 年改称《南方文物》，季刊。

《江西省博物馆集刊》

江西省博物馆主办，文物出版社不定期出版。

15. 山东省

《东方考古》

山东大学东方考古研究中心编，16 开平装，为科学出版社推出的连续出版物。

《齐鲁文物》

山东省博物馆编，科学出版社不定期出版。

《海岱考古》

山东省文物考古研究所编，科学出版社不定期出版。

《胶东考古》

《齐鲁文博》

齐鲁书社不定期出版。

《山东省高速公路考古报告集》

科学出版社不定期出版。

《济南考古》

济南市考古研究所编，为科学出版社的连续出版物。

《青岛考古》

青岛市文物保护考古研究所编，为科学出版社出版的连续出版物。

16. 河南省

《河南博物馆馆刊》

1936 年创刊，河南博物馆编辑出版，16 开，计已出版了 11 册。除了考古成果，还收录了动物、植物、矿物等方面的成果。

《中原文物考古研究》

大象出版社不定期出版。

《河洛文化论丛》

北京图书馆出版社不定期出版。

《动物考古》

河南省文物考古研究所编，文物出版社不定期出版。

《文物建筑》

河南省古代建筑保护研究所编，科学出版社不定期出版。

《郑州文物考古与研究》

郑州市文物考古研究院编，科学出版社不定期出版。

《郑州商城考古新发现与研究》

河南省文物考古研究所编，中州古籍出版社出版。

《洛阳考古》

洛阳市文物考古研究院编，中州古籍出版社出版的系列出版物，2017 年以来已出版十余册。

《洛阳文物钻探报告》

洛阳市文物钻探管理办公室编，文物出版社不定期出版。

《开封考古发现与研究》

开封市文物工作队编，中州古籍出版社 1998 年出版。

《开封文博》

开封市博物馆主办，1990 年创刊，半年刊。

《殷都学刊》

安阳师范学院主管，1980 年创刊，季刊。

17. 湖北省

《楚文化研究论集》

荆楚书社不定期出版。

《荆楚文物》

荆州博物馆编，16 开平装，科学出版社 2013 年始不定期出版。

《襄樊考古文集》

襄樊市文物考古研究所编，科学出版社 2007 年始不定期出版。

《鄂东北考古报告集》

湖北科学出版社 1996 年版。

《三峡考古之发现》

湖北科学技术出版社推出的连续出版物。

《湖北库区考古报告集》

国务院三峡工程建设委员会办公室、国家文物局编，科学出版社 2003 年始不定期出版。

《武汉文博》

武汉市文物管理处研究室编，1988 年创刊，季刊。

《清江考古》

湖北省清江隔河岩考古队、湖北省文物考古研究所编，科学出版社 2004 年出版。

《湖北南水北调工程考古报告集》

科学出版社不定期出版。

《葛洲坝工程文物考古成果汇编》

武汉大学出版社出版。

《长江文物考古简讯》

长江流域规划办文物考古队编，1958 年创刊，月刊。

18. 湖南省

《湖南省博物馆馆刊》

岳麓书社不定期出版。

《湖南考古辑刊》

岳麓书社不定期出版。

19. 广东省

《广东文物》

广东省文化厅、广东省文物博物馆学会主办，1996 年创刊，半年刊。

《广东文博》

广东省文物管理委员会主办，1983 年创刊，不定期出版。

《艺术史研究》

中山大学艺术史研究中心编，中山大学出版社出版，每年一本。

《华南考古》

广州市文物考古研究所等编，文物出版社 2004 年始不定期出版。

《羊城考古发现与研究》

广州市文物考古研究所编，文物出版社 2005 年始不定期出版。

《广州文博》

广州市文物局等编，1985 年创刊，文物出版社不定期出版。

《珠海考古发现与研究》

广东人民出版社 1991 年版。

《深圳文博论丛》

深圳博物馆编，文物出版社不定期出版。

20. 广西壮族自治区

《广西考古文集》

广西文物考古研究所编，文物出版社不定期出版。

《广西文物考古报告集》

广西壮族自治区文物工作队编，广西人民出版社 1993 年出版的一册汇集了 1950 ~ 1990 年的考古调查、考古发掘报告等。

21. 海南省

《海南省博物馆研究文集》

科学出版社不定期出版。

《西沙水下考古》

中国国家博物馆水下考古研究中心、海南省文物保护管理办公室编，科学出版社不定期出版。

22. 重庆市

《长江文明》

中国三峡博物馆主办，2008 年创刊，季刊。

《重庆库区考古报告集》

重庆市文物局、重庆市移民局编，科学出版社出版，大体每年一卷。

《大足学刊》

大足石刻研究院编，重庆出版社不定期出版。

23. 四川省

《四川考古报告集》

文物出版社不定期出版。1998 年出版第 1 集。

《南方民族考古》

四川大学博物馆、成都民族文物考古研究所编，1987 年创刊，中间因故停刊，2010 年复刊。科学出版社不定期出版。

《成都文物》

成都文物管理委员会主办，季刊。

《成都考古发现》

成都市文物考古研究所编，科学出版社出版，大体一年一册。据称自 2001 年以来，20 年间发表了 425 篇报告。

《四川古陶瓷研究》

四川省社会科学院主办，不定期出版。

《川南文博》

四川省宜宾市博物馆主办，1985 年创刊。

24. 贵州省

《贵州省博物馆馆刊》

贵州省博物馆主办，1985 年创刊，1988 年停刊，1992 年与《贵州文物》合并，改名《贵州文博》。

《贵州文物》

贵州省文管会主办，1982 年创刊，1992 年停刊。

25. 云南省

《云南文物》

云南省博物馆主办，1973 年创刊，1987 年停刊。

《云南考古文集》

云南民族出版社出版。

《茶马古道研究集刊》

云南大学出版社不定期出版。

26. 西藏自治区

《西藏文物考古研究》

西藏自治区文物保护研究所编著，平装 16 开，科学出版社 2014 年始不定期出版。

《西藏考古》

四川大学出版社 1994 年始不定期出版。

《西藏文物通讯》

西藏自治区文管会主办，1981 年创刊。

27. 陕西省

《周秦文明论丛》

三秦出版社不定期出版。

《西部考古》

三秦出版社出版的连续出版物。

《史前研究》

陕西省考古研究院、西安半坡博物馆主办，1986 年创刊，季刊。

《秦文化论丛》

西北大学出版社出版的连续出版物。

《陕西省历史博物馆馆刊》

西北大学出版社出版的连续出版物。

《陕西博物馆馆刊》

三秦出版社不定期出版。

《宝鸡文博》

1991 年创刊，不定期出版。

《秦陵秦俑研究动态》

秦始皇兵马俑博物馆主办，1986年创刊，季刊。

28．甘肃省

《敦煌研究》

《西北民族研究》

《陇右文博》

甘肃省博物馆主办，1996年创刊，半年刊。

《简牍学研究》

西北师范大学、甘肃省文物考古研究所编，甘肃人民出版社1997年开始出版。

29．青海省

《青海文物》

青海省文化厅主办，1988年创刊。

《青海考古学会会刊》

青海省文化厅文物处、青海省考古学会主办，1980年创刊，1985年停刊。

30．宁夏回族自治区

《宁夏社会科学》

《西夏学》

宁夏大学西夏学研究院主办，半年刊。

31．新疆维吾尔自治区

《新疆文物考古研究所丛刊》

《新疆考古》

新疆社会科学院考古研究所主办，后改为《新疆考古研究资料》，不定期出版。

《新疆文物》

《西域文史》

北京大学中国古代史研究中心、新疆师范大学西域文史研究中心合办，16开平装，由科学出版社不定期出版。

《吐鲁番学研究》

吐鲁番地区文物局编。

32．香港特别行政区、澳门特别行政区、台湾省

《香港文物》

香港古物古迹办事处出版。

《香港考古学会专刊》

《"国立"台湾大学考古人类学刊》

1953年创刊，年刊。

《台湾省博物馆季刊》

创刊于 1948 年，现存 4 期，已停刊。

《故宫文物月刊》

台湾"'国立'故宫博物院"出版，1983 年创刊。

下 编

　　欲了解最新的考古成果、考古文献，有两套书是必须知道的：一套是《中国考古学年鉴》，自 1984 年以来每年一册，欲了解上一年度（如 2019 年出版的年鉴，反映的是 2018 年的信息）的考古成果、考古书籍、考古论文等，这是最权威的工具书之一；另一套是《中国重要考古发现系列》，这套书的优点是图文并茂，反映的就是书名所示年度的重要考古发现。如 2013 年出版的《2012 年中国重要考古发现》，说的就是书名所示 2012 年的事情。这两套书，均由文物出版社出版。

　　更深入一些的书籍，有三套书应该提到：

　　第一套是文物出版社出版的《中国文物地图集》，这套书按各省市自治区分册，如重庆分册、河北分册等。优点是将考古发现与地图结合，可以直观地看到某一地区考古发现的多少；但欲进一步了解，仅靠此套书是无法解决的。所以正确的使用方法是：将此书与其他书结合起来阅读。

　　第二套是《中国考古集成》（中州古籍出版社 2006～2007 年版），此书实际上就是将散见各处的考古文献汇集一处，这对使用者而言当然是极为便利。不过窃以为如改为《中国稀见考古文献集成》，或许更实用一些。

　　第三套是《中国考古学》，此为集中全国专家编写了十余年之久的国家项目，专业性较强。计划分为 9 卷，目前"新石器时代卷""秦汉卷""两周卷""三国两晋南北朝卷""夏商卷"等册已出版。全套书要出齐恐怕尚待时日。《考古》杂志 2011 年第 7 期有相关书评，有兴趣的话可以找来看看。

　　如果没有时间去浏览这些大套书的话，先看一些概述、综述性质的书是一个不错的选择。这里仅介绍国家文物局主编的《中国考古 60 年（1949～2009）》（文物出版社 2009 年版）一书。这部书是按省市自治区分开叙述的，囊括了 1949 年后几乎全部重大考古发现，有文有图，执笔者多为各省（自治区、直辖市）的考古专家，文简意赅，缺点是没有给出参考文献，无法以此为线索扩大阅读。当然，依照以往的惯例，可以预料日后会有《中国考古 70 年（1949～2019）》一类的书出版，希望那时会有所改进。文物出版社 2009 年出版的《中国文物事业 60 年》一书，或可视作《中国考古 60 年（1949～2009）》一书的姐妹篇，也可参阅。书中除了港澳台以外，各省（自治区、直辖市）均列有专节。另外，国家博物馆编、中华书局 2012 年出版的《文物史前史·彩色图文本》等，已出齐 10 册，几可视为中国考古的图片专辑。

　　陈淳先生的《考古学研究入门》（北京大学出版社 2009 年版）、李朝远先生的

《青铜器学步集》（文物出版社2007年版）、刘凤翥先生的《遍访契丹文字话拓碑》
（华艺出版社2005年版）等，当为比较专业的"入门"类书。四川文物考古研究院
编过一本《少儿考古入门》（文物出版社2013年版），那是明言给中小学生看的。
其实，一些大家写的集子，可读性颇强，不妨也当作入门书来读。如严文明先生的
《足迹：考古随感录》（文物出版社2011年版）、苏秉琦先生的《中国文明起源新探》
（辽宁人民出版社2009年版，三联书店2019年新版）、李零先生的《入门与出塞》
（文物出版社2004年版）、赵青芳先生的《赵青芳文集·考古日记卷》（文物出版
社2011年版）、罗宗真先生的《考古生涯五十年》（凤凰出版集团2007年版）、石
兴邦先生的《叩访远古的村庄》（陕西师范大学出版社2013年版）、杨育彬先生的《考
古人生——杨育彬回忆续录》（科学出版社2021年版），等等。一些考古工作者亲
力亲为的记载，也十分生动有趣。如王吉怀先生的《禹人絮语——考古随笔记》（中
国社会科学出版社2017年版）、罗西章先生的《周原寻宝记》（三秦出版社2005年
版），等等。事实上，此类书几乎已成为近几年的一个出版热点。如《了不起的文
明现场：跟着一线考古队长穿越历史》（三联书店2020年版）、《我在考古现场：
丝绸之路考古十讲》（中华书局2021年版）、《考古中国——15位考古学家说上下
五千年》（中信出版集团2022年版）等，均很受欢迎。

这里要特别推荐李伯谦先生《感悟考古——写给青年学者的考古学读本》（上
海古籍出版社2015年版）一书，这是考古大家唯一一本明言写给青年学者的考古学
入门读本。另外，李学勤先生的《李学勤讲演录》（长春出版社2012年版），也是
深入浅出的大家之作。陈洪波先生《中国科学考古学的兴起：1928～1949年历史
语言研究所考古史》（广西师范大学出版社2011年版）、《中国文物研究所七十年
（1935～2005）》（文物出版社2005年版）、《记忆：北大考古口述史》（北京
大学出版社2012年版）、《考古研究所编辑出版书刊目录索引及概要》（四川大学
出版社2001年版）等是众多考古机构类书籍中最值得推荐的几本。读此会对中国最
高考古机构及最早的考古教育院系有一个基本了解。文物出版社2010年还出版过一
本《春华秋实：国家文物局60年纪事》，读一读，对中国大陆最高文物考古行政部
门，也会有所了解。学术史、研究史方面的书自也不应忽视。这方面的书籍应提到
陈星灿先生的《中国史前考古学史研究：1895～1949》（三联书店1997年版）、《20
世纪中国考古学史研究论丛》（文物出版社2009年版）、黄继秋先生的《百年中国
考古》（江苏人民出版社2013年版）、李学勤先生的《20世纪中国学术大典·考古学、
博物馆学》（福建教育出版社2007年版）等。最新的书籍，当然是王巍先生主编的《中
国考古学百年史（1921～2021年）》（中国社会科学出版社2021年版）共12册，
据称共有276名专家参加了此书的写作。

有几部书较有特色，但很难归类：一是国家文物局第三次全国文物普查办公室编的《三普人手记：第三次全国文物普查征文选集》（文物出版社2009年版），可一见奋战在文物普查一线的文保工作者的酸甜苦辣；二是中国文物保护基金会编的《天职——从"文保市长"到"文保书记"》（文物出版社2009年版），可了解地方官员的无奈与奋争；三是何驽先生的《怎探古人何所思：精神文化考古理论与实践探索》（科学出版社2015年版），不是讲考古的思想史，而是从考古材料出发研究思想史；四是《梁带村里的墓葬：一份公共考古学报告》（北京大学出版社2012年版），它是从一个村庄微观角度，讲述考古学。

最后应介绍文献学及工具书方面的书籍。首先应提到张勋燎、白彬先生编著的《中国考古文献学》（科学出版社2019年版）。至于工具书，有《中国考古学文献目录（1949～1966）》（文物出版社1978年版）、《中国考古学文献目录（1971～1982）》（文物出版社1998年版）、《中国考古学文献目录（1983～1990）》（文物出版社2001年版）等，虽说尚未构成一个完整的考古文献"数据库"，但总算有胜于无。期待着国家文物局相关数据库建设早日完善。还有一些小型的更专业的书目，如叶骁军编的《中国墓葬研究文献目录》（甘肃文化出版社1994年版），赵朝洪先生的《中国古玉研究文献指南》（科学出版社2004年版）。这些书目都很不错，但如不及时修订容易过时。史前方面，还有几部研究史和文献目录应该提到：吕遵谔先生的《中国考古学研究的世纪回顾——旧石器时代考古卷》（科学出版社2004年版）、严文明先生的《中国考古学研究的世纪回顾——新石器时代考古卷》（科学出版社2008年版），是很好的研究史专著。缪雅娟先生的《中国新石器时代考古文献目录（1923～2006）》（中州古籍出版社2014年版），为我们提供了该领域的专业目录。后两书的内容，从时代看有的已进入夏商甚至更晚的时期。

辞典方面，仅介绍三部：一部是上海辞书出版社2014年出版的《中国考古学大辞典》，由中国社会科学院考古研究所所长王巍先生主编。条目拟定者多为相关领域专家，历时7年编成。正文收有条目5000余条，附录中有"中国考古学大事记（1899～2012）"等也都很实用。这部辞典，可以看作是考古学领域的"牛津双解辞典"，颇具权威性。另一部是罗西章、罗芳贤父女二人编著的《古文物称谓图典》（百花文艺出版社2013年版）。李学勤先生在序中称此书"别出心裁，与众不同，是一部新颖又有重要应用价值的著作"。共收录各类文物（图）3553件（组），下分20大类，再依时代排列。此书的图片印制等尚有提升空间，期盼第三版时会更臻完善。第三部是文物出版社2012年出版的《常见文物生僻字小字典》，很实用。

报纸方面，应提到国家文物局主办的《中国文物报》周报。当然，最快捷的还是互联网。较权威的有中国社会科学院考古研究所的中国考古网（http：//kaogu.

cn)、中国考古网微信（zhongguokaogu/中国考古网）、中国考古网新浪微博（http：//e.weiho.com/kaoguwang）。

各地区也有一些不错的考古史及考古丛书等。

如北京市，推荐宋大川先生主编的《北京考古发现与研究（1949～2009）》一书，科学出版社2009年版，上、下两册。如觉此书太厚，可参见同一作者的《北京考古史》（上海古籍出版社2012年版）一书。另外，上海古籍出版社2011年出版的《北京考古工作报告（2000～2009）》，计12册，可视为北京考古事业的一个大型文献数据库。《北京考古集成》（北京出版社2005年版）15卷也已出齐。

河北省，推荐河北省文物研究所编著的《河北考古重要发现1949～2009》（科学出版社2009年版）一书。分旧石器时代、新石器时代、夏商周、秦汉、魏晋北朝、隋唐五代、宋辽金元明，共七个部分进行介绍。另有《河北文物考古文献目录》（河北人民出版社2020年版）。

山西省，山西是文物大省。相关书籍不少。从非专业人员阅读兴趣考虑，首先推荐《发现山西：考古人手记》（山西博物院、山西省考古研究所编，山西人民出版社2007年版）一书。该书16开一册，仅175页厚，插图213幅，记叙了山西省芮城县西侯度、清凉寺，吉县柿子滩、沟堡，绛县横水墓地，曲沃县羊舌墓地，黎城县西周墓地，侯马市西高祭祀遗址，大同市沙岭北魏壁画墓，太原市北齐徐显秀墓的考古发掘始末。读此一书，对山西省比较重要的考古发现，都会有一个初步的印象。《有实有积：纪念山西省考古研究所六十华诞集》（山西人民出版社2012年版）也可参考。

内蒙古，有《辽西区青铜时代考古文献选编：回眸药王庙、夏家店遗址发掘六十周年》（科学出版社2020年版）一书，把相关的考古发掘报告及研究论文集中于一书，使用起来当然很方便，何况收入的考古发掘报告又做了修订。

黑龙江省，可参阅黑龙江省文物考古研究所编《考古·黑龙江》（文物出版社2011年版）。

上海市，张明华先生《考古上海》（上海文化出版社2010年版）、上海博物馆编《上海市民考古手册》（北京大学出版社2014年版）等均可一阅。

浙江省，可参阅浙江省文物局编《发现历史：浙江新世纪考古新成果》（中国摄影出版社2011年版）一书。马黎先生的《考古浙江：历年背后的故事》（浙江古籍出版社2021年版），用浅白有趣的文笔，讲述了近十年来浙江省的考古工作，正好可与上一本书在时间上衔接起来。《浙江考古（1979-2019）》（文物出版社2020年版）汇集了相关最新成果。

安徽省，可参阅《流金岁月——安徽省文物考古研究所50年历程》（安徽省文物考古研究所 2008 年版）。

山东省，山东省文物考古研究所编《山东 20 世纪的考古发现和研究》（科学出版社 2005 年版），可作为了解山东省考古事业的一部入门书，但缺点是缺少近十年来的内容。

河南省，河南省是文物大省。可以推荐的书不少。如文物出版社 2011 年出版的《历程：洛阳市文物工作队三十年》，读来并不枯燥。同类书尚有《岁月如歌——一个甲子的回忆》《岁月记忆：河南省文物考古研究所 60 年历程》，均由大象出版社 2012 年出版。国家图书馆出版社 2009 年出版的《洛阳古墓图说》一书，以图解方式介绍了新石器时代至明代的古墓。《河南文博考古文献叙录（1986～1995）》（中州古籍出版社 1997 年版）、《河南新石器时代田野考古文献举要（1923～1996）》（中州古籍出版社 1997 年版），虽稍显过时，但仍不失为两部有价值的文献目录。

北京图书馆出版社 2005 年始陆续出版的《洛阳考古集成》，为 16 开多卷本，已出版"原始社会卷""夏商周卷""秦汉魏晋南北朝卷""隋唐五代卷"及"补编"等，汇集了近五十年来相关考古资料，可视为考古重镇洛阳的一项大型文献基本建设。

湖北省，楚文化研究会早在 20 世纪 80 年代即编有《楚文化考古大事记》，可作为工具书使用。

湖南省，文物出版社 1999 年出版有《湖南省考古五十年》一书，可参阅。

广东省，广东省文物局编《广东文物考古三十年》（暨南大学 2009 年版）一书，附有"广东省文物考古调查发掘简报、报告目录（1978～2008）"，可以视作广东省考古文献的入门目录之一。文物出版社 1999 年出版的《广东省考古五十年》一书也可参看。

近年来，不少经济大省纷纷推出本省文物、考古的集大成丛书，广东省自然也不例外。科学出版社近年所出《广东文化遗产》，下分"古墓葬卷""塔幢卷""石刻卷""近现代重要史迹卷""古代祠堂卷"等，广东相关文献，几乎全部囊括在内。

广州市文物考古所有《广州考古六十年》（广东人民出版社 2013 年版）一书，可了解广州市考古工作的情况。

重庆市，文物出版社 1999 年出版的《重庆市考古五十年》一书，可作为入门书来看。此后的考古发现，可参阅《重庆文物考古十年》（重庆出版社 2010 年版）。

四川省，比较值得推荐的有《巴蜀埋珍：四川五十年抢救性考古发掘纪事》（天地出版社 2006 年版），此书为四川省文物考古研究院编著，读者阅后对四川省 1949～2005 年间重大考古发现会有一个总体的印象。

贵州省，今有贵州民族出版社 1993 年版《贵州田野考古 40 年》一书，可参阅。

西藏自治区，夏格旺堆先生的《西藏考古工作 40 年》（文物出版社 2013 年版），是了解西藏自治区考古工作的一部综述类著述。

陕西省，陕西省是我国文物大省，从出版角度看，2006 年成立的陕西省考古研究院在全国各省市自治区中可以说是做得最好、最有规划的。该院已出版的丛书计有：

——"陕西省考古研究院田野考古报告丛书"，已出版五六十部；

——"陕西省考古研究院学术专题研究丛书"；

——"陕西省考古研究院专家学术研究丛书"；

——"陕西省考古研究院文物精品图录丛书"；

——"陕西省考古研究院译著丛书"。

陕西省考古方面的书籍众多，在此仅介绍《三秦 60 年重大考古亲历记》（三秦出版社 2010 年版）一书，此书 16 开，554 页厚，收文 71 篇，图文并茂，还有一些专业名词解释等小贴士，便于初学者阅读。读后对 20 世纪 50 年代的半坡遗址，60 年代的蓝田猿人、70 年代的秦兵马俑坑和周原遗址、80 年代的法门寺地宫、汉唐帝陵和陪葬墓，90 年代的汉阳陵陪葬坑、周公庙遗址、梁带村芮国墓地等均会有所了解。文章中不乏考古人员的发掘过程、生活细节、真实想法等，读来颇为生动、形象。陕西省文物局、考古研究院编《留住文明：陕西"十一五"期间基本建设考古重要发现（2006 ~ 2010）》（三秦出版社 2011 年版）当然是更专业的综述了。尹申平、焦南峰先生主编的《薪火永传：纪念陕西省考古研究院 50 周年（1958 ~ 2008）》（三秦出版社 2008 年版），读后对陕西省考古最高学术机构陕西省考古研究院会有一定了解。罗宏才先生的《陕西考古会史》（陕西师范大学出版社 2014 年版），也可参阅。

工具书方面，《陕西考古文献目录（1900 ~ 1979）》仍有一定使用价值。《陕西文物年鉴》（陕西人民出版社）是少数几个出版有文物年鉴的省、市中最为实用的。

甘肃省、青海、宁夏，有李怀顺、黄兆宏著《甘宁青考古八讲》（甘肃人民出版社 2008 年版），介绍了甘肃、宁夏、青海从旧石器时代到明代的考古情况。另有《青海考古 50 年》（青海人民出版社 1999 年版）一书，也可参阅。

新疆维吾尔自治区，2015 年由新疆美术摄影出版社、新疆电子音像出版社、美国克鲁格出版社联合出版《西域文物考古全集》一书，共有"研讨与研究卷""精品文物图鉴卷""不可移动文物卷"三大卷 39 分册，是新疆维吾尔自治区文物局完成的对近万处文物资料的整理汇编，是以新疆 88 个县、市的不可移动文物资料为基础，融汇了多年来新疆文物考古取得的主要成果。按照古遗址、古墓葬、古建筑、石窟寺及石刻、近现代重要史迹及代表性建筑、文物等类别的体例依次汇编。这些细致的工作，不仅为新疆不可移动文物保护规划的制定、进一步的考古发掘提供了科学依据，更为西域古代文化的研究提供了全面和系统的资料。

香港特别行政区，商志（香覃）、吴伟鸿先生的《香港考古学叙研》（文物出版社 2010 年版）在回顾香港考古发现、考古发掘的过程中，不时加入自己的研究观点，可作为了解香港特别行政区考古事业的首选书。

澳门特别行政区，郑炜明先生的《澳门考古史略》（澳门理工学院 2013 年版）是了解澳门特别行政区考古事业的一部好书，只是在中国内地不太好找。

台湾省，有陈光祖先生主编、臧振华先生编著的《台湾考古发掘报告精选（2006～2016）》。又有李匡悌先生编著的《岛屿群相：台湾考古》（台湾“中央研究院”历史语言研究所 2018 年版）一书，分章叙述了台湾的考古学史、史前考古、田野考古、环境考古、科技考古、动物考古、历史考古、水下考古等。

中国考古学会有《中国考古学年鉴》，已如前述。河南等地考古机构也有《考古年报》，一年一册。博物馆方面，有《中国国家博物馆年鉴》《中国博物馆年鉴》。

后　记

　　考古发掘报告，包括前期的勘察报告、调查报告、钻探报告、航拍报告、试掘报告，中期的清理报告、发掘报告，后期的实验报告、整理报告、保护报告等，是我国几代考古工作者辛勤劳动的结晶，是我们认识考古学术成果的唯一文字凭证。考古发掘报告，反映的是祖先留下的珍贵遗产，而考古发掘报告本身，也已成为一座取之不尽、用之不竭的学术宝库。这座宝库，应该说不仅仅属于考古学界，甚至应该说不仅仅属于学术界，而应属于全体国民，属于人类文明。

　　然而，令人遗憾的是，多年以来，国人对考古发掘报告的了解和利用实在是太有限了。考古学"是20世纪中国学术界成绩最突出，对人类历史贡献最大的学科之一"。（陈星灿著《考古随笔（二）》，文物出版社2010版，第251页），历史学号称与考古学的关系"特别密切和重要"（赵光贤著《中国历史研究法》，中国青年出版社1988年版，第29页），但《中国古代史史料学》（安作璋主编，福建人民出版社1994年版，第91页）一书，对古代陵墓、建筑遗址、遗迹及相关实物等考古材料不还是以一句"因涉及考古学的专门知识，这里不再作介绍"交代了吗？究其原因，主要在于考古发掘报告专业性强，佶屈聱牙。考古学家俞伟超先生甚至说，他当年对斗鸡台的考古报告都"很难看得懂"，直至1954年"在陕西宝鸡发掘时，在当地琢磨才明白的"（曹兵武编著《考古与文化续编》，中华书局2012年版，第330页）。考古名家尚且如此，遑论其他？唯其如此，如果有一部通俗易懂而又信息量大的集中介绍考古发掘报告的工具书，不是多少能解决点问题吗？我个人以为，这一工具书最好是有提要的，仅仅是一部考古发掘报告的书目、篇名目录，对"数据"的"发掘"程度是不够的。人们需要了解：在哪儿、什么时候、发现或发掘出什么、这些遗迹或遗物有何特别之处、有何重要意义等基本信息。只有通过对这些基本信息的揭示，人们才会对考古发掘报告有一个大体了解，才谈得上去进一步利用。但这么多年了，却未见这样的工具书问世。诚如章培恒先生所言："要踏踏实实地、系统地研究某一门学问，非有这方面的较为完整的目录书指示门径不可。倘若没有呢？那就得自己动手去编。"（《日本现藏稀见元明文集考证与提要·序》，岳麓书社 2004 年版）这，也正是我们编纂《中国考古发掘报告提要》这一工具书的初衷和目的。如果说，《四库全书总目》囊括了大部分古典文献；那么，《中国考古发掘报告提要》则涉及主要的考古发现与考古发掘，只有既掌握了古典文献的基本内容，又了解了考古发掘的基本事实，才有可能真正融会贯通，将王国维先生的"二重证据法"落到实处。从这一角度看，将《中国考古发掘报告提要》视为"地下的《四库全书总目》提要"似无不可，尽管二者的作者水平与学术地位不可相提并论。

在工作开始之前，征求了多位不同学科、不同专业的专家、学者们的意见。有意思的是，持反对意见的人主要集中在考古圈内，考古圈外的人却大多表示赞同。反对的意见主要出自三点考虑：

一是"网上都有"。的确，不少刊物现已在网上可查全文。但经过逐刊、逐年、逐期的查寻发现，并非"网上都有"，有的刊物网上查不到，有的刊物缺年少期。更重要的是，仅在网上浏览，是无从享受纸本工具书的解说、集中、分类、检索等功能的。从务实的角度说，上网查询，毕竟是要产生费用的，有时一篇文章反复翻阅，既不方便，也不经济。这时恐怕即使是考古圈内的人，也会想要有一部工具书，有个基本了解后再有目的地上网查找相关文献，线上线下，相辅相成，岂不是事半功倍？

二是"大多知道"。这里所说的"大多知道"，是指某一地区的考古人员，对本地区的考古文献是很熟悉的。比如北京市的考古人员，对北京市这一亩三分地都挖出过什么，可以说是如数家珍。即便如此，仍然会让人产生以下推论：一是就算是对本地区的考古文献烂熟于胸，有一部工具书辅助查寻，又有什么坏处呢？二是谁真能保证当地考古人员人人都能对本地区的考古文献十分熟悉呢？三是考古这门学问和别的学科一样，少不了比较，仅仅是熟悉本地考古文献，是做不了什么大学问的。王巍先生不就讲过："考古资料如汗牛充栋，不仅业外人士很难了解其全貌，就连从事考古学研究的学者，对自己研究领域之外的考古成果也往往知之不多。"（《中国考古学大辞典·前言》，上海辞书出版社 2014 年版）四是考古圈以外的人，当然不可能做到"大多知道"。

三是"量太大了"。认为考古报告成千上万，编起来不胜其烦。其实不正是因为太多太繁，才有必要编纂相关工具书吗？马云讲未来的资本不是土地，不是金融，而是"大数据"。从做学问的角度讲，只有掌握了某一门学科的"大数据"，才有可能做出大学问。

与考古圈内形成鲜明对比的是，考古圈外的人却大多表示赞同，认为有这么一部工具书，对于查找和理解考古发掘报告是颇有益处的。北京大学李零先生早就谈到：考古圈内人"除了'报告语言'就不会说话"，而"圈外人看考古报告又如读天书，不知所云，不但不知道怎样找材料，也不知道怎样读材料和用材料"（《说考古"围城"》，载《读书》1996 年第 12 期）。复旦大学葛兆光先生则说："当外行人读他们的报告时，要么觉得他们的话让人难懂，要么觉得他们是在自言自语。""考古可以不断地挖出新的遗址，发现新的文物，但是无论如何，这只是学科内的事情。"（《槛外人说槛内事》，载《读书》1996 年第 12 期）其实这些学者，还是很关注考古发掘的。例如文献学家周勋初先生，就说他"喜欢看考古发掘方面的介绍"（《艰辛与欢乐相随——周勋初治学经验谈》，凤凰出版社 2016 年版，第 3 页）。但喜欢是一回事，能否真正看懂又是一回事。许宏先生不就讲过："考古学给人以渐渐与世隔绝的感觉。甚至与这个学科关系最为密切的文献史学家，也常抱怨读不懂考古报告，解读无字天书的人又造出了新的天书。"（王巍主编《追迹：考古学人访谈录 II》，上海古籍出版社 2015 年版，第 170 页）如果说，《四库全书总目》提要让人们对那些陌生的古代文献有了一个基本了解；那么，《中国考古发掘报告提要》也不过是想让人们对这些号称"天书"的考古发掘报告有个大致印象，仅此而已。

对于编纂《中国考古发掘报告提要》的看法不同，或许也是因为考古圈内、圈外对于考古发掘报告的关注点不一样：

首先，考古圈内更关注的是相关考古报告何时发表，是否规范。如郑嘉励先生指出："就考古工作者的职业道德而言，积压的考古资料必须适时发表。"（《浙江汉六朝墓报告集·后记》，科学出版社 2012 年版）张文彬先生也谈到："在我看来，客观、完整、及时将重要的考古资料公布于世，让学界鉴赏、研究，这是文物、考古工作者的天职，也是文物考古界的职业道德。恪守这个职业道德，对于我国考古学研究水平的提高乃至整个考古事业的发展，都是十分重要的，切不可等闲视之。"（《鹿邑太清宫长子口墓·序》，中州古籍出版社 2000 年版）而考古圈外更关注的，主要是已出版、发表的考古发掘报告如何利用。

其次，考古圈内更关注史前及夏商周三代考古，现在不少大学还是史前、三代考古各设一个教研室，其后的各朝各代统设一个"汉唐宋元考古教研室"。这是因为中国考古学诞生于 20 世纪 20 年代那个落后、屈辱的时代，"中国考古学一开始的主要工作，就是要寻求中国人类繁衍不息，中国文化源远流长，中国文明连接不断的证明"（王煜主编《文物、文献与文化——历史考古青年论集·序言》第一辑，上海古籍出版社 2017 年版）。以求重建民族自尊心和自信心。加之中国考古学源自欧洲，而欧洲"考古学要解决的主要是人类起源、农业起源、文明起源这三大问题"。（同前引文）不要说中世纪及近现代考古，就是古希腊、古罗马，在很长一段时间都"显然不是欧洲考古学的主要阵地，甚至更多的关注来自艺术史的学者"（同前引文）。这对中国考古学不可能没有影响。所以考古圈内不少人对战国以后的所谓"历史时期考古"兴趣不大。而考古圈外呢，自然更关注与自己搞的那一段所谓"断代史"有关的史料。

这么说，并不是说考古圈内的人都反对这个事，考古圈外的人都赞成这个事——不是这样的。考古圈外有的也颇不以为然，考古圈内的人也有的认为很有必要。如老考古人苏秉琦先生神骥出枥，指出考古学"新趋势的特点是向多学科、大众化发展。考古学的发展需要多学科素养的人来参加，社会上各行各业的人都能从这门学科中找到他们感兴趣的知识或材料，事实上还远远没能做到这一点，这主要是由于我们的工作还有许多薄弱环节"（《苏秉琦文集》（三），文物出版社 2009 年版，第 113 页）。苏秉琦先生这里所说的"我们"，应该是指考古学界。而自说自话、外人难读的考古发掘报告，理应属于"薄弱环节"之一，既然是薄弱环节，当然就有待改进和提高了。否则的话，就如同另一位老考古人张勋燎先生所指出的："如果搞其他学科史的人感到我们的历史时期考古对解决他们的问题完全没有帮助，那我们就是在玩古董，而不是研究考古了。"（《中国历史考古学论文集》下册，科学出版社 2013 年版，第 261 页）

不过，考古圈内和考古圈外在一个问题上的看法却惊人地一致：那就是都认为考古发掘报告花费了这么多的时间、精力和金钱，不好好利用，实在可惜。李伯谦先生曾讲过："我深知一部考古报告的诞生十分不易，从田野调查、发掘到室内资料整理、编写报告，一环扣一环，不知有多少人为此付出了辛劳和汗水。"（《大冶五里界·序》，科学出版社 2006 年版）。郭德维先生也曾谈到："凡整理过报告的人都知道，这是一项极其繁杂、十分琐碎的工作，既费神又费力，且短期难以完成，如果不是有很强的事业心，不下狠心用很长时间坚持做，是绝对做不好的。"（《随州擂鼓墩二号墓·序》，文物出版社 2008 年版）。宋建忠先生则感叹："常言道：巧妇难为无米之炊，但考古工作的现状常常是'好米难遇巧妇'，现在是物欲横流的时代，考古发现层出不穷的时代，人心浮躁不安的时代，现实的情况往往是'发掘抢着做，报告无人理'。因此，即使是一个重要的考古发现，报告的出版也常常是遥遥无期"。（《汾阳东龙观宋金壁画墓·序》，文物出版社 2012 年版）安金槐先生更直言："考古报告的出版是个大问题""编一本考古报告是要费大劲的""所以编考古报告要有点吃亏的精神"（曹兵武编著《考古与文化续编》，中华书局 2012 年版，第 359～360 页）。考古发掘详报时隔一二十年甚至更长时间才得以出版的例子比比皆是。如张忠培先生在《元君庙仰韶墓地》一书封三上写道："一九五九年写成初稿，二十四年后才贡献给读者。"（高蒙河《张忠培先生六十年学术论著要目编纂札记》，载《庆祝张忠培先生八十岁论文集》，科学出版社 2004 年版）王益民先生在《丁村旧石器时代遗址群》一书后记中，开篇即说此书费时 20 年。然而，好不容易有人不计名利将报告写了出来，又费尽千辛万苦申请到了经费，总算幸运地得以出版，命运又如何呢？除了图书馆、博物馆采购一些外，大都流往图书大集，成了打折书。北京大学陈平原先生讲："就拿我来说，明明知道正在削价出售的考古报告很有学术价值，可就是没有勇气把它们抱回家，原因是读不懂。"（《文学史家的考古学视野》，载《读书》1996 年第 12 期）季羡林先生也曾讲道："往往有这种情况，中国考古工作者发掘的某个地方，经过艰苦的劳动和细致的探索，写出了发掘报告，把发掘的情况和发掘出来的实物都加以详尽、准确、科学的描述，有极高的水平，但是往往不把这些发掘结果应用到历史研究上来。结果给外国的历史学家提供了素材。他们利用了这些素材，证之以史籍，写出了很高水平的历史专著。"（转引自张保胜《张懋夫妇合葬墓·序》，科学出版社 2017 年版）然后国内学界再"出口转内销"。这实在是一件令人深感悲哀的事情。

说完了考古圈内外关于考古发掘报告及《中国考古发掘报告提要》的看法，再来说说考古发掘报告本身。关于这一问题，比较令人感触的有两点：一个是"量"与"质"，一个是"繁"与"简"。

先说"量"与"质"。先说"量"。自 20 世纪 20 年代至今，究竟有多少考古发掘报告，谁也说不清楚。不仅考古圈外的人说不清，考古圈内的人也说不清，王巍先生曾谈到，1949～2009 年这 60 年，"公开出版的考古发掘报告已达 300 余部"（《新中国考古六十年》，载《考古》2009 年第 9 期）。可也有人说如今"每年出版的考古报告多达百册以上"（《新世纪的学术期刊的繁荣发展——纪念〈考古〉创刊 50 周年笔谈》，载《考古》2005 年第 12 期）。以书的形式出版的考古详报并不算多，都有不同的数字，更不用说以文章形式发表的考古简报了。

《中国考古发掘报告提要》收入的考古发掘报告，从收录标准看是偏宽的，不是仅收狭义的"考古发掘报告"，从篇幅来看，既收动辄几十万字的考古详报，也收几千字上万字的考古简报，还有几百字的所谓"微简报"。之所以连"微简报"也尽量予以收录，有两个原因：一是考古发现（发掘）本身就比较简单：或许只是发现了一件青铜器，或许就是发掘出一处窖藏；二是正是因为考古发掘过程简单，很大可能仅有此一介绍，除此再无音讯。但即使是这种"微简报"，也有可能蕴藏着丰富的信息（如某种文化的"边疆"在哪）。金泥玉屑，不可小视。

《中国考古发掘报告提要》收录了以书的形式出版的考古详报和在核心期刊（以《北大中文核心期刊目录》2011 版考古学科为准，略加调整）发表的考古简报、微简报共计 13000 多种。在非核心期刊和以书代刊的考古文献上发表的考古报告，估计还有四五千种，公正地说，这部分发掘报告的学术价值大多略逊一筹，计划日后以《中国考古发掘报告提要·补编》的形式出版。如此，仅是 20 世纪 20 年代末至

2015 年，已出版和发表的考古发掘报告，就几近 20000 种，差不多是《四库全书总目》所收书的一倍了。这个数字看似可观，其实仍只是我们这个五千年文明古国考古成果中的一部分。众所周知，祖先留下的遗迹、遗物，已发现的只是其中的一部分；对这一部分进行了清理、发掘的又只是其中的一部分；已发掘的这一部分中，写有考古发掘报告的又仅是其中的一部分；写有考古发掘报告能正式发表的，又只是其中一部分。不是有学者指出，"十个考古发掘项目中，只有四五个发表了简报或者报告"吗？甚至一些名列"全国十大考古新发现"的考古发掘，也尚未发表考古报告。（张庆捷《考古发掘报告积压的问题》，载 2011 年 9 月 23 日《中国文物报》）所以我们今天能够看到的考古发掘报告，看似珠渊瑶海、宏富之极，其实已是经过层层递减，实在是弥足珍惜。

再看"质"。既然是中国考古发掘报告，自然和别的事情一样，必定会带有中国特色。其表现之一，就是质量参差不齐。不像发达国家，考古报告的整体学术水平相对比较整齐。质量不一的一个重要原因，是时代造成的。张在明先生曾讲过："我们干考古时间长了，也有一种自豪感，我们是文科里边，理工科因素最多，科学性最强、最严谨的一门学科。比起哲学、文学、历史，还是比较自豪的。"（张在明《科学的态度，历史的真实——在全国文物普查培训班上的发言》，载《文博》2008 年第 1 期）但从事这一"科学性最强"的人又如何呢？不去提中华人民共和国成立初期留用的盗墓人员（参见《长沙砂子塘西汉墓发掘简报》，载《文物》1963 年第 2 期），也不提"大跃进"时由 8 位刚从中学毕业的姑娘组建的"刘胡兰"考古队（参见《河南南召二郎岗新石器时代遗址》，载《文物》1989 年第 7 期），"文化大革命"后期和改革开放之初的"亦工亦农学员"（参见《河北磁县东魏茹茹公主墓发掘简报》，载《文物》1984 年第 4 期），就是到了 20 世纪 80 年代末 90 年代初文物普查时，张在明先生不还在说，"中国就是这样的现实，大部分普查队员就是这样一个业务水平。当时陕西省上了 1000 多人，省上真正业务好的，懂考古的，上的人并不多"，甚至出现"照出来的胶卷大部分废了"，因为有时"镜头盖没打开，照完了，回来一冲是空的"，以致陕西省"90% 以上文物点都没有照片"（同前引文）。文物大省陕西省尚且如此，别的省区可想而知。近一二十年，考古队伍中的高学历人员多了许多，考古报告的质量有所提升，但仍然存在诸多问题。比如董新林先生谈到的"有意无意加以取舍，不按单位发表资料，使得资料零散"的问题，恐怕就不在少数（"期刊建设与考古学的发展暨纪念《考古》创刊 500 期学术研讨会"纪要，载《考古》2009 年第 5 期），而"资料完整不完整，是评判考古报告的质量高低的第一标准"（李伯谦《郑州大师姑·序》，科学出版社 2004 年版）。看来，的确如张忠培先生所言："中国考古学的成长史，离不开整个社会条件的制约。"（《中国考古学：走近历

史真实之道》，科学出版社 1999 年版，第 43 页）

应该指出，考古发掘报告在近年来有很大的进步，从量来说，取得国家专项资金支持得以出版的考古发掘详报越来越多，当然印量都不高，甚至有的书已出，考古圈内都不太了解（参见《考古》2011 年第 7 期载《中国考古学》一书书评），从质来说，海外学者曾批评："中国大陆在考古研究上不会问问题，即使问，也问得有限。有资料与有问题是两回事，如果只有资料而没有或问不出好的问题，资料也失去意义。"（许倬云《历史分光镜》，上海文艺出版社 1998 年版，第 297 页）而近年来出版的考古发掘报告，应该说已越来越善于问问题了。

再说"繁"与"简"。早在 20 世纪 80 年代，尹达先生就曾提出考古发掘报告"太简化，简化到史学家不能使用的程度"（《尹达同志谈考古学研究》，载《中原文物》1982 年第 2 期）。黄宽重先生则抱怨：考古发掘报告"偏重于墓葬结构、形制、出土陪葬物品的种类式样，如漆器、瓷器、石器等，特别着重于器物、墓室形制的描述，并讨论其意义。报告中虽然也注意到买地券，以及考订墓葬年代等等问题，却多忽略墓志资料"（《宋代的家族与社会》，国家图书馆出版社 2009 年版，第 15 页）。而墓志又恰恰是治史之人最需要的，着实令人恼火。王益人先生也指出已发表的旧石器时代考古发掘详报："可读的信息量实在太少，一个遗址出土几千件标本，读者只能看到十几件甚至一两件石器标本的插图和照片。难道这些标本就能代表这个遗址的所有信息吗？这绝不是我们想要的，也不能再走这样的老路了。"（《丁村旧石器时代遗址群：丁村遗址群 1976 ～ 1980 年发掘报告·代后记》，科学出版社 2014 年版）如此看来考古发掘报告似乎是越全、越厚越好。而当下 80、90后的网友，又大多认为如今的考古发掘报告太过繁琐，不忍卒读。如有一位名叫王悦婧的网友提到初读考古发掘报告的印象："在刚开始阅读时，我深刻体会到了阅读的艰难，很多专业术语一知半解，而且有很多的疑问和不理解。"（王悦婧《阅读考古发掘报告的几点心得体会》，载 http：//www.do-cin.com/D-8333.6897.htm1）似乎考古报告越通俗，越简单为好。

那么，考古发掘报告的量与质的问题、繁与简的矛盾是否能有一个兼顾呢？我个人认为，撰写提要，恰恰就是一个比较好的解决方案。只有通过撰写提要，才能为考古发掘报告算一总账，知道还有哪些重大考古发掘迟迟未出报告，以致国家文物局不得不将其列入"限期整理"名单（参见《长治分水岭东周墓地》文物出版社 2010 年版，第 4 页）；只有通过撰写提要，才能分辨出哪些报告已不堪使用，需要出版修订本、增订本（参见霍东峰、华阳《也谈考古报告的编写》，载《内蒙古文物考古》2007 年第 2 期）；也只有通过撰写提要，才能使"繁"与"简"的矛盾得以平衡，需要更多信息的读者，可以沿着提要的线索去查找更多的资料；需要一般了解的读者，或许阅读几百几千字的提要就得以了解相关信息了。

尽管考古发掘报告尚存在着这样那样的问题，但诚如有学者指出："从某种意义上说，现今研究中国的古代历史和文化，如果离开考古学及其研究成果，是很难进行的。"（张之恒主编《中国考古通论》南京大学出版社 2009 年版，第 38 页）而对考古学成果的利用，抛开考古发掘报告，也是不现实的，同样是很难进行的。《輶轩语》曰："无论何种学问，先须多见多闻，再言心得。"欲了解考古成果、考古材料，一本一本、一篇一篇地去读考古发掘报告，当然是一个办法，但先行阅读考古发掘报告提要，也应不失为一种事半功倍的选择吧？如袁珂先生所言："积累应当说是做学问的基础，没有积累，任何学问也做不起来。"（《袁珂神话论集·代序》，四川大学出版社 1996 年版）《中国考古发掘报告提要》，只能说是考古发掘报告"提要学"的最初一点积累吧。也算是为贯彻习近平总书记提出的"建设中国特色、中国风格、中国气派的考古学"的指示，所做出的一点努力吧。

至于编纂此书的难处，先抛开编者的学术水平等主观因素不说，客观上的困难至少有三：

一是几无借鉴。此书的编纂属于首创，考古发掘报告的提要怎么写，谁也不知道；这么多提要依照什么原则进行编排，谁也没干过。只能是摸着石头过河，摸索着干。王杰先生曾指出："万事开头难，前人没有做过，第一次来做此事，自然就难。"（《楚都纪南城复原研究·序》，文物出版社 1992 年版）确是深知甘苦之言。而只要是首创之举，恐怕都难称完美。这在目录学史上不乏其例。比如《书目答问》，被称作是首部"面向广大读书人的，把书目与读者的密切关系放在首位"的杰作，但"《答问》体例不一，仓促之迹比比皆是"（《增订书目答问补正·前言》，中华书局 2011 年版）。这里要提到张在明先生在谈及考古文物普查图集时曾引用过的一个外国笑话，说是一个火车站火车老晚点，旅客们埋怨说，要列车时刻表有什么用？站长说，没有列车时刻表，你怎么知道列车晚点多少？张先生说："可是我们 50 多年了，连个列车时刻表都没有。文物事业的火车，就是在没有时刻表的情况下，跑了 50 多年。"（同前引文）蠡测其意，张先生意思是说，文物普查图集，也是类似列车时刻表这么一项基本建设。而《中国考古发掘报告提要》，不也应算是一项基本建设吗？何况是出于编者少数人之力，错讹肯定是还要超过文物普查图集，但正如张先生所言，"有了文物图集至少有了靶子，有靶子可打呀，没有文物图集，你连靶子都没有"（同前引文），编者不揣简陋，编纂《中国考古发掘报告提要》，实在是任重才轻，操刀伤锦；也不过是想给学界提供一个"靶子"吧，甚望高明缺者补之，误者正之，日后也有类似《四库全书总目提要补正》《中国丛书综录补正》一类专著问世，使其更趋完善，更便使用。

二是工程浩大。工作量有多大，可有个参照。《〈中原文物〉创刊十五年叙录（1977～1992）》（河南省博物馆1993年6月自印本）一书收录了1500余条25万字，每条都有提要。该书前言称："《中原文物》编辑部的全体同志，在完成自己繁重的本职工作之余，为编写这本书，不辞劳苦，牺牲了业余时间，经过一年的艰苦努力，克服经费上的困难，自筹资金，终于使此书出版发行了。"《中国考古发掘报告提要》所收是《中原文物》提要数倍，且参编人员也均为利用业余时间工作，这么一对比，其工作量之大，即可思过半矣。

原稿堆积如山

三是经费紧张。《中国考古发掘报告提要》是在未及申报任何项目，没有一分钱科研经费的情况下干起来的，经费之紧张自不待言。中国科学院院士叶大年先生常常开导学生们，要记住拿破仑的名言："先投入战斗，然后见分晓。"（日新编著《听大师讲学习方法》，天津社会科学出版社2004年版，第126页）这件事也是"先投入战斗"，困知勉行，干起来再说。

或许正是因为有这些难处，才会留下诸多遗憾：

从"量"来说，未能一步到位，收录的书籍肯定有遗漏，收录的文章更是缺少了非核心期刊和以书代刊这一块。估计还会有几千种。计划仿照《四库全书存目丛书》的先例，以补编形式出版。

从质来说，未能更臻完善。记得曾在《北京晚报》上看到北京大学考古系的同学写的文章，将发掘的先民住宅用今天的"两居室""三居室"来打比方。我们这部提要虽说也尽量往"浅白有趣"努力，但似乎尚无法做到如此直白。另外，不少重要的学术信息，也实在是无暇一一查找对应到位，这都只能是留下遗憾了。

这么一部有着诸多遗憾和不足的资料，为什么仍要野人献曝、布鼓雷门呢？这实在是因为我坚信考古发掘一定会有着学界急需的营养。诚如陈星灿先生所言："考古学是一门让人难堪的学问。它的发展日新月异，足以动摇被世代奉为金科玉律的东西。"（《考古随笔（二）》，文物出版社2010年版，第149页）不要说三星堆、红山、陶寺等足以改写上古史的考古发现，就是中古史，不少考古发现也一样会促使我们重新思考以往的一些"定论"。比如胡宝国先生就注意到："根据传统史料，到处都是豪族，到处都有豪族的影响，但在造像记中，我们又几乎看不到豪族的踪影。"（胡宝国著《将无同：中古史研究论文集》，中华书局 2020 年版，第 383 页）这至少会促使我们重新审读以往的文献记载，以求更加贴近历史真相。

还有几点需要特别说明一下：

一是大的原则是依时间排列。征求了不少人的意见，都愿意从最便利的途径得知某一朝代（如汉代）已发现了多少手工业遗址，已发现了多少皇陵。《中国考古学》系列，倒是依时间排列的，但那是考古学的专业书，圈外人看起来还是费力，何况还未出齐。

二是附录中的"参考文献"，列举的是一些最基本的书刊，注明的也是一些考古界最熟知的事实，算是照顾考古圈外的普通读者吧。

三是总主编刘庆柱先生统筹全局，负责大政方针的把控，已是千钧重负，尽管先生向来虚己以听，闻过则喜，但作为后学，已然兼葭倚玉，何忍再让先生推功揽过，分损谤议。故而收录之遗漏、分卷之可议、校读之疏忽等种种具体问题，理应由本人引咎自责，抉误补阙。

四是本《提要》总索引，待《补编》《续编》《外编》等出齐后，再统一编一个涵盖整个《提要》系列的总索引。

最后想说的是：编纂过程虽然充满艰辛，但好在有许多前辈、朋友的支持和帮助，大家一起来克服困难。要感谢中国社会科学院考古研究所、北京大学文博学院、北京大学图书馆、首都师范大学图书馆、文物出版社、科学出版社、中国大百科全书出版社、中华书局以及河南、山西、陕西等地考古部门的支持与帮助，要感谢傅璇琮前辈的肯定与提携，要感谢中国文史出版社的各位领导，各位编辑、印制、发行老师和项目负责人窦忠如先生，要感谢关心此书出版的范纬女士、卢仁龙先生，还有许多师友，恕不一一列举大名了。没有大家的支持和鼓励，这件事情是不可能做成的。

丁晓山
2016 年 8 月于首都师范大学
2021 年 10 月改定